Een varken in het

Tessa de Loo
Een varken in het paleis

Uitgeverij De Arbeiderspers
Amsterdam · Antwerpen

Eerste druk (geb.) augustus 1998
Tweede druk (ing.) augustus 1998

Omslag: Nico Richter

ISBN 90 295 2769 2 / NUGI 300

Met dank aan Afrim Karagjozi, die de reis mogelijk maakte, aan Martin Ros, die uit de diepten van zijn geheime bibliotheek onmisbaar materiaal over Byron aandroeg, en aan Henrique Gouveia, die mijn computer telkens weer aan de praat kreeg.

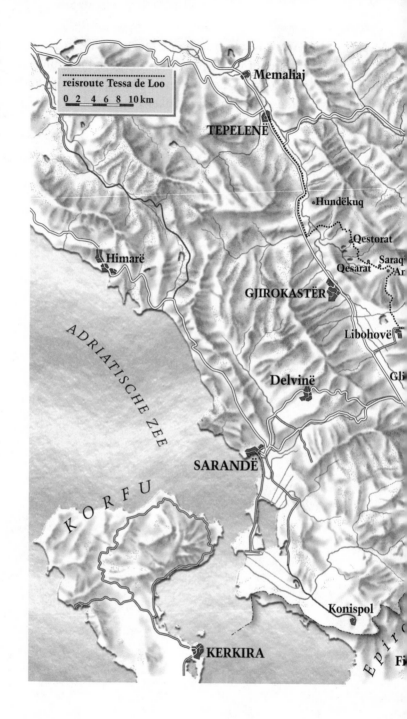

Voorwoord

Mijn beste George, – Het is niet makkelijk je erbij neer te leggen dat het leven van alledag het echte leven zou zijn. Te vaak is de lucht niet blauw of grijs maar gevuld met dat onbestemde wit waar je hoofdpijn van krijgt. De straat waarin je woont komt je rechter en saaier voor dan ooit tevoren en zelfs het eksternest in de sombere iep voor je raam lijkt betrokken in het complot tegen je verlangen om te leven, echt te leven. Waarom heeft de ekster haar nest dit jaar op precies dezelfde plek gebouwd als vorig jaar? Is zij dan niet gevoelig voor sleur?

De enige plek waar van alles gebeurt, is een lichtgevende glazen rechthoek achter in de kamer, 's avonds tussen acht uur en tien voor half negen (ik kan je onmogelijk alles uitleggen – vraag me niet even twee eeuwen te verklaren). Op dat rechthoekige scherm kon je op een avond de Muur in duizenden stukjes uiteen zien vallen. De mensen namen brokstukken ervan mee naar huis, om op de schoorsteenmantel te zetten of er handel mee te drijven.

Algauw kwamen de horden uit het oosten, in Trabantjes, met dollartekens in hun ogen. Wij gingen ook kijken hoe het er bij hen uitzag, met dollars in onze zak.

Was het IJzeren Gordijn nu echt helemaal open? Nee, er was een land dat nooit te zien was op de glazen rechthoek, één land in Europa dat niet meedeed aan de collectieve demystificatie. Het land bleef dicht, van de bergen in het noorden tot de bergen in het zuiden, van de kust in het westen tot de bergen in het oosten. Ik had al eens vanaf de top van de Pantokrator op Korfu geïntrigeerd naar het oosten gestaard, naar de massieve grijze rompen van de bergen aan de overkant van de smalle zeestraat. De ruggen van geduldig wachtende olifanten, als je je hand maar ver genoeg uitstak kon je ze aanraken. Maar dan snel terugtrekken, want wat je deed was verboden.

Het Land der Skipetaren. Karl May schreef boeken over landen waar hij nooit was geweest. Ik stel me voor dat hij zoveel mogelijk bij elkaar sprokkelde: landkaarten, militaire stafkaarten, reisgidsen, romans, woordenboeken, geschiedenisboeken, krantenartikelen.

Omdat je ergens moet beginnen kocht ik een reisgids, een bewerkte tweede druk uit 1988. Er stond een byzantijnse kerk op het omslag die me alvast een beetje in de stemming bracht. Zo geheimzinnig als ik had gehoopt, bleek het land niet; allerlei aspecten ervan werden in de gids zonder enige terughoudendheid behandeld: de geografie, geschiedenis, politiek, economie. Er waren zelfs toeristische routes uitgestippeld. Anderen waren me dus voor geweest. Dat was jammer – bij dit soort dingen wil je graag, zoals in de liefde, de eerste en de enige zijn.

Bijna had ik het boek teleurgesteld dichtgeklapt toen ik op een hoofdstuk met de titel 'Lord Byron in Albanië' stuitte. Wat bleek? Jij was er ook geweest, in 1809, samen met je vriend John Cam Hobhouse. De lange brief die je over deze tocht aan je moeder schreef was helemaal in de reisgids afgedrukt. Ik begon te lezen. Hoewel ik nog tegenspartelde trok je me, in een ogenschijnlijk nuchtere, maar eigenlijk van een niet aflatende verrukking getuigende stijl een oriëntaalse wereld binnen waarvan ik het bestaan niet vermoed had toen ik op de Pantokrator naar de aard van het land achter de grijze bergen giste. Ik raakte onder de betovering van het exotische decor, de mengelmoes van volkeren in hun kleurrijke kostuums, de Pasja in wie wreedheid en zachtheid elkaar luchtig afwisselden, de oproep tot gebed van de moëddzin, de dreunende oorlogstrommen, de vermenging van barbaarsheid en verfijning... En hoe jullie je te midden van dat alles als twee onschuldige kinderen lieten verwennen! Het was bijna niet te geloven dat het de werkelijkheid was waarvan je in je brief verslag deed en niet een oosterse *Macbeth*, waarin jullie een figurantenrol hadden gespeeld.

Daartegen moest het leven in een stroeve Hollandse straat aan het eind van de twintigste eeuw het afleggen. Ik wilde nog maar één ding: met je mee. Ook ik wilde bij Ali Pasja op bezoek, als schim uit een toekomstig tijdperk, als voyeur, als nostalgicus.

'Mijn beste Moeder,

Ik ben inmiddels enige tijd in Turkije geweest: deze plaats (Preveza) ligt aan de kust maar ik heb door de provincie Albanië gereisd voor een bezoek aan de Pasja. – Ik ben uit Malta vertrokken in de *Spider*, een oorlogsbrigantijn, op 21 sept. & arriveerde na acht dagen in Preveza. – Vandaar heb ik ongeveer 150 mijl gereisd tot aan Tepelenië, het buitenpaleis van zijne hoogheid waar ik drie dagen heb gelogeerd. – De Pasja heet Ali & hij wordt beschouwd als een zeer kundig leider, hij regeert over heel Albanië (het oude Illyricum), Epiros & een gedeelte van Macedonië, zijn zoon *Velly* Pasja voor wie hij me brieven heeft meegegeven regeert over Morea & hij heeft grote invloed in Egypte, kortom hij is een van de machtigste mannen in het Ottomaanse Imperium. – Toen ik aankwam in de hoofdstad Jannina na een reis van drie dagen over de bergen door een gebied van een zeer pittoreske schoonheid, vernam ik dat Ali Pasja zich met zijn leger in Illyricum bevond

11

waar hij Ibrahim Pasja in het kasteel van Berat belegerde. – Hij had gehoord dat er een adellijke Engelsman op zijn grondgebied vertoefde & had in Jannina orders achtergelaten bij de Commandant om voor een huis te zorgen & me te voorzien van alles wat ik nodig had, *gratis*, ofschoon het me was toegestaan presentjes te geven aan de slaven &c. werd het aanbod voor betaling van huishoudelijke onkosten afgeslagen. – Ik ben op de paarden van viziers uitgereden & heb paleizen van hem zelf & kleinzonen gezien, ze zijn schitterend maar te overdadig versierd met zilver & goud. – Daarna ben ik over de bergen naar Zitsa gegaan, een dorp met een Grieks klooster (waar ik op de terugweg heb geslapen) op een van de aller-mooiste Plekken (nog steeds met uitzondering van Sintra in Portugal) die ik ooit heb aanschouwd. – In negen dagen kwam ik aan in Tepelenië, onze reis werd vertraagd door beken die van de bergen stortten & de wegen doorsneden. Ik zal nooit het uitzonderlijke beeld vergeten toen ik Tepelenië om vijf uur in de namiddag binnenreed terwijl de zon onderging, het riep bij mij herinnering op (overigens met enige wijziging in de *aankleding*) aan Scotts beschrijving van Branksome Castle in zijn Lay, & het feodale systeem. – De Albanezen in hun uitdossing (de schitterendste ter wereld, bestaande uit een *wit-te kilt*, een met goud geborduurde mantel, een vest & jas van karmozijnrood fluweel met goudgalon, pistolen & dolken in-gelegd met zilver), de Tartaren met hun hoge mutsen, de Tur-ken in hun pelliezen & hun tulbanden, de soldaten & zwarte slaven met de paarden, de eersten in groepen verspreid op een immense galerij voor het paleis, de anderen opgesteld in een soort kloostergang eronder, koeriers die met ijlboodschappen binnenkomen of uitrijden, het geroffel van de grote trom-mels, jongens die vanaf de minaretten van de moskee het uur roepen, dat alles gevoegd bij het uitzonderlijke voorkomen van het gebouw zelf, vormde een nieuw & schitterend schouwspel voor een vreemdeling. – Ik werd naar een fraai appartement begeleid, waar de secretaris van de Vizier naar mijn gezondheid informeerde "à la mode de Turque". – De volgende dag werd ik voorgesteld aan Ali Pasja, ik werd gekleed in een galakostuum van de generale staf compleet met schitterend sabel & – De Vizier ontving me in een grote ruimte geplaveid met marmer waar in het midden een fontein speelde, het appartement was rondom gemeubileerd met scharlaken ottomanes, hij ontving me *staande*, een groot compliment van een Muzelman & liet me plaatsnemen aan zijn rechterhand, – voor normaal gebruik heb ik een Griekse tolk, maar een geneesheer van Ali die Latijn spreekt stond mij bij deze gelegenheid terzijde. – Zijn eerste vraag was waarom ik al op zo jonge leeftijd mijn land had verlaten (de Turken kennen niet het reizen voor je plezier), vervolgens zei hij dat de Engelse Minister Kapt. Leake hem had verteld dat ik uit een belangrijke familie stamde & wenste zijn gevoelens van respect te betuigen aan mijn moeder, die ik u hierbij uit naam van Ali Pasja overbreng. Hij zei dat hij er zeker van was dat ik van hoge geboorte ben vanwege mijn kleine oren, krullende haar & kleine blanke handen, en betoonde zich ontevreden over mijn verschijning en kledij. – Hij zei dat ik hem tijdens mijn verblijf in Turkije als zijn vader moest beschouwen & dat hij me als een zoon zag. – Hij behandelde me daarna als een kind en liet me wel twintig keer per dag amandelen & besuikerde sorbets, vruchten & snoeperij brengen. Hij verzocht me dringend hem nog vaak op te zoeken, en dan vooral 's avonds als hem wat meer rust vergund was – ik trok me na koffie & een pijp als eerste terug. Ik heb hem naderhand nog driemaal gezien. – Het is opvallend dat de Turken die geen erfelijke waardigheden & weinig grote families kennen op die van de Sultan na, zoveel respect hebben voor geboorte, want ik merkte dat mijn afstamming meer in aanzien stond dan mijn titel. – Zijne

Hoogheid is 60 jaar, zeer dik & niet groot, maar heeft een mooi gezicht, lichtblauwe ogen & een witte baard, zijn voorkomen is uiterst vriendelijk & tegelijk bezit hij die waardigheid die ik bij alle Turken heb aangetroffen. – Hij toont in zijn gedrag allesbehalve zijn ware aard, want hij is een meedogenloze tiran, maakt zich schuldig aan de afgrijselijkste wreedheden, is zeer dapper & zo'n uitstekend generaal dat ze hem de mohammedaanse Bonaparte noemen. – Napoleon heeft tot twee keer toe aangeboden hem koning van Epiros te maken, maar hij geeft de voorkeur aan de Engelse belangen & heeft een afkeer van de Fransen zoals hij me zelf heeft verteld, hij heeft zoveel invloed dat hij door beiden met respect wordt behandeld, omdat de Albanezen de meest oorlogszuchtige onderdanen zijn van de Sultan, hoewel Ali alleen in naam afhankelijk is van de Porte. Hij is een machtig strijder, maar even barbaars als illuster, hij roostert opstandelingen &c.&c. – Bonaparte heeft hem een snuifdoos met zijn beeltenis gestuurd: hij zei dat de snuifdoos prima was maar dat hij best buiten het portret kon, aangezien *het* hem evenmin als het *origineel* aanstond. Zijn ideeën over de beoordeling van iemands geboorte aan de hand van oren, handen &c. is hoogst merkwaardig. – Voor mij is hij echt een vader geweest, en hij heeft me brieven, bewakers, & alle mogelijke gerief geboden. – Onze volgende gesprekken gingen over oorlog & reizen, politiek & Engeland. – Hij riep de Albanese soldaat die mij escorteert, en zei hem dat hij me tegen alle gevaren moest beschermen. – Zijn naam is Viscillie & als alle Albanezen is hij dapper, strikt eerlijk, & trouw, maar ze zijn wreed doch niet verraderlijk, & hebben ettelijke ondeugden, maar geen laagheden. – Wat voorkomen betreft zijn ze misschien wel het mooiste ras ter wereld, ook hun vrouwen zijn soms knap, maar ze worden behandeld als slaven, worden *geslagen* & zijn kortom gewoon lastdieren, ze ploegen, graven & zaaien, ik

14

heb ze zelfs hout zien dragen & de hoofdwegen zien repareren, de mannen zijn allen soldaat, & oorlog & de jacht hun enige bezigheid, de vrouwen zijn de zwoegers, hetgeen al met al geen echte ontbering betekent in zo'n verrukkelijk klimaat, gisteren 1 nov. heb ik in zee gezwommen, vandaag is het zo warm dat ik zit te schrijven in een schaduwrijke kamer van de Engelse Consul met drie deuren wijdopen, geen vuur en nergens een *open haard* in het huis behalve voor culinaire doeleinden.'

Het paleis van Ali Pasja herkende ik als een oord waar ik altijd al naartoe had gewild. En ik herkende jou, van toen ik zestien was en op school wazig naar je beroemde portret in Albanees kostuum staarde dat in mijn exemplaar van *Highroads of English Literature* was afgedrukt en nu opnieuw in de reisgids.

Ik herinnerde me de aantrekkingskracht die je op me uitoefende. Als dichter van regels die meer leken te betekenen dan ze betekenen: 'My hair is gray, but not with years...' of 'I stood in Venice, on the Bridge of Sighs...' Als man van tegenstellingen, van hevige emoties, van eeuwige rebellie. Als misantroop. Meisjes zijn gek op misantropen omdat ze zich inbeelden dat ze de enigen zijn die met hun argeloze charme door het pantser heen kunnen breken – *The Beauty and the Beast*. Als lijder aan *Weltschmerz*: 'From my youth upwards, My spirit walked not with the souls of men...' Als voorvechter van de vrijheid – ik was net begonnen aan mijn ketens te rammelen. Maar mijn bewondering voor jou was die van een dweepzieke tiener. Je was het object van mijn onvervulbare dromen. Terwijl mijn klasgenoten foto's van James Dean uitwisselden, gluurde ik in het literatuurboek naar mijn mooie dode dichter.

En nu zat ik daar weer oog in oog met datzelfde portret en de plotselinge wens, nee, noodzaak, met je mee te reizen.

Waar mijn hernieuwde belangstelling en het verlangen in je nabijheid te verkeren vandaan kwamen vroeg ik me niet af. Dat verlangen wilde ik niet ontkrachten met relativeringen. Ik wilde het intact laten, koesteren, laten zwellen – zien waar het me zou brengen. Alweer veel te lang was ik verstandig en oppassend geweest, waarom zou ik me niet laten leiden door het irrationele, door een bizarre, onverwacht opgedoken behoefte?

Waar ik toen in mijn blinde bewondering was blijven steken wilde ik nu verdergaan: je beter leren kennen. Wat was een beter middel daarvoor dan een gezamenlijk reis? Misschien ook wilde ik erachter komen waarom jij het was die ik indertijd had uitgekozen voor de projectie van mijn dromen, en had ik die omweg nodig om te ontdekken wie ik zelf was op mijn zestiende – leer me het object van uw bewondering kennen en ik zal u zeggen wie u bent.

Al die overwegingen legde ik het zwijgen op. 'De daad heiligt de gedachte,' was mijn excuus om op reis te gaan zonder me af te vragen wat mijn beweegredenen waren.

Het duurde nog veel eksternesten voordat het er echt van kwam. Inmiddels veranderde de hele constellatie. Albanië opende zijn grenzen en van de weeromstuit sloot Europa zich – voor de Albanezen, die wanhopig probeerden het zieltogende land te verlaten. Zo plezierig was het blijkbaar niet geweest om achter de wachtende olifanten te leven. Mijn leven veranderde ook. Ik verruilde de rechte Hollandse straat voor een slingerend landweggetje in wat jij 'het gindse Portingale' noemde. Ook dat land was je heel goed bevallen: 'Ik ben hier zeer gelukkig want ik houd van sinaasappelen.'

Ondanks al die veranderingen boette het verlangen om met jou naar het paleis van Ali Pasja te gaan niet aan kracht in. Ik begon omtrekkende bewegingen te maken. Hoewel ik een diepe argwaan koester jegens clubs en verenigingen, gaf ik me op als lid van het Byron Genootschap in Nederland. Hier wordt je nagedachtenis levend gehouden door een kleine groep vereerders en liefhebbers. Automatisch was ik nu ook lid van het wereldomspannende *National Committee of the International Byron Societies*, waarvan het hoofdkwartier in Londen gevestigd is. De president ervan is een naamgenoot en ver familielid van je. Van de rij vice-presidenten kun je zeggen dat er weer geen gewoon mens bij is: Lords, Countesses, Viscounts, Reverends, Rt. Honorables en professoren, allemaal afkomstig van 'het benauwde eilandje', om jouw woorden te gebruiken.

Deze mensen organiseren uitstapjes voor zichzelf en hun clubgenoten. Toen er voor de maand september een internationaal Byron-congres in Athene werd aangekondigd dacht ik: waarom niet, dat is niet zo ver van Albanië.

In Athene was het verkeer de baas; vier nachten lag ik verlamd door lawaai, hitte en gebrek aan zuurstof op mijn hotelbed, smachtend naar een uurtje slaap. Gelukkig was er overdag tijdens de lezingen in het koele, neoclassicistische universiteitsgebouw gelegenheid te over het gebrek aan nachtrust in te halen. Mijn aandacht hadden de academici niet nodig terwijl ze zich vol hartstocht overgaven aan het duiden van jouw poëzie. Zij preekten toch voor eigen parochie.

Te midden van dit illustere gezelschap zwierven vogels van vreemde pluimage rond, die je niet zo gauw met jou in verband zou hebben gebracht. Zo was er een Professora uit Armenië die in de wandelgangen veel en onverstaanbaar sprak, een indruk van totale chaos wekkend, nog versterkt door het drukke, postcommunistische bloemmotief op haar zomerjurk. In het academische gewoel bevond zich ook een raadselachtige Japanner die alles met een vreedzame Za-Zenglimlach gadesloeg. Nooit ver verwijderd van de geïmproviseerde bar

17

hing bovendien een Amerikaan rond, met cowboylaarzen en een gangsterzonnebril die hij zelfs in het halfduister niet afzette.

Een telefoniste uit Kopenhagen vertrouwde me na enkele glazen martini toe dat je regelmatig aan haar verscheen om haar van goede raad te voorzien. Om permanent voor jou beschikbaar te zijn had je haar zelfs, vertelde ze, verzocht haar minnaar op te geven.

Verheugd iemand gevonden te hebben die een nog trivialere relatie had met jou dan ikzelf, vroeg ik: 'En, wat deed je?'

'Ik heb het onmiddellijk uitgemaakt, wat dacht je!' zei ze, bijna beledigd.

Voorzichtig liet ik iets los over mijn Albanese plan, hoewel het idee samen met jou op reis te gaan me na haar ontboezemingen ineens voorkwam als thuishorend in dezelfde sfeer van uit de hand gelopen idolatrie en spiritisme als die waarin zij zich, permanent lichtelijk euforisch, leek te bewegen. Mijn voornemen vervulde haar met geestdrift en ontzag. 'Ik wou dat ik met jullie mee kon,' zuchtte ze.

'Eerst wil ik weten wat de risico's zijn,' krabbelde ik terug. 'Albanië lijkt me zo'n land waar het leven van een mens minder waard is dan zijn horloge.'

Maar de telefoniste was doof voor bezwaren. 'Wacht maar...' bezwerend legde ze een hand op mijn arm, 'laat mij maar begaan.'

De volgende ochtend wenkte ze me al van verre. Voor het slapen gaan had ze jou geconsulteerd om erachter te komen of jouw zegen op mijn plan zou rusten. 'Je kunt met een gerust hart op reis, heeft hij gezegd, er zal je onderweg niets overkomen.'

Dat was een hele geruststelling. Maar waarom verschijn je nooit aan mij? Moet je soms telefoniste zijn om dat soort hogere verbindingen te kunnen aanknopen?

Op de derde dag hield ik het niet meer uit. Tijdens een betoog over 'Historiciteit en scepticisme in het vijfendertigste canto van *Don Juan*' vocht ik tegen de slaap en de hitte, ingeklemd tussen een ondoorgrondelijke Oostenrijker en een bejaarde, roze Ier die wellustig in mijn oor likte zodra hij zich onbespied waande. Was ik in Athene om in de aula van een universiteit te zitten?

Ik had inmiddels zowel je verzamelde reisbrieven als de befaamde biografie van Leslie Marchand gelezen en was nieuwsgierig geworden naar de locaties die daarin vermeld werden. Waar was bijvoorbeeld het huis, niet ver van de Akropolis, waarin jij na de reis door Albanië onderdak vond bij de weduwe van een Griek, die Britse vice-consul was geweest. De weduwe Macri had drie dochters, door jou 'de drie gratiën' genoemd, allen onder de vijftien. Met de jongste, Theresa, heb je zo hemeltergend geflirt dat de moeder haar bijna aan je had uitgehuwelijkt.

Duizendmaal liever dan hier te zitten dommelen wilde ik proberen dat huis te vinden. Voorwendend dat ik door een flauwte was overvallen, sloop ik de aula uit. Buitengekomen haalde ik diep adem. Eindelijk alleen. Ik hield een taxi aan en gaf het adres op: Odos Agias Theklas – alsof er sindsdien niet bijna twee eeuwen verstreken waren en je bij de weduwe nog steeds kamers kon huren. Niet ver van Keramikos, in een rommelige oude wijk vol koperslagers en uitdragerijen, stopte de taxi. In een roes liep ik de straat in. Ik had het gevoel dat ik ongeoorloofd dicht bij je kwam, dat ik ieder moment op je schaduw kon trappen.

Speurend naar de gevels liep ik de straat op en neer, in de hoop dat er een plaquette zou zijn of een ander teken dat naar jou verwees. Een oude man, die me zag zoeken, schoot te hulp via zijn kleindochter. In gebroken Engels beduidde ze dat het huis bij een aardbeving verwoest was. Ze wees me de plek waar het gestaan had. Gehavende binnenmuren waren open en bloot zichtbaar in verschillende kleuren pleisterwerk; de planken van wat ooit een kast was geweest zaten er nog tegenaan gespijkerd. Had daar jouw linnengoed gelegen, in keurige stapeltjes? – volgens Hobhouse hadden jullie er een flinke voorraad van, omdat wassen onderweg moeilijk kon zijn.

Waarom had, van een hele rij huizen, de aardbeving alleen dat van de weduwe Macri getroffen? Het leek er zorgvuldig uitgelicht. Alles wat met jou verband had kunnen houden was weg. Een leeg stuk aarde, lege muren, lege planken benadrukten jouw afwezigheid. Ik kreeg het voorgevoel dat ik tijdens onze reis heel veel, misschien wel alles, zelf zou moeten invullen.

Tussen de congresgangers probeerde ik een lid van het Albanese Byron Genootschap te ontdekken. In *The Byron Journal*, een jaarlijkse periodiek voor leden, werd een zekere prof. Afrim Karagjozi vermeld, gevolgd door een correspondentieadres in Tirana.

Tijdens een lopend buffet stond ik, hannesend met een volgeladen bord in de ene en een glas wijn in de andere hand, naast professor Raïzis. Hij was, als voorzitter van het Griekse Byron Genootschap, onze gastheer. Een gezaghebbend en zo te zien beminnelijk man met een stemgeluid dat uit de buikholte leek te komen – een voordeel bij officiële aankondigingen en toespraken.

Ik vroeg hem waar de Albanese delegatie was. Het gezicht van Raïzis betrok. Zijn Albanese collega was verhinderd, zei hij kort. Ineens, alsof er een oorzakelijk verband bestond, schoot hij uit: 'Praat me niet van Albanië. Het is een land van barbaren. De president, Berisha, hoort thuis in een psychiatrische inrichting... hij stuurt aan op oorlog met de Grieken.'

Dit was geen gunstig moment om mijn reisplannen in de

richting van Tepelenë kenbaar te maken. Toch deed ik het. Raïzis trok zijn wenkbrauwen op: 'Bent u levensmoe? Dacht u daar zomaar doorheen te reizen? Alleen? Als vrouw? Weet u wel hoe de Albanezen zich tegenover onze vrouwen gedragen?'

Toen werd zijn aandacht afgeleid door een andere congresganger en keerde hij me de rug toe. De retsina, toch al geen nectar, smaakte me nu helemaal niet meer. Ik zette mijn halflege glas terug tussen nog volle glazen. Ik was weer eens op mijn vrouw-zijn gewezen, als was het een soort tekortkoming. Dat was al langgeleden begonnen: *Dit zijn geen meisjesspelletjes, ga jij maar met je poppen spelen...*

Maar ik kan net zo goed met messen gooien als jullie...

Door zijn waarschuwingen nam mijn verlangen naar Albanië te gaan alleen maar toe.

Ik wist nog niet dat ik gewoon terug naar Nederland moest om de echte Karagjozi te ontmoeten. En dat ik geduld moest hebben.

Anderhalf jaar later, in december, hield het Nederlandse Byron Genootschap zijn jaarlijkse bijeenkomst in Amsterdam, tegen het passende decor van arcadische wandschilderingen in het grachtenpand van The British Council. Er was een gastspreker uitgenodigd die te voet jouw spoor had gevolgd in de Noord-Griekse provincie Epiros, vanaf Preveza waar jullie aan land waren gegaan. Zo absurd was mijn plan met jou mee te reizen dus ook weer niet.

De spreker deed meteen het licht uit; de wandschilderingen maakten plaats voor dia's die minstens zo arcadisch waren. Mijn uitgever, al sinds mensenheugenis lid van het genootschap, was meegekomen om mij een plezier te doen. Hij benutte de duisternis om een dutje te doen. Op de eerste dia was onze gastspreker te zien terwijl hij zich, middelzwaar bepakt, met een herdersstaf in de hand monter voortbewoog over een geitenpad. Rondom bevonden zich slechts heuvels en bergen, maar dat scheen hem niet te deren. Er volgden meer dia's van ongeplaveide wegen, kronkelpaden, half ingestorte bruggetjes en puinhopen van vestingen of herbergen. Sommige dia's waren zo levensecht dat je als het ware zelf in het stoffige, mythische landschap rondsjouwde, in het roodkoperen licht van de namiddagzon. Dat was een prettige gewaarwording, want buiten was het december en er stroomde koud water door de grachten.

Jou moesten we er natuurlijk de hele tijd bij denken. O wat benijdde en bewonderde ik de spreker die zijn verlangen in daden had omgezet, gewoon te voet, met zijn hebben en houwen op zijn rug. Zo eenvoudig kon het zijn. Jij bent mijn man, dacht ik. Maar hij wist nog van niets en betoogde rustig voort, sonoor en afwezig alsof zijn geest zich nog daarginds bevond.

Na afloop, terwijl de spreker zijn dia's inpakte, werd ik door mijn uitgever haastig voorgesteld aan een zekere Gerda Mulder, die net op het punt van vertrekken stond. 'Zij weet alles van Albanië,' fluisterde hij. Gerda Mulder drukte me haar kaartje in de hand en repte zich weg. Later ontdekte ik dat zij een van de samenstellers was van de *Reisgids Albanië*, waarmee het allemaal begonnen was.

De leden van het genootschap verplaatsten zich naar een naburig restaurant. Tafels werden aaneengeschoven, ieder zocht zich een plaats. Ik wachtte af tot de gastspreker was gaan zitten en legde beslag op de stoel tegenover hem. Nadat enkele aperitiefjes hem in de stemming hadden gebracht nodigde ik hem, over de Maigret de Canard met sinaasappelsaus heen, uit met me mee te gaan naar Tepelenë. Er was geen moment van aarzeling te bespeuren in zijn reactie, hij hoefde niet eerst een slok wijn te nemen of een andere oversprongbeweging te maken om moed te vatten. Hij zei, met een geamuseerd en verbaasd lachje, meteen ja.

Deze tafelgenoot was Daniël Koster. Als historicus had hij zich gespecialiseerd in de nieuwe geschiedenis van Griekenland. Hij had vijf jaar op het eiland Samos gewoond en, wanneer het seizoen daartoe uitnodigde, bij de boeren op het land gewerkt. Een kamergeleerde was hij dus gelukkig niet – geen naar het zwerk starende theoreticus die je onderweg voortdurend in zijn kraag moest grijpen omdat hij in een afgrond dreigde te stappen. Hij verdiende de kost met het schrijven van reisgidsen en artikelen over Griekenland. Tweemaal per jaar wandelde hij enkele maanden over nog niet in kaart gebrachte wegen om verslag te doen van zijn bevindingen.

Een telefoontje naar Gerda Mulder, de volgende dag, bracht me op het spoor van professor Karagjozi. In april, vertelde ze, zou hij naar Nederland komen voor een lezing. Als ik hem wilde ontmoeten was dit mijn kans. Ik schrok ervan, mijn plan begon vorm aan te nemen. De telefoniste uit Kopenhagen zou gezegd hebben dat jij, omdat het je allemaal veel te lang was gaan duren, persoonlijk tussenbeide was gekomen.

Om meer te weten te komen over het traject van jullie reis ging ik naar de universiteitsbibliotheek, waar ik een met etsen verlucht antiquarisch exemplaar van het reisverslag van John Cam Hobhouse vond. Die had zich ten doel gesteld – jij lachte hem er heimelijk om uit – de geografie en topografie van de landschappen waar jullie doorheen trokken nauwkeurig op te tekenen. Bij hem hoopte ik een redelijk betrouwbare beschrijving van jullie route te vinden.

Ik was met Daniël Koster overeengekomen dat onze tocht in de Noord-Griekse stad Ioanina zou beginnen. Daar was het dat jullie voor het eerst de invloedssfeer van Ali Pasja binnengingen, daar was het ook dat hij jullie uitnodigde hem in Tepelenë te bezoeken. Bovendien waren we allebei even nieuwsgierig naar Zitsa, jullie eerste pleisterplaats na Ioanina, waarvan je zo uitbundig de schoonheid prees in de brief aan je moeder. Ook Hobhouse was ermee ingenomen: 'De Prior van het klooster [...] ontving ons in een warme kamer met druiven en een aangename witte wijn, niet met de voeten fijngestampt, zoals hij ons vertelde, maar met de hand uit de druiven geperst, en we waren zo ingenomen met alles om ons heen dat we ermee instemden op de terugweg van de Vizier bij hem te slapen.'

Door het lezen van je gebundelde reisbrieven en een aantal dagboekfragmenten waren voor de adoratie van vroeger inmiddels nieuwe gewaarwordingen in de plaats gekomen. Indertijd bevroedde ik nog niet dat jij, de romantische dichter van 'I stood in Venice, on the Bridge of Sighs', zo scherpzinnig en geestig was, dat je me zou verrassen met je genadeloze eerlijkheid en het daaruit voortspruitende zelfinzicht – dat je me zo vaak in lachen zou doen uitbarsten. Beminnelijk en onuitstaanbaar, grootmoedig en malicieus, Bourgondisch en melancholiek, sensueel en Spartaans – in één man zoveel tegenstellingen, uitersten, die zich tot in het extreme hadden doen gelden. Jou lezen luchtte op, je leek een verlossend alternatief te bieden voor de manier waarop ik gewend was mijn eigen tweeslachtigheid en dualiteit het hoofd te bieden. Ik heb een onuitroeibare neiging tot vredestichten – ben altijd in de weer tegenstellingen met elkaar te verzoenen of onschadelijk te maken. Ergens, in een vaag midden, moeten ze elkaar opheffen. Een hele krachttoer. Dat vredestichten van mij is misschien wel een verkapte vorm van gewelddadigheid.

Ik bewonderde je om de vanzelfsprekendheid waarmee je van jongs af jezelf, authentiek durfde te zijn. Bij alles wat je ondernam, sprong je zo in het diepe. Ik ben zo iemand die plat op de duikplank gaat liggen en lang, heel lang naar beneden tuurt. Mijn enige, beproefde, methode om te durven is zonder nadenken de trap beklimmen, de plank afrennen en met dichtgeknepen neus en ogen springen. Het was voor mij de enige manier om naar Albanië te gaan.

Vier maanden wachten op een professor met een naam die lijkt op het kraken van een noot. Ik bladerde veel in mijn reisgids, die nog geschreven was voor de grote ommekeer. Meer en meer verbaasde ik me over de vreemde staaltjes communistische couleur locale die ik erin aantrof.

Zo las ik het verslag van een officieel bezoek dat een groepje buitenlanders aan een kleuterschool bracht. Waarschijnlijk hadden de bezoekers liever aan het strand van Durrës gelegen, maar de Albanese gids dacht daar anders over. Het scenario, bedoeld als propaganda maar in de ogen van de toerist uit het westen eerder een karikaturale cabaretvoorstelling, verliep zo: 'Het hoofd van de school verwelkomt de bezoekers bij de ingang, en brengt de groep naar een klas waar zeker twintig kinderen stil zitten te wachten. Zowel jongetjes als meisjes dragen witte schortjes. Er wordt de bezoekers dan een programma met liedjes, versjes en dansjes aangeboden, vaak krachtig en met enthousiasme uitgevoerd. Een vers voor Enver Hoxha, met de belofte dat ze goed haar best zal doen, voorgedragen door een meisje. Een jongetje stelt zich voor dat hij later soldaat wordt, waarbij hij voor de verdediging van zijn socialistische vaderland ieder die ongewenst de grens overkomt op een kogel door het hoofd zal vergasten. Dan zingen alle kindertjes een lied over zonnebloemen die ze elke dag water moeten geven, maar die ze niet mogen houden, omdat het een boeket voor "oom Enver" moet worden. Een paar jongens en meisjes maken nu een dansje, met houten houweeltjes en geweertjes in de hand – symbolen voor de opbouw van het land.'

Ik hoopte maar dat ik het jongetje, dat inmiddels misschien soldaat was, in het grensgebied waar wij doorheen moesten trekken nooit tegen het lijf zou lopen.

Ook hoopte ik dat we onderweg op het oude Albanese gast-recht konden vertrouwen, zoals het in de gids werd beschreven: 'De gast was heilig en er waren allerlei regels voor het ontvangen van gasten zoals het wassen van de voeten van de gast, het afnemen van de wapens, het aanbieden van eten en drinken en een slaapplaats. Het gastrecht ging zelfs zover dat twee mannen die een bloedwraakvete met elkaar hadden, rustig in het huis van een derde gezamenlijk een glas raki konden drinken, maar elkaar buiten naar het leven stonden.' Op dat gastrecht zouden we helemaal aangewezen zijn. Het was onwaarschijnlijk dat er sinds jullie reis, waarvan Hobhouse de ongemakken ruimschoots heeft beschreven, veel zou zijn veranderd op de uitlopers van het Lunxherisë-gebergte. Dat was ook de aantrekkingskracht van dit gebied: dat er hopelijk niets zou zijn veranderd. Geen geasfalteerde wegen, zoals overal elders in Europa. Geen hotels, pensions of restaurants. Geen enkele voorziening voor de reiziger, het verschijnsel 'toerist' onbekend. Wij zouden de eerste reizigers zijn sinds de val van het Ottomaanse Rijk! Eigenlijk markeerde jouw tocht de overgang van de *Grand Tour* naar het toerisme, een woord dat in 1814 voor het eerst gebruikt werd door een journalist van de *Quarterly Review*, in een artikel over de populariteit die Griekenland onder reizigers ineens genoot. Reizen was niet langer alleen voor aristocraten weggelegd – door de opkomst van de industrie ontstond een nieuwe middenklasse die ook wel eens een kijkje wilde nemen aan de andere kant van het Kanaal. Wat het toerisme in de loop van de tijd voor gevolgen heeft gehad voor het aanzien van de wereld, zelfs voor de meest maagdelijke gebieden, daar kun jij je geen voorstelling van maken.

In april zat hij eindelijk tegenover me, Afrim Karagjozi, in de eersteklasrestauratie van het Amsterdamse Centraal Station. Onwillekeurig had ik me een individu met stoppelbaard, een door de zon gelooide huid en een patronengordel om zijn middel voorgesteld, zoals de Albanezen op de prenten in het boek van Hobhouse. Maar de professor was een kleine, bleke anglist van middelbare leeftijd. Langgeleden was hij afgestudeerd op jouw reis door Albanië. Hoewel hij geboren was in Gjirokastër, de stad die jullie vanaf de bergflank steeds zagen liggen maar niet bezochten, was het hem nooit toegestaan zelf eens een kijkje te nemen langs de route waarop zijn scriptie was gebaseerd – jarenlang was het Albanezen niet toegestaan vrij te reizen in hun land.

Ik ontvouwde mijn plan. Karagjozi glunderde: 'It is a fantastic idea.' Zou hij met ons mee willen, als dragoman, als leider van een literaire expeditie, als reiziger in zijn eigen scriptie? De professor bedacht zich geen seconde. Voordat ik was uitgesproken, begon hij al verheugd te knikken. Het zou hem een groot genoegen zijn ons te vergezellen. De eerlijkheid gebood hem te vertellen dat hij, maar dat was alweer jaren geleden, last van zijn hart had gehad. Ten gevolge van een attaque had hij dagenlang in coma gelegen. Emotionele problemen waren de oorzaak geweest: 'I had a very difficult life.' Maar sinds hij zich aan een dieet hield en elke dag een rondje door het park in Tirana liep, ging het hem stukken beter. Hij was nu vijfenvijftig en verkeerde in een uitstekende conditie.

'Kunt u paardrijden?' vroeg ik.

Hij keek me verwonderd aan.

'Het zou passend zijn,' zei ik, 'en helemaal in de stijl van Byron het traject in Albanië te paard af te leggen.'

Even staarde hij zwijgend naar het glas wijn dat hij in zijn hand hield. 'Als het moet klauter ik ook nog op een paard,' zei hij zacht.

'Zou het moeilijk zijn aan paarden te komen?' vroeg ik.

Hij schudde zijn hoofd: 'No problem.'

'En aan onderdak voor de nacht?'

'I'll handle this, don't worry.'

Dit zouden later tijdens de reis gevleugelde woorden worden, bezweringsformules in barre tijden. Alle praktische problemen die ik verder nog aansneed werden door de professor met een luchtig 'no problem' afgedaan. Aan de glinstering in zijn ogen was te zien dat hij er niet voor terugdeinsde een grote verantwoording op zich te nemen: die voor de veiligheid van twee Nederlanders in de van oudsher door struikrovers onveilig gemaakte berggebieden van zijn vaderland. Gebieden vol kloven waarin je iemand ongezien kon laten verdwijnen.

Zo werd het beklonken.

I

Op 2 juli van het jaar 1809 verliet een pakketboot met bestemming Lissabon de haven van Falmouth in Zuidwest-Engeland. Aan boord bevond zich George Gordon Byron, met het vaste voornemen nooit meer in zijn geboorteland terug te keren. Hij was op dat moment eenentwintig jaar oud, pas afgestudeerd in Cambridge, en hij had een zetel in The House of Lords waar hij, beledigd over zijn trage toelating, demonstratief in de banken van de Whigs was gaan zitten – een kleine vooruitwijzing dat hij 'geboren was voor de oppositie'. Met de publicatie van *English Bards and Scotch Reviewers* had hij zijn eerste literaire succes geoogst, dat beantwoord werd met enkele bijtende kritieken waarin zijn verzen werden afgedaan als 'schooloefeningen'. Het scheelde niet veel of Byron had de uitgever van die kritieken uitgedaagd tot een duel, zo razend was hij – tot aan zelfdestructie toe, volgens een vriend.

Geplaagd door geldzorgen had hij maandenlang op het vertrek gewacht. In zijn studententijd had hij een schuld van dertienduizend pond weten op te bouwen. Om die te vereffenen en geld voor de reis te vergaren had hij zijn zaakwaarnemer John Hanson opgedragen het voorvaderlijk landgoed Rochdale te verkopen: '[...] sta me toe dat ik dit vervloekte land verlaat en ik beloof eerder Muzelman te worden dan er terug te keren.' Uiteindelijk werd het geld voor de reis voorgeschoten door zijn studievriend en metgezel bij uitspattingen Scrope B.

Davies, die net een fortuinlijke avond achter de speeltafel had doorgebracht.

De bedoeling was een *Grand Tour* langs de klassieke locaties in Italië, Griekenland en Turkije te maken, zoals gebruikelijk was in kringen van pas afgestudeerde, aristocratische jongeren. Al had Byron in het parlement op de banken van de Lower Class gezeten, hij ging als een lord op reis. Wat, wie nam hij mee? Naast een indrukwekkende reisuitrusting, die het best met een mobiele huishouding kan worden vergeleken, waren daar de oude familiebediende Joe Murray, de lijfknecht William Fletcher die hem tot aan zijn dood trouw zou blijven en de fraai ogende page Robert Rushton. Als reisgenoot vergezelde hem bovendien John Cam Hobhouse, een dierbare vriend uit Cambridge die zijn literaire belangstelling deelde. Het was diens ambitie het verloop van de gezamenlijke reis tot in details vast te leggen. Byron maakt hiervan ironisch melding: 'Hobhouse heeft geduchte voorbereidingen getroffen voor een boek dat hij bij zijn terugkeer wil schrijven, 100 pennen, twee gallons Japanse inkt, en ettelijke delen eersteklas blanco is geen halve voorraad voor een oordeelkundig lezerspubliek.' Zelf beweert hij weinig plannen in die richting te hebben: 'Ik heb de pen terzijde gelegd, maar beloofd een hoofdstuk bij te dragen over de stand der zeden en voorts een verhandeling over hetzelfde onderwerp onder de titel "Sodomie vereenvoudigd of Paedasterie lofwaardig betoond door aloude schrijvers en de moderne praktijk".'

In hoeverre hij zich had voorgenomen in de Oriënt proefondervindelijk onderzoek te gaan doen zullen we nooit weten, wel dat zijn pen niet lang onberoerd bleef. Geïnspireerd door de reis zou hij het epische gedicht *Childe Harold's Pilgrimage* schrijven, waarmee hij zoveel opzien baarde dat hij 'op een dag beroemd wakker werd'.

Aldus zeilde men uit. Gewoonlijk begonnen Engelse reizigers hun *Grand Tour* in Frankrijk, maar vanwege de Napoleontische oorlogen werd er uitgeweken naar Portugal. Na een verblijf van veertien dagen reisden ze over land naar Sevilla, Cádiz en Gibraltar. Verdere reisplannen hingen af van de windrichting.

'Morgen steek ik over naar Afrika,' schreef Byron op 11 augustus alsof het de gewoonste zaak van de wereld was, maar twee dagen later was hij nog niet vertrokken: 'Ik ben nog niet naar Afrika geweest, de wind is ongunstig, [...] Generaal Castanos, de gevierde generaal in de vorige en huidige oorlog [...] heeft introductiebrieven meegegeven voor Tetuan in Barbarije, voor de leiders van de Moren [...].' Nog eens twee dagen later had hij genoeg van het wachten: 'Ik kan niet naar Barbarije, de pakketboot naar Malta vaart morgen uit & met mij aan boord.' Joe Murray werd naar huis teruggestuurd met de page: 'Ik zou hem [de laatste] wel hebben meegenomen maar u *weet* dat het voor *jongens* niet veilig is tussen de Turken.'

Vanuit Malta bracht een oorlogsbrigantijn, die Britse koopvaardijschepen moest begeleiden, hen naar Preveza aan de Griekse kust. Onderweg werd aangelegd in Patras, waar Byron voor het eerst 'Griekse grond onder de voeten voelde'. Dit opwindende idee voor iemand die zijn klassieken kende en koesterde werd met enkele pistoolschoten kracht bijgezet. Onderweg naar Preveza zagen ze in het noorden, aan de overkant van de Golf van Lepanto, de moerassige stad Missolonghi liggen, waar Byron vijftien jaar later onder erbarmelijke omstandigheden zou sterven. Maar nu was hij nog jong en nietsvermoedend. En onschuldig zou je er bijna automatisch aan toevoegen, maar dat slik je, hem kennende, snel weer in.

Op 29 september zette het reisgezelschap in Preveza voet aan wal. Speciaal voor de gelegenheid hadden ze de uniformen van hun regiment aangetrokken, maar die raakten algauw doorweekt van de regen terwijl ze door modderige straatjes tussen de armoedige huizen baggerden. Byron was goed opgewassen tegen alle soorten ongemak, maar Hobhouse geeft eerlijk toe dat hij die eerste dag op Griekse bodem het liefst meteen rechtsomkeert had gemaakt naar *Good Old England*. Nadat ze een dragoman in dienst hadden genomen vertrokken ze op 1 oktober naar Ioanina. Voor het eerst viel de naam van Ali Pasja, een machtig Albanees heerser die direct onder de Turkse Sultan ressorteerde. Ioanina was de gloednieuwe hoofdstad van Ali's zelf bijeengeroofde imperium, dat in het noorden tot halverwege het huidige Albanië reikte, in het oosten bijna tot aan Thessaloniki en in het westen tot aan de kust. Naar het zuiden toe omvatte het bovendien de Morea, nu de Peloponnesos geheten.

Voor vijfendertig piaster huurden ze tien paarden. Vier voor henzelf, Fletcher en de dragoman, vier voor de bagage, en twee voor de soldaten die over hun veiligheid zouden waken. Er moest heel wat worden meegezeuld: veel linnengoed, vier leren koffers vol boeken, twee kleinere koffers, keukenbenodigdheden, drie bedden en twee lichthouten ledikanten uit voorzorg tegen ongedierte en vochtige vloeren. Hobhouse was bijzonder ingenomen met deze utensiliën; ze droegen zeer bij aan *comfort and health*. Ook prees hij zich gelukkig dat ze zadels en teugels van thuis hadden meegebracht, want de houten pakzadels van de Turkse postpaarden waren een marteling voor het zitvlak van een Engelsman.

Vier dagen later rees in de verte Ioanina voor hen op: 'De huizen, koepels en minaretten, glinsterend te midden van tuinen met sinaasappel- en citroenbomen, en met bosschages van cipressen – het meer dat in zijn gladde uitgestrektheid reikte tot aan de voet van de stad – de bergen die recht vanuit de oevers oprijzen – dit alles overdonderde ons totaal,' zo beschreef Hobhouse zijn eerste indruk.

In de ban van zoveel oosterse schoonheid, reden ze de stad binnen. Ze passeerden een nieuw huis van de Vizier (Ali Pasja), enkele Turkse grafstenen en winkels. Aan de takken van een dikke boom tegenover een slagerij hing iets dat in de verte leek op een stuk vlees dat daar te koop werd aangeboden, maar van dichtbij de arm van een man bleek te zijn, met een deel van zijn zij er nog aan vast. Het geheel was aan een touw opgehangen dat rond de vingers vastgeknoopt was. Laten we de Turken niet te gauw veroordelen als een wreed en woest volk, was het commentaar van Hobhouse. Later bleek dat de arm deel was van het lichaam van een rebel die vijf dagen tevoren was onthoofd. Zijn stoffelijke resten werden in verschillende delen van Ioanina tentoongesteld, tot lering en vermaak.

De vrienden begaven zich naar het huis van de Engelse resident, William Leake, voor wie ze een brief hadden meegekregen van de gouverneur van Malta. Het bleek dat er al voor comfortabel onderdak was gezorgd in het huis van de gastvrije Griek Niccolo Argyri, die verscheidene jaren in Triëst gewoond had en vloeiend Italiaans sprak.

Er is een beroemde prent van dit huis. Op de begane grond zie je de gewelfde ingangen naar de paardenstallen; een trap van sierlijk houtsnijwerk leidt naar de eerste verdieping, waar gewoond wordt en waar op een ruime veranda drie heren in kleermakerszit gemoedelijk bij elkaar zitten. Een minaret in de verte, een paard, een pauw met een lange neerhangende staart en een pijproker met fez op de voorgrond geven het tafereel een intieme, landelijke aanblik. Je zou er zo binnen willen stappen, hoewel ik waarschijnlijk onmiddellijk naar de vrouwenafdeling zou worden verbannen.

Algauw kwam de secretaris van de Vizier hen feliciteren met hun behouden aankomst. Het gerucht van de komst van twee jeugdige Engelsen had de Pasja al bereikt, en hij had op-

dracht gegeven in Ioanina al het nodige voor hen in gereed-
heid te brengen. Helaas kon hij hen op dat moment niet persoonlijk ontvangen, omdat hij in het noorden nog een kleine
oorlog moest afhandelen. Hij verzocht de vrienden echter
hem op te zoeken in zijn paleis in Tepelenë en had voor dat
doel al 'een escorte geregeld die op ons commando zou vertrekken', schrijft Hobhouse.

2

Mijn waarde George, – Moesten jullie in 1809 nog weken wachten op gunstige wind, met een lange zeereis voor de boeg, op 11 september 1996 verplaatsten wij ons binnen één dag van Amsterdam naar Ioanina – te land, ter zee en in de lucht.

's Morgens stegen we in Amsterdam op, enkele uren later landden we op Korfu. Geen oorlogsbrigantijn maar een veerboot bracht ons naar Igoumenítsa. Het was niet de moeite waard regimentsuniformen aan te trekken voor dit onooglijke havenstadje dat we met de bus zo snel mogelijk achter ons lieten. We droegen het uniform van de rugzaktoerist. Een rugzak was makkelijker op een paard vast te gorden dan een kunststof Samsonite. Bovendien: hoe armoediger ons konvooi in Albanië zou ogen, hoe beter. Het enige uitzonderlijke aan ons was de schaapherdersstaf van Daniël, die hem een apostolische waardigheid gaf.

Een stad aan het einde van de twintigste eeuw laat zich wanneer je haar nadert nog maar zelden in de idyllische bewoordingen van Hobhouse beschrijven. Een moderne stad is als een overrijpe vrucht. Schil en vruchtvlees zijn de meestal foeilelijke voorsteden en buitenwijken waardoorheen je je een weg moet banen om bij de pit, de oude kern, te komen – met een beetje geluk is die nog niet helemaal door moderniseringsdrang aangetast. Koepels, minaretten, kerktorens, ooit bakens voor de reiziger, worden aan het oog onttrokken door torens van beton en staal, die Gods toorn over zich lijken af te roepen door zo driest Zijn Hemel in te steken.

Ook in Ioanina groef de bus zich een weg door de lelijkheid. We hadden geen behoefte er te overnachten. Wat zou het heerlijk geweest zijn als, op het gerucht van de komst van twee Hollanders, door de Pasja onderdak voor ons zou zijn geregeld in het huis van een vermogende, kosmopoliete Griek. Wij moesten alles zelf doen en haastten ons naar de oever van het Pamvotismeer om de boot naar het eiland Nissaki te halen dat officieel misschien wél, maar in de praktijk geen deel uitmaakt van Ioanina. Van een van zijn vorige reizen herinnerde Daniël zich daar een rustig pension.

Jij, in jouw tijd, reisde nog gewoon met jezelf mee, maar bij de snelle verplaatsingen in onze tijd worden eigenlijk alleen onze lichamen, samen met de bagage, van A naar B gebracht. Onze prehistorische geest, die niet sneller kan reizen dan te voet, of hooguit te paard, komt ons traag en onwillig achterna. Soms weigert hij gewoon mee te gaan, vooral bij korte, spectaculaire vakanties. Bij thuiskomst vinden we hem terug bij de haard; zodra we weer met hem samenvallen lijkt de reis een vage droom te zijn geweest en ons gedrag in uitheemse streken dat van een vreemde.

Het eiland in het meer van Ioanina wordt van oudsher de navel van Epiros genoemd. Misschien probeerde Ali Pasja via de navelstreng terug in de baarmoeder te kruipen toen hij zich voor de soldaten van de Sultan verborg in het kleine klooster van Sint Panteleimon, waar ze hem uiteindelijk toch wisten te vinden. De schutspatroon van het klooster kon niet verhinderen dat zij hem daar, dertien jaar na jouw bezoek, vermoordden en onthoofdden. Van ons pension naar dit klooster – het waren slechts honderd voetstappen. Ik hoopte maar dat 's nachts het 'mooie gezicht' met de 'lichtblauwe ogen & een witte baard', kortom, zijn van de romp gescheiden hoofd, niet in mijn diepste slaap zou opduiken.

We maakten nog een avondwandeling. Het enige dorp, dat in de zeventiende eeuw door vluchtelingen uit de Mani werd gebouwd, is niet meer dan een groepje witgeschilderde huizen met daken van platte, loodkleurige stenen. Er heerst nog een landelijke rust, al zijn er wel enkele straatjes met souvenirwinkels waarin nepwaterpijpen en afgietsels van Venussen en Apollo's worden verkocht. Daartussen bevinden zich restaurants, met aquariums voor de deur waarin palingen, forellen, rivierkreeften en kikkers zich traag bewegen in troebel water. Herhaaldelijk werden we staande gehouden en probeerde men ons, op een aquarium wijzend, te verleiden. Maar we hadden allebei de kleur van het meer gezien, dat fosforescerend groen was van de algen. Het lag er ook vreemd stil bij, alsof het op sterven na dood was. Toch schenen de meeste bewoners van het eiland nog steeds van de visvangst te leven, overal lagen houten roeiboten tussen het riet. Volgens een toeristische folder is de paling uit het Pamvotismeer een befaamd exportartikel, evenals de kikkers die vooral in Frankrijk gretig aftrek vinden: *Cuisses de Grenouilles aux Alges.*

Gelukkig was het grootste deel van het dorp nog zichzelf. Er reden geen auto's. De straten waren geplaveid met platte, door voeten gepolijste stenen. Het was stil die avond op Nissaki, iets wat in onze eeuw uitzonderlijk is. Het late zonlicht viel over tafereeltjes die van alle tijden zijn, maar waaraan jij geen woord zou hebben verspild – Hobhouse daarentegen zou het allemaal hebben geïnventariseerd: bonte bloementuinen, treurwilgen, schapen, geiten, katten, in het zwart geklede weduwen die de kippen voerden, grote houtvoorraden, hier en daar de geur van vuur.

Nooit eerder had ik zulke dikke platanen gezien – er werd gezegd dat sommige exemplaren meer dan vijfhonderd jaar oud waren. Associeerde ik platanen vroeger met vredige pleintjes in de Provence, sinds ik me met de geschiedenis van Albanië en Ali Pasja bezighield deden ze me vooral denken aan sinistere straffen. 'In 1809,' vermeldt een brochure over Ioanina, 'martelde Ali Pasja de leider van de opstandelingen, Katsantonis, en zijn broer Chasiotis onder een plataan bij zijn paleis.' En in de *Reisgids Albanië* wordt verteld dat in 1944 twee jonge vrouwen, die in het verzet de nazi's bevochten hadden, werden opgehangen aan de takken van een plataan op het grote plein in Gjirokastrë. Zoals de schrijver-schilder Armando de term 'schuldig landschap' bedacht voor bepaalde plekken in de natuur die tijdens de tweede wereldoorlog bezoedeld werden door gruwelijke gebeurtenissen, zo zou je hier van 'schuldige bomen' kunnen spreken. Toch herwon tijdens onze reis de boom voor mij zijn onschuld toen ik hele bossen ervan zag in de valleien van bergstromen – onder de fijnvertakte, lichtgroene bladerkronen heerste een *Déjeuner sur l'Herbe*-sfeer van gefilterd en gevlekt zonlicht.

Omdat het niet bij de rest van de wereld lijkt te horen, oefende het eiland Nissaki sinds de middeleeuwen een grote aantrekkingskracht uit op monniken en kluizenaars. Tijdens onze korte wandeling passeerden we vijf kloosters, die zich tegen de berghelling hadden genesteld en met hun intieme binnenhoven de illusie wekten dat een leven in zuiverheid en schoonheid mogelijk zou zijn. Heiligen met doorluchtige namen behoedden deze kloosters: Michael Philantropinos, Sint Panteleimon, Sint Joannis Pedromos, Ayos Eleúsas en Stratigópoulos. De monniken wakkerden de geest van verzet aan onder de Grieken, om zich van de Turkse overheersing te bevrijden – maar over dit streven hoef ik jou niets te vertellen. Ooit was er een geheime school in het dertiende-eeuwse klooster hoog boven het dorp, gesticht door de *Philantropinoi*, zes broers en neven die, als filosoof en leraar, de idealen van humaniteit, onderwijs en vrijheid uitdroegen in een wereld die daarvoor niet rijp was en misschien nooit zal zijn.

Toen we de westkant van het eiland bereikten bleef ik, overdonderd, staan. Daar openbaarde zich, onbedorven, wat Hobhouse gezien en opgetekend had bij het naderen van Ioanina: de zon ging onder achter 'de huizen, koepels en minaretten, glinsterend te midden van tuinen met sinaasappel- en citroenbomen'. Van hieruit was over het water het oude silhouet te zien van de citadel, het Frourion, waar jullie op bezoek gingen in een van de paleizen van Ali en met alle egards ontvangen werden door zijn kleinzoon die op het huis paste, terwijl opa in Tepelenë was. Mijn hoofd was topzwaar van de geschiedenissen die ik over dit gebied gelezen had. Ze buitelden over elkaar heen in hun gretigheid nieuw leven ingeblazen te krijgen – hier en nergens anders hadden ze zich afgespeeld.

Die avond sliep ik, ondanks de luidruchtige conversatie onder mijn slaapkamerraam, meteen in. Ik ving nog net het woedende stemgeluid van Daniël op, die vanuit zijn raam riep: 'Er zijn hier mensen die willen slapen!' Op het terras van een aangrenzend café zaten de mannen van het dorp en bespraken de dingen van de dag zoals ze dat sinds mensenheugenis doen: met veel stemverheffing en vertoon van mannelijkheid. Elk caféterras in Griekenland is nog altijd een Stoa in miniatuurformaat.

'Waar hebben ze het toch over,' vroeg ik Daniël aan het ontbijt. Hij haalde zijn schouders op. 'Over politiek, over geld.'

Vijf jaar Samos en ontelbare wandelingen hadden hem van elke illusie met betrekking tot de oude wijsheid van het Griekse volk beroofd. Ze hadden altijd gelijk, zei hij, zonder daarin gehinderd te worden door kennis van zaken. Hij had het al lang geleden opgegeven met hen in discussie te gaan; elke poging liep stuk op nationalisme, grootspraak en historische onwetendheid.

'Misschien is er behoefte aan een nieuwe Socrates,' opperde ik.

'Die zou weer net zo eindigen,' zei Daniël somber.

Weer staken we de groene plas over. Daniël, die Ioanina van vorige bezoeken kende, ging een bezoek brengen aan het etnografisch museum. Ineens stond ik alleen op de kade, de dag lag aan mijn voeten – mijn ongeduld om alles te zien verlamde mijn daadkracht.

De herinnering aan het silhouet van de moskee bracht me in beweging. Ik liep langs de muur die de citadel omringt, op zoek naar een toegangspoort. Recht tegenover cafés en eetlokalen vond ik de ingang van een halfduistere poort waarvan de lengte aangaf hoe dik de muur was. Zijn tunnels meestal symbolen van dood en wedergeboorte – de oude bekende wereld wordt achtergelaten, er wordt een nieuwe betreden – , voor mij was het nu andersom. Ik verliet de nieuwe wereld om de oude binnen te gaan, de onderwereld waarin ik jou en Hobhouse en Ali Pasja en al die tot de tanden gewapende Albanezen hoopte aan te treffen – als een Sheherazade op weg naar de plek waar ze haar leven moet zien te rekken met het vertellen van verhalen.

De tunnel filterde de twintigste eeuw uit, met al het bijbehorende lawaai. Ik herademde. Geen verkeer in de nauwe straatjes – ik betrad het domein van bejaarden, kinderen, katten en vogels. Ik deed mijn best de huizen van toen te herkennen in de niet zo gewetensvol gerestaureerde woningen. Aan de erkers op de eerste verdieping was nog te zien dat daar vroeger het woongedeelte was, terwijl op de begane grond de ingang, de trap en de stallen waren. Veel ramen gingen schuil achter tralies; de tijden waren altijd gevaarlijk geweest en wie weet wat er nog ging komen.

Vanuit een steeg kwam ik in een vlakte terecht die respect afdwong voor wat daarachter, tussen de kruinen van loofbomen en de zwarte naalden van cipressen, oprees: de moskee, met herfstige scherpte beschenen door de ochtendzon. Een kwetsbaar heiligdom dat branden en vernielingen en menselijke hartstochten had overleefd. Op een of andere manier was het ontroerend dat hij er nog stond. Oosterse sierlijkheid en een rustgevend evenwicht tussen horizontale, verticale en ronde lijnen. Een minaret en een cipres leken in hun reiken naar de hemel verwikkeld in een wedijver die alleen door Allah beslecht kon worden.

Waarom heb jij, George, de moskee niet bezocht, op weg naar Ali's paleis? Kwam het idee niet bij jullie op, of was het christenhonden niet toegestaan? Schoorvoetend ging ik naar binnen, niet zeker of dit mij als vrouw wél was toegestaan en twijfelend of ik mijn schoenen bij de ingang moest achterlaten. Maar ik maakte me zorgen om niets, want de moskee bleek een voor iedereen toegankelijk museum met een grote collectie wapens en klederdrachten. Wapens in een godshuis? De Turkse zwaarden die waren gebruikt om de Heilige Oorlog te winnen voelden zich er helemaal thuis. Minder op hun gemak leken de Griekse wapens, waarmee pogingen waren ondernomen de Turkse bezetter te verdrijven.

Ik staarde naar het enorme zwaard van de Griekse soldaat Beka uit Pramanda die volgens de toelichting had geholpen Missolonghi te verdedigen. Herinner je je soldaat Beka niet, toevallig? Van toen je zelf eindeloos wachtte totdat je met je korps van Soulioten in actie kon komen? Soldaat Beka met zijn enorme zwaard dat een met ivoor ingelegde handgreep had. Weet je wat na jouw dood zijn lot was? Tijdens de tweede exodus uit Missolonghi, waarbij de laatste burgers de stad uit vluchtten voor de naderende Turken, werd hij met zes andere soldaten gevangengenomen. Over wat er daarna van hem geworden is zwijgt het museum. Was er nog wel een 'daarna' als je in een Turkse gevangenis zat?

Ik slenterde naar de afdeling klederdrachten. Je vergapen aan de kleren van een dode heeft iets onoirbaars, iets necrofiels. Kleren zijn intiem, misschien zit de geur van de overledene er nog in of de vorm van zijn knieën en ellebogen. Ik moet er niet aan denken dat wildvreemden honderd jaar na mijn dood commentaar zouden leveren op mijn mooiste jurk. Wie weet wat die mensen zelf aan hebben?

Met lichte gêne bekeek ik kunstig geweven en geborduurde rokken en blouses, totdat ik voor de dracht van een Souliotische vrouw stond. Wat droegen de vrouwen van de beruchtste krijgers uit het begin van de vorige eeuw? Een roomkleurige onderjurk, daaroverheen een geborduurde rok en een gilet tot aan de knie, een en ander opgesierd door een imposante gordel en een ketting van zilverfiligrein. Om haar hoofd droeg ze een zwarte doek, aan haar voeten Turkse schoenen met grote zwarte pompons. Alles was consequent in de kleuren zwart en rood gehouden, de kleuren van de dood en het leven. Wat een helderziende blik, zou je zeggen, wanneer je bedenkt waarom de vrouwen van Souli legendarisch geworden zijn.

De Soulioten waren een volk van Albanese christenen. Ze woonden op de uitlopers van de Drakenheuvel, niet ver van Ioanina, op enkele kale onneembare rotsplateaus. Behalve van hun schapen en geiten leefden ze, omdat daarboven niets groeide, van plundertochten die Ali Pasja een doorn in het oog waren, omdat hij daar zelf het monopolie op wilde hebben. Jarenlang wisten Souliotische krijgers de aanvallen van Ali te pareren; het was vooral de Pasja die grote verliezen leed. Maar in 1803 kwam er een einde aan de uitputtingsslag en moesten ze zich overgeven.

Hun vrouwen stierven liever dan dat ze zich lieten verkrachten en in slavernij afvoeren. Ze vluchtten naar het hoogste punt van de rots en sprongen, samen met hun kinderen, de afgrond in. Er wordt beweerd dat ze eerst nog gedanst hebben onder het zingen van liederen, in een warreling van roden en zwarten, een *danse macabre* waarbij ze, hun tegenstribbelende kinderen in een stevige greep houdend, speels het dodenrijk in walsten. Jij kende deze geschiedenis natuurlijk, omdat je een zwak had voor dit volk dat net als jij de vrijheid boven alles verkoos. Dat je nog heel wat te stellen zou krijgen met de Soulioten wist je niet toen je een stel van die halve wilden in dienst nam om samen met jou de beslissende slag tegen de Turken te leveren. Ik denk dat ze ten slotte mede oorzaak zijn geworden van je dood, zozeer hebben ze je teleurgesteld en moreel ondermijnd.

De vitrines met wapens en kostuums wegdenkend, richtte ik mijn aandacht op het interieur van de moskee. Het is een wonder dat de voor het merendeel Griekse inwoners van Ioanina de moskee niet tot de laatste steen hebben afgebroken toen de Turken in 1913 uit dit gebied werden verdreven. Een kleine eeuw eerder hadden de Turken immers hetzelfde gedaan met de paleizen van Ali Pasja – het symbolisch vernielen van de relieken van de macht was een oude gewoonte. Dat de moskee nu een museum huisvestte was een tactischer oplossing.

Er lagen dus geen Turken meer geknield op bidtapijtjes, geen moëddzin riep nog op tot gebed. De laatste Turken waren al lang geleden op hun tapijten naar huis gevlogen, nieuwe concessies tegemoet in hun ineengeschrompelde rijk. Toch was de godsdienst die ze hier beleden hadden nog alomtegenwoordig. In de architectuur, in het ontbreken van afbeeldingen van mens en dier, in de arabesken die ervoor in de plaats kwamen. Later, toen ik in byzantijnse kerken de ene vergulde iconostase na de andere zag, herinnerde ik me van het interieur van deze moskee vooral de weldadige eenvoud. Het leek of er minder moeite werd gedaan om te imponeren en meer om vertrouwen in te boezemen.

Ik verliet de hooggewelfde ruimte. Het werd tijd om eens in de vesting te gaan kijken, die door de Turken Its-Kale genoemd werd. Ik passeerde een bibliotheek, een laag gebouw met drie leistenen koepels. Ali Pasja, die kon lezen noch schrijven, heeft hem waarschijnlijk nooit vanbinnen gezien. Ernaast stond een badhuis. Verdord gras bedekte het dak ervan – het gebouw zag eruit alsof het al sinds een eeuwigheid was afgesloten wegens instortingsgevaar. Weet je nog dat jullie op een avond naar binnen wilden, maar bij de ingang werden afgeschrikt door een oude masseur? Later sprak jullie gastheer, Signor Niccolo Argyri, zijn spijt hierover uit, want in de binnenste ruimte waar het eigenlijke wassen plaatsvond zouden jullie geholpen zijn door 'belli giovani'.

Een grote poort geeft toegang tot het uitgestrekte terrein dat ooit het domein van de Pasja was. Het was er heet, de gebouwen die eens schaduw hadden geboden waren er niet meer. Dit was de historische grond waarover de Griekse folder die ik bij me had schwärmde: 'Hoezeer met bloed doordrenkt was iedere plek, iedere molecuul hier! Hoeveel fonteinen van tranen vloeiden eeuwenlang om dit land!' En dan nog een schep hedendaags patriottisme erbovenop: 'Je voelt medelijden maar ook trots, en je geest fluistert vanbinnen.'

Zonder veel animo klauterde ik over de puinhopen van halfingestorte muren en koepelgewelven. Er waren nog een paar kazematten intact en een deel van een byzantijnse toren die de 'Thomastoren' genoemd wordt. Pogingen tot restauratie waren halverwege gestaakt. Hier werd te veel van mijn fantasie gevergd en de zon brandde zonder erbarmen. Zelfs zij die hier met een touw om hun nek stierven, hadden in de schaduw van een plataan gehangen. Die ingeving richtte als vanzelf mijn schreden naar de boom waaronder Katsantonis en zijn broer Chasiotis een langzame dood stierven.

Hobhouse vertelt het anders: 'Een paar maanden voor onze aankomst in het land, werd een hele troep die de bergen tussen Ioanina en Tricoala onveilig maakte, verslagen en verdreven door Mouctar Pasja, die er zo'n honderd ter plekke in stukken sneed. Deze rovers werden geleid door een Griekse priester die na de nederlaag van zijn mannen naar Constantinopel ging, daar een firman ter bescherming kreeg, en terugkeerde naar Ioanina, waar de Vizier hem uitnodigde voor een bespreking en hem gevangennam toen hij de kamer verliet. Hij werd in de gevangenis gestopt en goed verzorgd, tot een boodschapper heen en weer naar Constantinopel was geweest en daar voor Ali toestemming van de Porte verwierf om met de gevangene te doen wat hij wilde. Het was de arm van deze man, hangend aan een tak, die we gezien hadden toen we Ioanina inkwamen.'

De broer komt, raar genoeg, in dit verhaal niet voor. Wat was de Vizier verraderlijk. En de Sultan niet minder. Een man een man, een woord een woord – daaraan deed men blijkbaar niet in het ottomaanse rijk. Je kon niemand vertrouwen, dat had de naïeve leider van de rebellen toch moeten weten. Er is een prent uit 1820 waarop, aan de oever van het Pamvotismeer, een groep dansende opstandelingen is afgebeeld, het geweer tegen de schouder geheven. Hun moreel lijkt door de executie van de leiders ongebroken. Zo te zien bevinden ze zich op het eiland, want het uitzicht op de moskee aan de overkant van het water is precies hetzelfde als dat van onze avondwandeling.

Ik vond de boom die zoveel had gezien. Hij had iedereen overleefd en stond erbij alsof er niets aan de hand was. Ali Pasja's graf was er vlakbij – of liever: de resten van het graf waarin het hoofdloze lichaam begraven was. Op de plaats van zijn paleis staat nu, kaal en vreugdeloos, een ongelukkige imitatie, een strenge natuurstenen rechthoek die niets gemeen heeft met Ali's flamboyante serail, zoals het op gravures staat afgebeeld en zoals jij het beschreven hebt: 'Ik [...] heb paleizen van hemzelf & kleinzonen gezien, ze zijn schitterend maar te overdadig versierd met zilver en goud.'

Vooral over de kleinzonen, die nog niet wisten dat ze dertien jaar later door de Sultan zouden worden gestraft voor de territoriumdrift van hun grootvader, raakte je niet uitgepraat. 'Ik ben voorgesteld aan Hoessein Bey & Mahmout Pasha, allebei kleine jongens en kleinkinderen van Ali in Joanina. Ze lijken in niets op onze kinderen, hebben beschilderde gezichten net als onze douairières met rouge, zwarte grote ogen & volmaakt regelmatige gelaatstrekken. Zij zijn de mooiste wilde dieren die ik ooit heb gezien & zijn al ingewijd in de hofceremonies, de Turkse groet is een lichte buiging van het hoofd met de hand op de borst, intieme vrienden kussen elkaar altijd, Mahmout is tien jaar & hoopt me terug te zien, we zijn vrienden zonder dat we elkaar begrijpen, zoals veel andere mensen, zij het om andere redenen.'

Godzijdank was er bij de poort een café. Ik ging op het terras in de schaduw zitten en bestelde water, veel water. Naast me zat een groep jongens met een gettoblaster waaruit Griekse popmuziek schalde. Ze waren maar een paar jaar ouder dan Hoessein en Mahmout. Geen rouge, geen volmaakt regelmatige gelaatstrekken, wilde dieren natuurlijk wel. Het leek of de wereld hier na de val van Ali, of na het einde van de ottomaanse overheersing, had opgehouden te bestaan en daarna, tabula rasa, helemaal opnieuw was begonnen met een andere mensensoort, tegen een ander decor. Ik had me voorgenomen tussen deze twee werelden te bemiddelen, zolang de reis duurde – een koord te spannen waarop ikzelf wankelde, een bont beschilderde parasol in de hand die me moest helpen mijn evenwicht te bewaren of een onvoorziene landing te verzachten. De verbeelding als valscherm. Waarom was de confrontatie met een verdwenen wereld pijnlijk? Was het mijn eigen sterfelijkheid die me hinderde?

Hobhouse babbelt onbekommerd over de bezoeken die jullie aflegden. De tweede dag na aankomst in Ioanina gingen jullie op visite in een paleis dat Ali Pasja aan zijn oudste zoon Mouctar toegewezen had. De kleinzoon nam, omdat zijn vader afwezig was, de honneurs waar: '[...] en hij ontving ons, hoewel hij een jongen van slechts tien jaar was, op een beleefde, ongedwongen manier terwijl hij ons met een lichte beweging van zijn hand te kennen gaf naast hem te gaan zitten. Zijn leermeester, een ernstige oude man, met een baard tot aan zijn knieën, zat in de hoek tegenover hem, maar mengde zich niet in het gesprek. De Bey, want dat was zijn titel, wist zijn waardigheid en ernst te bewaren hoewel hij nogal nieuwsgierig was naar sommige details van onze kleding en zich zeer verrukt betoonde over een mooi zwaard dat mijn vriend droeg. Veel verschil tussen zijn manieren en die van zijn bejaarde meester was er niet te merken.'

Na de koffie met suikergoed gaven jullie te kennen dat jullie het paleis wel eens wilden zien. Dat kon, maar de kleine gastheer gaf eerst opdracht aan de vrouwen van zijn vader naar de binnenste afdeling van het serail te gaan. Bij het verlaten van de kamer werd hij teder omhelsd door een sjofel geklede Albanese wacht. Het viel Hobhouse op dat het volk tegenover de jongen een houding aannam die een bijzonder mengsel was van vertrouwelijkheid en eerbied.

Ik zou wel eens willen weten hoe zo'n paleis er vanbinnen uitzag. Jij bent erg summier: schitterend, maar te veel goud en zilver. Ik wil niet beweren dat hij meer ziet dan jij, maar als de amateur-etnograaf die hij zich voorstelt te zijn registreert Hobhouse wel meer dan jij – allerlei details die jij als oninteressant zou wegwuiven. De kamers vond hij fraai en comfortabel ingericht, vooral de vertrekken die voor de winter bestemd waren. Met zijde beklede sofa's, degelijke Turkse tapijten, ramen met Venetiaans glas. De beschilderde lambriseringen konden niet altijd zijn goedkeuring wegdragen: 'In een kamer was een smakeloze voorstelling van Constantinopel, een geliefd onderwerp, dat we in haast alle beschilderde Turkse huizen aantroffen.' Was er toen ook al kitsch? Hoewel een van de kamers in een nis een bad en een fontein had, waren er nergens slaapkamers omdat de Turken alle kamers als zodanig gebruikten. In elke kamer was een kast waarin matten en dekens bewaard werden die 's nachts op de vloer werden gelegd.

De kleine Bey vond het geweldig het paleis van zijn vader te laten zien, af en toe verloor hij zelfs iets van zijn gereserveerdheid. Hij sprak Albanees en Grieks, vertelde hij, en leerde nu Turks en Arabisch lezen en schrijven – in dat opzicht was hij zijn analfabete grootvader al ver voorbijgestreefd. Hobhouse, die zich maar bleef verbazen over de bezadigdheid en beleefdheid van Ali's kleinzonen, ontdekte in de loop van zijn verblijf dat alle mohammedaanse kinderen uit de betere kringen zulke goede manieren hadden.

Ja, en dan jouw oogappel Mahomet. Hij verbleef hier in Its-Kale tijdens jullie bezoek en paste op het paleis van zijn grootvader. Mahomet was veel levendiger dan Hoessein volgens Hobhouse. Er werd gezegd dat hij het genie van Ali Pasja geërfd had. Hoewel hij nog maar twaalf jaar was had hij nu al een eigen *pashalik*. 'Hij ontving zijn gasten met hetzelfde gemak als zijn broer en nadat we enige tijd gezeten hadden stelde hij voor naar zijn jongere broer te gaan, die in het huis van hun vader was.' Af en toe duizelt het je, dat heen en weer gedraaf tussen al die familiepaleizen.

'Er werd een boodschapper voor ons uit gestuurd en wij bestegen paarden die met goud waren opgetuigd, terwijl enkele officieren van het paleis met hun zilveren staven en stokken voor ons uit reden. Toen de jonge Pasja door de straten reed, kwamen alle mensen uit hun winkels, en zij die liepen stonden stil, terwijl ze hem allemaal het gebruikelijke ontzag betoonden, door diep voorover te buigen, de grond met hun rechterhand aan te raken en deze dan naar hun mond en voorhoofd te brengen (want de adoratie van de heerser is, in zijn primitieve en letterlijke betekenis, nog steeds gebruikelijk onder oosterlingen). De Bey beantwoordde de groet door zijn rechterhand op zijn borst te leggen, en licht zijn hoofd te buigen.'

De blaag, denk je aan het eind van de twintigste eeuw, in een land waar de prinsen 'zo gewoon mogelijk' zijn opgevoed. Maar de grootvader van deze blaag beschikte over leven en dood.

Aangekomen bij het paleis van zijn vader gaf Mahomet zijn paard ineens de sporen tot aan de onderste trappen 'waar zijn broer, een jongen van zeven, hem stond op te wachten. Ze omhelsden elkaar met veel ceremonie, hun hoofden over elkaars schouders buigend. Na de pijpen en de koffie gingen we de kamers bekijken; terwijl we zo rondliepen vergat de jongen zichzelf een beetje, en begon te huppelen; maar hij werd onmiddellijk gecorrigeerd door de Pasja die zei: "Broer, onthou dat je in gezelschap van een vreemde bent; loop rustiger." De ander gehoorzaamde meteen; en het was niet weinig verbazingwekkend, om een dergelijke raad te zien geven, en een dergelijke inschikkelijkheid aan te treffen bij zulke jonge kinderen.'

Waarom was de wereld niet meer zo kleurrijk als toen? Achter mijn plastic flesjes *Nero* zat ik naar de dagen van weleer te verlangen en ontevreden te zijn met het kale heden. De Turken hadden een vooruitziende blik toen ze de vesting Its-Kale noemden. De Grote Kaalslag vond plaats in 1822, nadat de stad twee jaar lang belegerd was. Meer en meer had Ali

Pasja zich gedragen als een onafhankelijk vorst, zonder het gebruikelijke respect te betuigen aan Machmut II, de Sultan. Op uitnodigingen zich aan het hof te vertonen ging hij wijselijk nooit in – ons kende ons. Omdat hij bezig was heel Griekenland te veroveren, samen met zijn zonen Mouctar en Veli, en tegelijkertijd zelfstandig diplomatieke betrekkingen onderhield met de Engelsen, Fransen en Russen, was hij de Sultan al jaren een doorn in het oog. Ten slotte stuurde die een troepenmacht van vijfentwintighonderd man onder bevel van Hursit Pasja op hem af. Ali Pasja had dit, als resultaat van zijn provocaties, zien aankomen. Al in 1815 had hij de vestingmuren verdubbeld en tijdens de belegering liet hij omringende delen van de stad in brand steken om een vrij schootsveld te creëren.

Voor een man van tachtig beet hij nog aardig van zich af. Maar de troepen van Hursit Pasja hadden een langere adem en ergens in een maanloze nacht moet de moegestreden bejaarde het paleis verlaten hebben en aan de voet van de rots, samen met enkele getrouwen en zijn laatste geliefde Kyra Vasiliki, in een bootje geklauterd zijn. Ze staken het donkere Pamvotismeer over naar het eiland en verscholen zich in het kleine klooster van Sint Panteleimon.

Nadat de Turken Ali daar hadden opgespoord en gedood werd alles wat aan de Pasja toebehoorde en in de toekomst naar hem zou kunnen verwijzen, verwoest. Daarom staan alleen de Turkse gebouwen voor algemeen gebruik nog overeind: de moskee, het badhuis, de bibliotheek. Daarom staarde ik naar een lege, door de zon geblakerde vlakte en stuitte mijn blik aan de overkant daarvan op een kil neppaleis, en op een graf waarin naar men zegt zelfs het onthoofde lichaam niet meer ligt. Kwam er maar een klein wild dier met rouge op zijn wangen voorbij voor wie ik me in het stof kon werpen.

Ik betaalde en stond op. Moe van zoveel verwoesting liep ik

de vestingpoort uit, overwegend het voortdurende verlangen naar alles wat voorbij was daar achter te laten. Misschien had ik gewoon last van het gevoel dat ook de bezoeker van Griekse en Romeinse ruïnes overvalt – dat van immense teleurstelling omdat ons geheugen tekort lijkt te schieten. Ergens in ons achterhoofd, in een primitiever deel van de hersens, schuilen toch nog herinneringen aan de tijd dat we zelf met een amfoor op de schouder de berg afdaalden naar het Nymfanion?

Waar ooit de Bazar was geweest werden nu souvenirs en filmrolletjes verkocht. Ik kocht een betere plattegrond dan degene die ik had en spreidde hem uit. Geïnteresseerd keek de verkoper over mijn schouder mee. Wat zocht ik, vroeg hij in gebroken Engels. Ik aarzelde. Op het gevaar af dat hij me voor krankzinnig zou houden, vertelde ik dat ik op zoek was naar het huis van Niccolo Argyri, waar jij in 1809 logeerde.

'O, maar dat is in Byronstreet,' zei hij kalm. 'U herkent het huis meteen, aan de plaquette.' Zijn wijsvinger wandelde over de plattegrond tot hij bleef hangen boven een kleine straat, niet ver buiten de vesting. Verbluft keek ik hem aan. Hoe was het mogelijk dat een Griek die filmrolletjes verkocht een Engelse dichter uit de Romantiek kende?

'U houdt van poëzie?' vroeg ik.

'Nee, nee', er trok een kleine wolk over zijn gezicht bij de gedachte alleen al, 'alle Grieken kennen Lord Byron. We leren over hem op school in de geschiedenisles. Hij streed voor onze vrijheid, hij is een held, we eren hem.'

Het zal je plezier doen dit te horen. Het is de vervulling van je ambitie: liever de geschiedenis ingaan als een held in een vrijheidsstrijd dan als groot dichter. Toen ik mijn plattegrond betaald had, legde de verkoper teder zijn hand in mijn nek en zei beminnelijk: 'Als je meer wilt weten kom je maar langs.'

51

Buiten de poort kwam de volle hectiek op me af van verkeer en gewemel van mensen in de hitte. Je hebt geen idee hoe het is plotseling mijn eeuw binnen te stappen. Alleen enkele oude winkels waar koperwerk en herdersstaven verkocht worden zou je misschien herkend hebben. Overal werd gegeten, uit de eethuizen steeg de geur van geroosterd vlees op. De Grieken die ik zo in het voorbijgaan zag, met dikke lijven en gramstorig-vermoeide gezichten achter borden zwartgeblakerde souvlaki, vertoonden weinig overeenkomst met hun Apollinische voorvaderen. Van een edele, mythische mensensoort, zoals die jou voor ogen stond toen je vertrok naar de bakermat van Homerus' epos, was niets te bekennen.

Voor ik het wist stond ik in de Lordou Vironosstraat. Het bord met de straatnaam hing aan de roodgeverfde gevel van een ouderwetse stoffenzaak. Door de openstaande deur keek ik in het verbaasde gezicht van de eigenaar, die tussen liggende en rechtopstaande rollen stof zat te niksen. Zijn opgetrokken wenkbrauwen vroegen zich af waar mijn ongewone belangstelling voor zijn zaak vandaan kwam. Toen ik mijn zakboekje tevoorschijn haalde om een notitie te maken veranderde de uitdrukking op zijn gezicht in die van een slachtoffer - er werd iets over hem geschreven maar hij zou nooit weten wat. Door een lichte koorts bevangen liep ik verder, de gevels afspeurend naar een plaquette. Bij nummer drie bleef ik staan. Daar werd aan jouw verblijf van 9 tot 12 oktober 1809 herinnerd door middel van een onopvallend bord, dat met vier roestige spijkers op afbladderend pleisterwerk getimmerd was. Maar dit moest een vergissing zijn! Dit simpele huis met lichtblauwe, Venetiaanse luiken op de eerste verdieping en foeilelijke etalages op de begane grond leek in de verste verte niet op de villa van Niccolo Argyri, zoals ik die kende van de gravure. Geen elegante trap, geen veranda, geen pijproker met fez, geen pauw. Ik nam niet de tijd om te kijken wat er in de winkel beneden verkocht werd. Ontsteld en beledigd sloeg ik de hoek om. Tegen zoveel geschiedvervalsing was ik niet bestand. Misschien had op die plek ooit de villa gestaan... Verder kwam ik niet in het zoeken naar excuses voor het gemeentebestuur van Ioanina, dat waarschijnlijk de plaquette op zijn geweten had.

Terneergeslagen liep ik naar het restaurant tegenover de stadspoort en bestelde een raki om van de schrik te bekomen. Ik nam er tzaziki bij, met bleke bonen ter grootte van een vingerhoed. Waarom was het huis van Argyri er niet meer? Hij had toch niet de woede van de Sultan over zich afgeroepen? Was het in 1820 verbrand, toen de Grote Vlammenwerper van Ali Pasja dood en verderf zaaide rond de vesting? Ik bestelde nog een raki. Dat hielp. Wat kon het me eigenlijk schelen? Waarom voelde ik een voortdurende felle verontwaardiging alsof het allemaal gisteren gebeurd was? Ik wond me toch ook niet op over de brand in het vroegere stadhuis op de Dam dat volgens oude prenten en schilderijen een juweeltje van vijftiende-eeuwse bouwkunst moet zijn geweest en heel wat mensvriendelijker dan het strenge Hollands classicistische paleis dat er nu staat. Niet voor niets waaien er altijd hinderlijke valwinden omheen alsof die het zouden willen wegvagen.

Nu kon ik alleen nog proberen het Litharitsia-paleis te vinden waar het broertje van Mohamet jullie op de trappen had staan opwachten. Volgens mijn Nederlandse gids moest het zich aan het Platia Dimokratiás bevinden, vlak bij een klokkentoren en een park met een belvédère. Ik doorkruiste het park in alle richtingen en liep drie keer om de klokkentoren heen. Een oude man die in het park mijn vreemde gedrag gadesloeg bood zijn hulp aan.

'Litharitsia...' zei ik, elke lettergreep beklemtonend.

Hij knikte en nam me bij de hand alsof ik een verdwaald kind was. We begonnen te lopen, weg vanwaar het paleis had moeten zijn, de hoofdstraat in waar de zon op de gevels brandde. Ik wierp een verwonderde blik op mijn metgezel die een proper grijs kostuum droeg, zo-een als een boer uit het achterland aantrekt wanneer hij een dagje naar de stad gaat.

'Litharitsia,' herhaalde ik.

Hij knikte geruststellend.

Bij de etalage van een bakkerij bleef hij staan. Hij wees verlekkerd op het uitgestalde gebak en keek me vragend aan. Ik keek vragend terug. Resoluut liep hij naar binnen, mij met zich meetrekkend. Achterin wist hij een rustig hoekje met tafels en stoeltjes. Hij ging waardig zitten, de pose aannemend van een heer die het breed laat hangen, en beduidde me door met zijn vlakke hand op de stoel naast hem te kloppen zijn voorbeeld te volgen. Maar ik wilde naar het Litha... Ja, ja, straks, gebaarde hij. Er werd een stuk wit bepoederd gebak voor me neergezet. Wat kon ik anders doen dan eten? Ik kon de Griekse gastvrijheid toch niet beschamen? Het gebak was warm en mierzoet. Met moeite werkte ik het naar binnen. Bij iedere hap die ik naar mijn mond bracht werd ik door twee glinsterende ogen gadegeslagen. Hij begon bezield op me in te praten, een waterval van woorden waartegenover ik alleen maar vaag en hulpeloos kon glimlachen. Toen tikte hij nadrukkelijk op de ring met een bloedkoraal, die van mijn overgrootmoeder is geweest. De jonge bakkersknecht die ons bediende schoot te hulp in gebrekkig Engels.

'Hij vraagt of u getrouwd bent.'

Ik knikte heftig.

'Hoeveel kinderen u hebt.'

'Drie,' loog ik.

Mijn bejaarde metgezel was zowaar zijn huwelijkskansen aan het verkennen! Dat is het waar vrouwen die in parken rondhangen naar op zoek zijn, had hij gedacht, sla je slag. Hij had er zijn goeie goed voor aangetrokken en getrakteerd.

Toch zou het visje tussen zijn vingers door glippen – hoe kwam ik van hem af?

'Zeg hem dat ik met een taxi terugga naar het hotel, waar mijn man op me wacht.'

De jongen vertaalde het plechtstatig, trots op zijn kennis van het Engels. Maar mijn aanbidder hield zich doof, greep mijn hand en wierp me een veelbetekenende blik toe. Ik trok mijn hand los, verzekerde hem met een *poly afgharistó* van mijn dankbaarheid en vluchtte weg uit de bakkerij. Hij beende me achterna en terwijl ik gejaagd op zoek ging naar een taxi week hij niet van mijn zijde. Ik zette er flink de pas in, de koppige grijsaard op mijn hielen – hij was nog verbazingwekkend rap ter been.

'Afgharistó!' riep ik nog eens over mijn schouder. Hij grijnsde schalks.

Er zwenkte een taxi om een hoek. Ik zwaaide heftig met mijn hand. Hij stopte, ik schoot naar binnen en sloeg het portier dicht. Dat had mijn achtervolger niet verwacht – beteuterd staarde hij me na, steeds kleiner en ouder wordend. Hij kon nog geboren zijn tijdens de eerste Balkanoorlog, toen het Griekse leger een einde maakte aan de Turkse bezetting van Ioanina. Had hij zich met Ali Pasja willen meten, die op tachtigjarige leeftijd nog de liefde bedreef met Kyra Vasiliki?

Ik liet me naar de kade brengen, waar Daniël al op me wachtte. Oprispingen van Grieks gebak wegslikkend stapte ik aan boord. Even later gleden we over het meer dat groener leek dan ooit tevoren. Misschien was het water vervuild als straf voor de mensen die het verzwolgen had.

In 1801 heeft Ali Pasja er zeventien jonge vrouwen in laten verdrinken. Over de toedracht van deze gebeurtenis bestaan verscheidene versies. Door die met elkaar te mengen kreeg ik het volgende destillaat.

Op een dag trof Ali zijn geliefde schoondochter in tranen

aan. 'Wat is er, mijn liefje, waarom huil je?' Onder de blik van zijn vriendelijke blauwe ogen snikte ze vertrouwelijk: 'Mouctar houdt niet meer van me.'

'En waarom dan niet?'

'Al zijn aandacht gaat uit naar zijn minnares en naar anderen die hij verleidelijker schijnt te vinden dan mij.'

'Daar zullen we dan eens wat aan doen,' sprak de Vizier resoluut. 'Is er hier iemand in het paleis die de kunst van het schrijven machtig is?'

Door haar tranen heen knikte ze.

'Laat hem dan een lijst maken met de namen van alle vrouwen die je op het oog hebt en laat de rest aan mij over.'

Als een braaf schoolkind kweet ze zich van haar taak. Ze maakte een respectabel overzicht van de mooiste vrouwen van Ioanina, diegenen die het meest haar paranoïde jaloezie opwekten. Bovenaan prijkte de naam van Mouctars minnares, Frossini, die volgens weer andere bronnen ook de minnares van Ali zelf was, of geweest was.

Er is een pathetisch schilderij, op ansichtkaartformaat overal in Ioanina te koop, van hoe het eruitgezien moet hebben. De naam van de schilder wordt niet vermeld; ik neem aan dat hij niet als een soort hoffotograaf bij het evenement aanwezig is geweest. Alleen het te water laten van Frossini is erop afgebeeld. In een roeiboot is men het meer op gepeddeld. Een gespierde soldaat in een met goudgalon afgezet uniform, een kromzwaard op de heup zoals ik dat in het museum gezien had, tilt Frossini uit de boot, zijn ogen bol van de krachtsinspanning. Het is nacht. Een flambouw op de boeg en een gedeeltelijk achter nevelslierten schuilgaande volle maan verlichten het tafereel dat duidelijk met liefde voor het gruwelijke is neergezet. Vanaf een rotspunt op de achtergrond kijkt Ali Pasja zelf met gebalde vuisten toe of de opdracht naar behoren wordt uitgevoerd. Frossini heft haar ogen ten hemel.

Haar blanke polsen en enkels zijn met touw aan elkaar gebonden en onder haar voeten bungelt een flinke steen. Ze draagt niet bepaald het kleed van de boetvaardige, maar een ragfijne jurk, zo te zien van zijde, een fraai geborduurd gilet en elegante schoentjes. Haar haren wapperen in de wind. Nog wel, kun je niet nalaten te denken. In de boot zit nog een soldaat, een geweer op de schouder. Opkijkend naar Frossini opent hij zijn hand alsof hij wil zeggen: 'Hoe kon je nu ook zo stom zijn?' Naast hem verbergt een andere jonge vrouw, een van de zestien anderen die nog volgen, haar gezicht in haar handen. Heel in de verte houden nog meer soldaten met omhoogwijzende geweren een oogje in het zeil. Een schrijnende verheerlijking van mannelijk machtsvertoon en collectieve lafheid tegenover de weerloze Frossini.

Er wordt gezegd dat de vrouwen iets zoets meekregen voor onderweg. Een brok *Turkish delight* voor bij het naar adem happen? Zal Frossini zich op haar manier schuldig hebben gevoeld en in haar lot hebben berust? Haar enige fout was dat Mouctar zijn wellustig oog op haar had laten vallen. De islam schreef voor dat een vrouw die de eer van de familie had geschonden gedood werd, terwijl de man vrijuit ging.

Overigens mag de Frossini van het schilderij nog van geluk spreken dat ze haar laatste uur niet in een dichtgebonden jutezak doorbracht. De verdrinkingsdood voor een overspelige vrouw was niet door Ali Pasja uitgevonden. Meestal liet men de ter dood veroordeelde in een met een steen verzwaarde zak naar de bodem zakken. Ethel Portnoy, in haar reisverhalenbundel *Vluchten*, memoreert een Sultan die zo genoeg had van zijn harem die driehonderd vrouwen omvatte, dat hij ze allemaal tegelijk in de Bosporus liet gooien.

Ik vertel jou niets nieuws. Toen je in Athene woonde en op een avond na het zwemmen terugkeerde uit Piraeus stuitte je op een groep ruiters die een zak bij zich hadden waaruit gekerm opsteeg. Ze vertelden je dat de Waiwode van Athene opdracht had gegeven de inhoud, een jonge Turkse, in zee te werpen. Jij schijnt haar gekend te hebben, maar hoe goed weet niemand. In ieder geval ging je op hoge poten naar de Waiwode en slaagde je erin hem ertoe over te halen haar te laten gaan en bij nacht naar Thebe te sturen.

De gebeurtenis greep je aan. 'Het beschrijven van gevoelens in die situatie is onmogelijk,' schreef je in je dagboek. In het gedicht 'The Giaour' probeerde je het toch:

> Oh! wie kan de blik van de jonge Leila begrijpen
> en toch volharden in dat deel van zijn geloof
> dat leert dat de vrouw slechts stof is
> een zielloos stuk speelgoed voor de lust van de tiran?

Ik keek naar de gladde waterspiegel. Als water een landschap genoemd kan worden, dan behoorde ook het Pamvotismeer tot de categorie schuldige landschappen.

Onze laatste dag op het eiland stond in het teken van de laatste dag in het leven van Ali Pasja. We beklommen de trap naar het klooster van Sint Panteleimon dat is opgetrokken uit grauwe natuursteen, de kleur van de bergen die zich in het meer spiegelen. Op de veranda werden toegangskaartjes verkocht.

Het interieur komt in niets overeen met dat van een katholiek klooster. De kleine kamers, met houten vloeren en witgepleisterde muren, zijn Turks ingericht met lage, rood beklede banken en kussens in oosterse motieven, en met een open haard in het midden. Je zou er zo aanschuiven om half liggend, half zittend, te soezen bij het vuur of aan een waterpijp te lurken. Ik kan er niets aan doen, maar het Hollandse woord gezellig is erop van toepassing, een epitheton dat je voor het gemiddelde klooster in West-Europa niet gauw zult kiezen.

Hier, onder de hoede van een orthodoxe heilige, zocht Ali Pasja zijn toevlucht, hoewel hij mohammedaan was. Na langdurige onderhandelingen en de toezegging van een enorme afkoopsom wachtte hij nu op een vrijbrief van de Sultan uit Constantinopel. Die was hem beloofd, maar Ali zou pas rust hebben wanneer hij hem ook werkelijk in handen hield. Hij had met een van zijn betrouwbaarste officieren, Selim Tsamis, die hij in Its-Kale had achtergelaten, afgesproken dat hij hem zodra hij de brief ontving zijn rozenkrans zou toesturen ten teken dat alles in orde was. Mocht de rozenkrans niet arriveren, dan had Tsamis de opdracht de kruitdepots in brand te steken opdat de hele citadel in vlammen zou opgaan en de vijand met lege handen zou moeten vertrekken.

Ali Pasja wist niet dat er een zwakke plek in zijn plan zat: zijn minnares Kyra Vasiliki. Op een minstens zo bekende ansichtkaart als die van Frossini ziet ze als in een piëta liefdevol op het slapende hoofd van Ali in haar schoot neer. Kyra voelde dat zijn einde nabij was. Om de inwoners van Ioanina de wraak van het Turkse leger te besparen wanneer ze de oorlogsbuit voor hun ogen zagen verbranden, stal ze Ali's rozenkrans en liet hem 's nachts in het geheim naar Selim Tsamis brengen. In de waan dat de vrede getekend was overhandigde die de volgende dag braaf Ali's voorraden en zijn befaamde schat aan Hursit Pasja.

Diezelfde avond voeren Hursits soldaten naar het eiland. Ali, die nog steeds ongerust op de *firman*, de vrijbrief, van de Sultan wachtte, kon de slaap niet vatten. De boot werd tussen het riet gemeerd en volgens de annalen ging een zekere Kjose Mechmet Pasja aan land, gevolgd door Kaphtan-Aga die een bevel tot executie in zijn zak had. Een halfuur later drongen ze met veel kabaal het klooster binnen. Ali Pasja sprong uit zijn bed en riep hun toe kalm te blijven tot hij de inhoud van het document gelezen zou hebben.

Terwijl hij de trap naar de veranda beklom riep Kjose Mechmet terug dat hij het officiële bewijs van vergiffenis kwam brengen. Maar Ali vertrouwde de gang van zaken niet en beval zijn mannen te schieten. Er ontstond een onappetijtelijke vechtpartij in het knusse klooster, waarbij Ali in zijn schouder werd geschoten en er een onhandige poging van Kaphtan-Aga om hem te onthoofden volgde met als gevolg dat ook zijn andere schouder werd getroffen. Terwijl Ali's soldaten Kaphtan-Aga doodden, sleepte een van Ali's getrouwen, Vajas, zijn gewonde heerser naar een andere cel, in de veronderstelling dat hij daar veilig zou zijn. Maar de Leeuw van Ioanina werd door een schot vanuit de kelder dwars door de houten vloer heen alsnog recht in zijn hart geraakt.

Hij had nog net tijd om Vajas de opdracht te geven Vasiliki te doden, die zich tijdens de schermutselingen in een grot verborgen had. Was dit uit liefde, om haar verkrachting of erger te besparen, of wilde hij naar een oudindische gewoonte gezelschap hebben in het dodenrijk? Hoe het ook zij, Vasiliki werd gewoon overgedragen aan Kjose Mechmet, die haar als gevangene met respect behandelde.

Vergeefs speurde ik de vloer af naar een kogelgat. Zo te zien waren de planken inmiddels vernieuwd. Het is vreemd te staan op een plek waar iemand is omgebracht. De plek heeft een perverse meerwaarde die je er niet aan af kunt zien. En de muren, hoewel ze alles weten, geven geen enkel teken. Aan een van die muren hangt een reproductie van een portret van jou, tussen een veelvoud van prenten met scènes uit het leven van Ali Pasja en een afbeelding van zijn paleis in Its-Kale, nog in volle glorie. Het klapstuk in de verzameling is een groot, kitscherig schilderij waarop met wellust het aanbieden van het hoofd met de witte baard aan de Sultan is afgebeeld.

Mooier, en rustgevender, is de over een pop hangende goudkleurige jurk die Kyra Vasiliki op die fatale dag gedragen zou hebben.

3

Ruim twee jaar zou Byrons verblijf in het ottomaanse rijk duren. Veranderden zijn opvattingen over de Grieken en de Turken daardoor? Met een ideaalbeeld, dat terugging op jeugdfantasieën, was hij uit Engeland vertrokken. Hij had degelijk onderricht in Latijn en Grieks genoten. Daarbij had hij al jong uit eigen beweging een fascinatie voor het oosten opgevat. Zelf zei hij hierover later: '[...] alle reizen of verhalen of boeken over het Oosten die ik te pakken kon krijgen had ik gelezen [...] voordat ik tien jaar oud was.' Daarbij nam de *Turkish History* van Knolles een bijzondere plaats in als 'een van de eerste boeken die me plezier bezorgden als kind; en ik geloof dat het veel invloed had op mijn latere wensen om de Levant te bezoeken en, misschien, de oriëntaalse kleur heeft veroorzaakt die in mijn poëzie wordt aangetroffen.'

Tijdens zijn eerste reis gaf hij met jongensachtige bravoure lucht aan zijn oordeel over de twee volkeren. Hij nam waar met de vrijblijvende distantie van de voorbijganger en leek niet persoonlijk te worden geraakt door de minder fraaie eigenschappen die hij signaleerde.

'In Engeland zijn hoereren en drinken in de mode, in Turkije sodomie en roken, wij houden van een meisje en een fles, zij van een pijp en pathos,' schreef hij jolig. 'Ik mag de Grieken, die alles van schurken in zich hebben, ze bezitten alle Turkse ondeugden zonder hun moed. – Toch zijn ze soms dapper en allemaal knap, zeer gelijkend op de borstbeelden van Alcibiades, de vrouwen zijn niet zo mooi. – Ik kan in het Turks vloeken, maar op een afgrijselijk scheldwoord en "koppelaar" en "brood" en "water" na bezit ik in die taal geen grote woordenschat. Ze zijn hoogst beleefd tegen vreemdelingen van alle rang en stand, mits deugdelijk beschermd, en aangezien ik 2 bedienden en twee soldaten heb kunnen we het uitstekend vinden.'

Nadat hij met hen heeft gezwommen spreekt hij zijn verbazing uit over het volgende: 'Het is vreemd dat de Turken bij het baden hun onderlijf bekleed houden evenals je nederige dienaar, maar de Grieken niet.'

Veertien jaar later vertrok hij voor de tweede maal naar Griekenland. Moe van zijn leven in Italië aan de zijde van zijn minnares Theresa Guiccoli, moe van het bestaan in het algemeen en regelmatig geteisterd door aanvallen van zwaarmoedigheid, snakte hij in de eerste plaats naar verandering, naar nieuwe prikkels die hem zijn vitaliteit en levenslust terug zouden geven. Allerlei wilde plannen gingen hem door het hoofd. Op 27 augustus 1822 schreef hij nog: 'Ik dacht en denk nog steeds over Zuid-Amerika, maar aarzel tussen dat en Griekenland. Ik zou al langgeleden naar een van beide zijn vertrokken, ware het niet dat ik een verbintenis heb met gravin Guiccoli; want in deze dagen is liefde niet te verenigen met glorie. Zij zou het heerlijk vinden om met me mee te gaan, maar ik wil haar niet blootstellen aan een lange reis en een verblijf in een woelig land, waar ik een of andere rol wil spelen.'

'Glorie' en 'een of andere rol spelen' zijn hier trefwoorden die veel zeggen over zijn diepste verlangen: een narcistische hang naar eeuwige roem in de heldengalerij, gemengd met de oprechte behoefte de Grieken bij te staan in hun strijd tegen de Turkse onderdrukking die vier eeuwen had geduurd.

Een jaar later was de beslissing genomen. Aan Goethe schreef hij op 22 juli 1823: 'Ik keer naar Griekenland terug om te zien of ik er een klein steentje kan bijdragen.' Met steun vanuit Londen van het *Greek Committee* vertrok hij naar het eiland Kefallonië, waar hij – maandenlang – wachtte tot een landing op het vasteland politiek zinvol zou zijn. Wachtend op richtlijnen uit de Peloponnesos begon hij aan een dagboek.

In zijn oordeel over de Grieken is daarin niets van de vroegere bravoure terug te vinden. Het is bezonken, nuchter en defaitistisch. Als er van overdrijving sprake is, dan in negatieve zin. 'Wie nu naar Griekenland gaat moet dat doen zoals Mrs. Fry Newgate binnenstapte – niet met de verwachting enige indicatie van bestaande rechtschapenheid aan te treffen, maar in de hoop dat de tijd en een betere behandeling de bestaande naastende dievenneigingen die onmiddellijk zijn gevolgd op het ontwaken van het Grote Bewustzijn zullen onderdrukken. – Als de ledematen van de Grieken wat minder stijf worden na vier eeuwen gekluisterd te zijn geweest zullen ze niet meer marcheren "alsof zij voetboeien aan hadden". – De ketenen zijn inmiddels wel gebroken – maar de schakels rammelen nog – en de Saturnaliën zijn nog te recent voor de Slaaf om zich te gedragen als een gedegen Burger. – Het ergste van alles is dat (om een grove uitdrukking te gebruiken, maar de enige die niet bezijden de waarheid is) ze zulke v———e leugenaars zijn; – nog nooit werd zo'n onvermogen tot waarheidsliefde aan de dag gelegd sinds Eva in het Paradijs woonde.' Byron kan niet verweten worden dat hij blind was voor de nukken en grillen van het volk dat hij in zijn jeugd had geïdealiseerd.

Geen spoor meer van de blijmoedige vrijblijvendheid die zijn eerste reis kenmerkte, hij was nu met huid en haar bij de zaak betrokken. Hij zette alles in: zijn kapitaal, zijn persoon, zijn leven. In Missolonghi werd naar zijn komst uitgekeken als naar de komst van de Messias, niet in de laatste plaats vanwege de dollars die hij meebracht. Toen hij ten slotte de moerassige kust van dit onherbergzame oord naderde, vuurden alle Griekse schepen een welkomstsaluut af.

Het was dodelijk voor zijn elan dat hij in de maanden die volgden niet de gelegenheid kreeg tot actie over te gaan vanwege gekrakeel en geruzie tussen de verschillende Griekse fracties. Aan zijn halfzuster Augusta schreef hij: 'Je kunt wel nagaan dat ik veel aan mijn hoofd heb – want je hebt er geen idee van hoe verzot dit gewiekste en roerige ras is op intriges – en aangezien vertegenwoordigers van alle partijen op het moment naar mij toe komen – en ik onpartijdig moet optreden – roep ik met Julian bij zijn militaire oefeningen uit: "O Plato, welk een levenstaak voor een wijsgeer!"'

Vijftien jaar daarvoor bevroedde hij nog niet dat zijn betrokkenheid bij de Griekse zaak hem op een weinig heroïsche manier het leven zou gaan kosten. Opgewekt en nieuwsgierig struinden de vrienden rond in het noordwestelijk deel van Griekenland, dat de komende honderd jaar nog gevrijwaard zou zijn van bevrijdingsoorlogen en rustig Turks zou blijven. Tijdens Byrons en Hobhouses verblijf in Ioanina vierden de Turken de ramadan door bij vollemaan pistoolschoten af te vuren, in antwoord waarop de Grieken ramen en deuren sloten – geen overbodige maatregel want er landden eens twee kogels vlak bij het huis van Niccolo Argyri. Byron en Hobhouse hadden zich voorgesteld dat de ramadan een periode van boete en inkeer zou zijn, maar tot hun verbazing bleek het een tijd van uitbundige feesten die losbarstten zodra de zon onderging. Na een bescheiden maaltijd om de ergste honger te stillen, gingen de moslims bij elkaar op bezoek. Verhalenvertellers, goochelaars, dansers en poppenspelers hielden de mensen wakker tot één uur in de nacht – dan werd er uitgebreid gesoupeerd. Pas tegen de ochtend gingen ze naar bed om er niet voor twaalf uur 's middags uit te komen. De vrien-

den, die 's nachts uit hun slaap gehouden werden door de slagen op de trom waarmee de gelovigen tot gebed werden geroepen, hadden moeite hun reis naar Tepelenë voor te bereiden omdat 's morgens niemand aanspreekbaar was.

Het beroemde schilderij van Thomas Philips, waarvan een
afbeelding in *Highroads of English Literature* bij mij een
dweepzieke verering opwekte, was er nooit geweest als Byron
in deze dagen niet was gezwicht voor de schoonheid van de
Albanese weef- en borduurkunst: 'Ik heb een paar zeer "mag-
nifique" Albanese kostuums, het enige in dit land dat duur is
want ze kosten elk 50 guineas & er zit zoveel goud in verwerkt dat ze in Engeland tweehonderd zouden kosten.'

In 1814, lang en breed terug in Engeland, zat Byron model
voor dit portret. Tegen de donkere achtergrond komen de
oriëntaalse kleuren – donkerrood, goud en een naar zwart nei-
gend donkergroen – goed tot hun recht. Zijn huid is al weer
Angelsaksisch bleek; transparantblauwe ogen kijken onbevangen de wereld in. Een half tot tulband verstrengelde en in
franje eindigende shawl hangt aan een kant van zijn gezicht
quasi-onverschillig neer, de aristocratische oortjes bedekkend
waarop Ali Pasja zo verzot was. De jas moet loodzwaar zijn
geweest van het goudbrokaat. Boven zijn lip bevindt zich een
curieus snorretje, zo-een als verliefde officieren in burleske
blijspelen op hun lip plakken.

Was de hele enscenering niet zo verfijnd geschilderd dan
had het een middeleeuws ridderportret kunnen zijn. De Law-
rence of Arabia-achtige uitdossing wekt daarnaast andere as-
sociaties: de lichtelijk vergenoegde pose van een filmacteur
avant la lettre. Geen glimp te zien van de misantroop die hij
geacht werd te zijn. Zelf hoopte hij er waarschijnlijk als een
Albanees strijder uit te zien, zijn dolk in zijn gebogen linkerarm, maar ik zie nog geen soldaat zo het slagveld opgaan. Eigenlijk toont het schilderij niet meer dan het fraaie resultaat

van een verkleedpartij. Toen zijn moeder hem eens meenam naar een maskerade ging hij al als Turkse jongen.

Op 11 oktober, om één uur in de middag, verlieten ze Ioanina in westelijke richting. De equipage was inmiddels in omvang toegenomen. Ali Pasja's secretaris ging mee, in gezelschap van een Griekse priester die het niet klaarspeelde het jaarlijks vereiste aantal piasters aan belasting te betalen en aan de Pasja wilde uitleggen waarom. Ook verscheen Vasilly ten tonele, die later een belangrijke rol zou gaan spelen. Hij was een Albanees soldaat, afkomstig uit de stadswacht, en had als taak erop toe te zien dat het de gasten van de Vizier onderweg aan niets zou ontbreken. Van de intendant van de post kregen ze voor de heen- en terugweg vijf paarden mee en een verzorger. In ruil voor deze service werd geen geld verwacht maar alleen een geschenk voor de intendant aan het eind van de reis.

Aanvankelijk verliep de tocht aangenaam. Hobhouse beschrijft hoe ze buiten Ioanina door een smal dal kwamen vol wijngaarden en tenten van druivenplukkers uit de stad. Iets verderop was een huis van de Vizier waarin soms een deel van zijn harem verbleef. Na drie uur doorkruisten ze moerassig land. Hier bouwden werklieden op bevel van de Pasja bruggen om het gebied ook in de winter toegankelijk te maken. Op een zeker moment verdween de man van de paarden in galop uit het zicht om alvast onderdak te zoeken in het volgende dorp, Zitsa. De secretaris, Vasilly en Hobhouse volgden zijn voorbeeld, Byron met bedienden en bagage achter zich latend. Rond zes uur, net toen er een absolute duisternis viel en het begon te stortregenen, reden de koplopers het dorp binnen.

Er was een schamel nachtverblijf gevonden in het huis van de 'Papas', de dorpspriester, en zijn familie. Hobhouse neemt geen blad voor de mond in het uiten van zijn afkeer bij het betreden van het primitieve, half met maïs gevulde vertrek, waar de rook van de haard via de deur naar buiten moest. Toen de secretaris onverstoorbaar zijn tapijtje op de lemen vloer spreidde en er rustig bij ging zitten, zat er voor hem niets anders op dan hetzelfde te doen. Terwijl Vasilly in het dorp op zoek ging naar eieren en gevogelte voor het avondmaal, barstte er een onweer los dat vergezeld ging van een hevige storm die het dak deed schudden. Donder en bliksem volgden elkaar zonder tussenpoos op – de boer sloeg bij elke lichtflits een kruis, de boerin barstte in tranen uit, alom klonk hondengeblaf en in de omringende bergen schreeuwden de schaapherders. Hobhouse had nog nooit een dergelijk noodweer meegemaakt en sprak de verwachting uit dat hij zoiets ook geen tweede keer meer zou meemaken.

Hij was ongerust over het lot van de achterblijvers. Om elf uur gaf hij opdracht om op de heuvel boven het dorp fakkels te ontsteken en musketten af te vuren. Kort na middernacht viel hijgend een doodsbleke en totaal doorweekte man binnen om met veel misbaar verslag uit te brengen aan de secretaris. De arme Hobhouse, die er geen woord van verstond, concludeerde dat ze met z'n allen in een afgrond waren gestort. Later bleek dat ze alleen de weg waren kwijtgeraakt en dat de paarden die de bagage droegen gevallen waren. Er werden onmiddellijk tien paarden en mannen met toortsen naar hen toe gestuurd.

Pas om drie uur in de nacht arriveerde de rest van het gezelschap en kreeg Hobhouse de ware toedracht te horen. Op nog geen vijf kilometer van Zitsa had het onweer hen overvallen. Ze waren gestopt bij enkele Turkse grafstenen die oplichtten in de bliksem. Er brak verwarring uit onder de gidsen over de te volgen route – geen van hen wilde toegeven dat ze hopeloos verdwaald waren. De dragoman, die zich te midden

van het geharrewar en de apocalyptische weersomstandigheden verbeeldde dat ze door struikrovers werden overvallen,
begon in het wilde weg zijn pistolen af te vuren. Daarop werd
iedereen door paniek bevangen. De gidsen sloegen op de
vlucht en de Engelse bediende, Fletcher, begon te gillen dat
zijn laatste uur geslagen had.

Byron had het hele tafereel zo potsierlijk gevonden dat hij
in lachen was uitgebarsten. Hij zette zich op een grafsteen
om, beschermd tegen de elementen door zijn Albanese 'capo-
te', in alle gemoedsrust enkele stanza's aan *Sweet Florence* toe
te voegen.

Later schreef hij aan zijn moeder: 'Het volgende epistel van
Fletcher zal bol staan van verbijstering, we zijn eens 's nachts
in de bergen negen uur lang verdwaald in een onweersstorm,
& daarna hebben we bijna schipbreuk geleden, in beide gevallen was Fletcher geheel ontzet, in het eerste voor hongers-
nood & banditti, & in het tweede door het schrikbeeld van
verdrinking. – Zijn ogen deden wat zeer van de bliksem of van
het huilen (dat kan ik niet uitmaken) maar zijn inmiddels her-
steld.'

Je krijgt de indruk dat Byron genoot van dit soort catastro-
fes en er in hoge mate door werd geïnspireerd. Van tijd tot
tijd had hij hevige prikkels nodig om te voelen dat hij leefde.
In *Childe Harold* schreef hij:

Het gevaar zocht hij niet, noch deinsde hij ervoor terug:
Het gebied was woest, maar het gebied was nieuw.

Hobhouse zag in het voorval een bewijs van de volstrekte on-
betrouwbaarheid van Griekse gidsen en van bedienden in het
algemeen. In plaats van tot actie over te gaan worden ze in
geval van nood onzeker en lawaaierig en verspillen ze al hun
energie aan heen-en-weer gepraat. 'Het is in dit land een ab-

solute noodzaak,' meende hij, 'onderweg een soldaat bij je te hebben om gehoorzaamheid te kunnen eisen.'

De volgende dag bleven ze in Zitsa om te drogen en de bagage te ordenen. Ze beklommen de berg midden in het dorp, op de top waarvan – 'zoals altijd in dit deel van de wereld op de allermooiste plek,' verzucht Hobhouse – een klooster staat, gewijd aan Sint Elias. Daarboven hadden ze een schitterend uitzicht over heuvels en dalen, wijngaarden en kuddes schapen, de naar het noorden slingerende Kalamas en het imposante rotsmassief van Zagóri. Later wijdt Byron er in *Childe Harold* zeven strofen bevlogen natuurbeschrijving aan, inclusief herder, helemaal in de geest van de Romantiek.

In het klooster werden ze gastvrij ontvangen door een vriendelijke prior. Hij onthaalde hen in een comfortabele kamer op druiven en een smakelijke witte wijn, die door de monniken was gemaakt van met de hand geperste druiven. De uitnodiging van de prior om op de terugweg uit Tepelenë in het klooster te overnachten aanvaardden ze gretig.

Maar op al deze schoonheid en weelderigheid rustte een doem. Het was Hobhouse al opgevallen dat hun gastheer er belabberd uitzag. De Papas beklaagde zich bij de secretaris, die belastinginspecteur bleek in verschillende dorpen, over de extreme eisen die Ali Pasja jaarlijks aan de bewoners van Zitsa, voornamelijk Griekse boeren, stelde: dertienduizend piasters. Bijna alles wat de rijke bodem opleverde moest verkocht worden: graan, vlees, wijn, melk, huiden. Zelf leden ze honger met hun gezinnen.

Hobhouse is begaan met hun lot. Niet zonder pathos schrijft hij: 'Hun werk was zonder beloning, hun rust zonder ontspanning; zelfs de kerkelijke feesten werden niet gevierd want ze waren er niet voor in de stemming en bezaten ook niet de middelen om plezier te maken.' Er heerste een collectieve stress in het arcadische dorp. Ali Pasja hoefde zich niet langer te verlagen tot struikroverij sinds een 'legale' variant het geld naar hem toe liet rollen.

Of de secretaris ook werkelijk een goed woordje deed voor de overbelaste dorpsbewoners kwamen de vrienden nooit te weten: '*We never heard how the matter ended.*'

4

Mijn allerbeste Byron, – Het eiland in het Pamvotismeer ont-
waakte vroeg – wij ook. Terwijl ik mijn rugzak pakte, drong
tot me door dat ik de vorige avond mijn linnen tas aan een
stoel op het terras van het dorpscafé had laten hangen. In die
tas zat een nieuwe Leica die in de palm van mijn hand paste.
Ik had het toestel speciaal aangeschaft opdat er in Albanië
geen uitdagende apparatuur om mijn nek zou bungelen. Gejaagd liep ik over de hobbelkeien naar het pleintje. De tas
hing er niet meer. Het café was dicht. Ik drukte mijn neus
tegen de ruit en daar hing hij, in het halfduister achterin – alsof hij op eigen houtje een goed heenkomen had gezocht. Ik
herriep alle negatieve gevoelens die ik ooit jegens het mensdom had gekoesterd. Had Rousseau, die jij zo bewonderde,
toch gelijk? Was de mens van nature goed?

Nu moesten we alleen nog wachten. Honderd meter verderop vertrok de boot, hij kwam terug en vertrok opnieuw.
Een schriel vrouwtje begon op een muurtje onder een boom
de inhoud van haar moestuin uit te stallen: drie stronkjes prei,
vijf tomaten, vier uien. Vanuit een aan het café grenzende
bakkerij activeerde de geur van pasgebakken brood onze
maagsappen, mannen en vrouwen liepen af en aan met zelfge-
knede taarten en pasteien in platte ronde blikken om ze in de
grote oven te laten bakken. Een oude man met een kralenket-
ting tussen zijn vingers slenterde naderbij om te zien of het
café al open was. Het dorp kwam anachronistisch tot leven.

Ook de visser die een tas vol pasgevangen krabbetjes midden op het plein omkeerde leek te zijn herrezen uit de tijd dat het meer nog schoon was. De krabben, die de kleur hadden van modder, begonnen zich waggelend in alle richtingen te verspreiden. Ik sprong achteruit. Als op een teken schoten vanuit steegjes de dorpsbewoners toe om ze bij hun schild te pakken, keurend omhoog te houden en in een plastic zak te proppen. Met tegenspartelende zakken slenterden ze huiswaarts. Toen kwam de kroegbaas eraan – vanuit de verte knikte hij me geruststellend toe.

De eerste etappe van jullie tocht naar Tepelenë volgde de route van Ioanina naar Zitsa. De tweede eindigde in het dorp Mosure, de derde in Delvináki. Daarna trokken jullie naar Libohovë, dat nu in Albanië ligt.

We wilden, zodra we de grens overstaken, zoveel mogelijk reizen zoals in jouw tijd gebruikelijk was. Karagjozi had in de correspondentie die volgde op de eerste ontmoeting onze vermoedens bevestigd dat het oude pad over de flanken van het Lunxherisë-gebergte nog grotendeels intact was. Waarschijnlijk waren ook de dorpen in de tussenliggende tweehonderd jaar niet veel veranderd. Afrim Karagjozi bereidde, zijn professorale invloed aanwendend, de tocht voor. Hóe wisten we niet, maar hij zou ervoor zorg dragen dat er op de bestemde tijd en plaats paarden zouden zijn, en bedden.

En als het even kon zou ons een lijfwacht vergezellen met een naar boven krullende snor, die zijn patronengordel als een sieraad wist te dragen. Mijn zoon had me vanuit Parijs waar veel Albanese ballingen wonen gewaarschuwd. Hij had in *Le Monde* gelezen dat Albanië sinds de democratisering, of wat daarvoor door moest gaan, in een dusdanige staat van verwildering was geraakt, dat buitenlandse reizigers in de bergen door rondtrekkende gewapende troepen in onduidelijke uniformen – de achter-achterkleinzonen van Ali Pasja? – van hun bagage werden beroofd, en van alles wat ze aan hadden. Zoals ze geboren waren werden ze aan de kant van de weg achtergelaten.

Waren aan de Albanese kant van de grens de paden nog grotendeels intact, aan de Griekse kant, waar de moderne tijd veel drastischer had toegeslagen en bulldozers zonder respect voor de eeuwenoude infrastructuur nieuwe wegen hadden gebaand, was het oorspronkelijke traject grotendeels geasfalteerd. Daniël leek bijna lijfelijk te lijden onder al die littekens in het landschap. 'Kijk toch eens,' riep hij vaak geschokt uit, wijzend op een slingerende weg in de verte. 'Die was er vorig jaar nog niet.' We besloten het hedendaagse equivalent van een span paarden te huren en zo in etappes van Ioanina tot aan dat punt van de Albanese grens te rijden waar jij indertijd, toen immers alles nog Ali Pasja toebehoorde, zonder oponthoud van Delvináki naar Libohövë bent gereden. Zoveel mogelijk zouden we proberen jullie route te volgen; wanneer we ergens een deel van het oorspronkelijke pad terugvonden wilden we dat te voet verkennen.

Comfortabel tuften we Ioanina uit, in westelijke richting zou Hobhouse zeggen, de rugzakken in de kofferbak. We reden gewoon over asfalt naar Zitsa. Het moeras van Hobhouse is allang drooggelegd en in landbouwgrond veranderd. In de heuvels voor Zitsa, waar jullie door noodweer zijn overvallen, werden militaire oefeningen gehouden. Misschien niet bij toeval zo dicht bij de Albanese grens, schoven er tanks met lange lopen door het landschap. Sabels en zwaarden, beste George, zijn nu museumstukken, getuigen van een primitief maar pittoresk verleden.

In Zitsa is geen enkel huis meer zoals het in jouw tijd geweest moet zijn. Het is nu van een semi-moderne lelijkheid waar je het beste zo snel mogelijk aan voorbij kunt rijden, in een ruk door naar boven de berg op, waar nog steeds het klooster van Sint Elias staat.

De wind ruiste in de acacia's toen we voor de poort stonden. Hier was je van je paard afgestegen. Een plaquette tussen met korstmossen bedekte stenen herinnerde eraan: 'Lord Byron was hier in de nacht van twaalf op dertien oktober 1809.' Eronder een vleiend citaat uit *Childe Harold*:

> Monástic Zitsa! From thy shady brow
> Thou small but favoured spot of holy ground.

Deze poort voerde naar jou, en naar Hobhouse. In ditzelfde klooster aten jullie druiven, dronken wijn en voerden, via een tolk, een moeizame conversatie met de prior, zoals het een gast betaamde. Hier begon de tocht pas echt. En wat mooier was: de poort stond open. We gingen naar binnen door een klokkentoren die benadrukte dat we een ander tijdperk betraden, en kwamen via een schemerig portaal in een ommuurde kloostertuin.

Naast een kerk uit 1638 staat het klooster. Een bejaarde tuinman was met een haast grimmige ernst de overal woekerende klimop aan het snoeien. We vroegen hem of het klooster te bezichtigen was en gebruikten jouw naam als een Sesam Open U. Aanvankelijk vergeefs. Het was een zegen dat Daniël Grieks spreekt, en blijkbaar met veel overredingskracht, want de tuinman raakte doordrongen van de ernst van onze missie. Of van Daniëls koppigheid. Hij legde zijn snoeischaar in het gras, klom op zijn brommer en hobbelde naar beneden om thuis de sleutel te halen.

We spraken niet terwijl we, door de tuin dwalend, het gebouw vanuit alle windrichtingen bekeken. Ik klauterde op een hoop puin in een hoek en staarde naar de ingang.

Eerst zag ik de Papas de kloosterhof binnenkomen, gevolgd

door de secretaris. Daarna Hobhouse, bedaard en opmerkzaam. Ten slotte verscheen jijzelf, samen met Vasilly – je oogleden lichtelijk gezwollen door het gebrek aan slaap. Je overhandigde de teugels van je paard aan een novice, die het vastbond aan een ring in de muur bij de waterput. Onder de gewelven door ging de kleine stoet naar binnen – voor het eerst zag ik hoe je probeerde te verbergen dat je hinkte. De prior wachtte jullie op in de deuropening; met veel plichtplegingen en buigingen werden jullie aan hem voorgesteld. Rook je de bedwelmende geur van de bloeiende klimop die de muren rondom de tuin bedekt? Stonden de twee olijfbomen er al en de vijg in de hoek?

Het was niet makkelijk je tot leven te wekken, het klooster werkte niet mee. Het moest al langgeleden verlaten zijn, zo in zichzelf gekeerd en versuft zag het eruit. Ten tijde van jouw bezoek, toen het volop in bedrijf was, liepen er natuurlijk nog monniken rond met zwarte anachoretenbaarden en van geloofsijver fonkelende ogen alsof ze zo van de berg Athos waren neergedaald. Ze verzorgden de tuin en de dieren, vingen gasten op en persten de witte bedauwde druiven met hun handen. In het klooster werd gebeden, gezongen, gegeten, geslapen en misschien ook onorthodox de liefde bedreven – ik denk aan de tijd dat je in een klooster in Athene woonde en stoeide met de *ragazzi* van de kloosterschool. Hobhouse vertelt dat het klooster geen belasting verschuldigd was aan Ali Pasja; viel daaruit de relatieve welstand te verklaren die de prior leek te omringen?

De tuinman kwam terug. Zwijgend ging hij ons voor naar binnen; we beklommen de trap naar de eerste verdieping waar we in de refter terechtkwamen. Het was me vreemd te moede – voor het eerst was ik in een ruimte waarin jij ook geweest was. Wie denk je dat vanaf een poster aan de wand neerblikt op de lange, smalle eettafel? Ooit bleek er een tentoonstelling te zijn geweest ter nagedachtenis aan jouw bezoek hier. Eigenlijk nam je de plaats van de Heilige Elias in, op zo'n prominente plek. Op 20 juli, Elias' naamdag, keert jaarlijks het leven voor een dag terug in het klooster ter gelegenheid van *Panayiri*. In grote ketels wordt een brij van granen gekookt. Onder jouw toeziend oog schuiven pelgrims aan en geven in ruil voor de maaltijd wat geld voor het onderhoud van kerk en klooster. De rij asbakken in aanmerking genomen wordt er na afloop stevig gerookt.

We bekeken de slaapkamers, waarin britsen stonden die een ontkenning waren van alles wat er inmiddels is bedacht op het gebied van slaapcomfort. Een van de kamers had een plechtig gewelfd plafond; vanaf de muren keken aartsbisschoppen elkaar aan tot in lengte van dagen – voor mij waren het allemaal Makariossen. Het meest intrigerende was een oude, met houtsnijwerk versierde plank, waarop een papieren lijst geplakt was met de namen van alle monniken die hier in de loop der eeuwen geleefd hebben. De inkt was verbleekt, het papier begon eraf te bladderen en was aan de randen weggevreten. Het rook er doordringend naar vocht, die heimelijke vernietiger. Ook in deze kamer, tussen de aartsbisschoppen, wordt je nagedachtenis in ere gehouden; er hangen stanza's uit *Childe Harold* aan de muur, naast je portret. Als aartstwijfelaar aan alle christelijke dogma's verkeer je er in raar gezelschap. Wanneer die bisschoppen de moeite hadden genomen je dagboeken open te slaan hadden ze gegruwd van onorthodoxe overpeinzingen als: 'Het is zinloos om zichzelf voor te houden *niet* te *beredeneren* maar te *geloven*. Je kunt een mens evengoed voorhouden niet te waken maar te *slapen*.'

'En waar sliep Lord Byron nou?' drong ik aan. Bij elke slaapkamer had ik gevraagd: 'Was het hier?' De tuinman hief zijn handen. Het speet hem het te moeten zeggen, maar op de plek waar jouw bed had gestaan lag nu alleen nog een hoop puin. We volgden hem, terug naar buiten. Hij wees op een dichtgemetselde poort boven in de klokkentoren, die toegang had gegeven tot een niet meer bestaande rij cellen op een eerste verdieping rondom de kloosterhof, boven de stallen. In de hoek waar jouw cel was geweest lag een hoop stenen, half bedekt door een deken van klimop. Het waren niet eens de gewelddadigheden van een oorlog geweest, volgens de tuinman, waardoor de cellen vernield waren. Het was gewoon de tijd, die nog gewelddadiger is dan de mens – maar dan op een minder opvallende, sluipende manier.

Het huis van de Papas bestaat niet meer. Zitsa is kapotgemoderniseerd en we hadden het angstige vermoeden dat hetzelfde het geval zou zijn met de twee andere plaatsen waar jullie overnachtten, Mosure (nu Sitariá) en Delvináki.

Anders is dit in Zagóri, de streek ten oosten van het gebied waar jullie doorheen trokken, achter het Mitsikéli-gebergte. Daar zijn, wist Daniël, nog enkele dorpen die dankzij hun geisoleerde ligging en de beschermende maatregelen van de staat tamelijk onbedorven zijn. Omdat Megálo-Pápingo daarvan het oudste is – het stamt nog uit de byzantijnse tijd – brachten we onze laatste Griekse nachten liever daar door om zo, paradoxaal genoeg, een indruk te krijgen van hoe het in 1809 geweest moest zijn in Zitsa, Mosure en Delvináki.

Jullie zouden hetzelfde gedaan hebben, wanneer dat in jullie tijd mogelijk was geweest. Hobhouse heeft geïntrigeerd in de richting van Zagóri gekeken, waar zijn blik op een muur van spectaculaire rotsformaties stuitte 'met een top van zo'n aparte vorm als van een vesting met kantelen en torentjes. Papinghi moet een deel van Zoumerka zijn, en de weg van Ioanina zou erdoorheen moeten naar Mosure, maar omdat de berg onbegaanbaar is, is de reiziger verplicht 14 of 15 mijl in westelijke richting te gaan naar Zitsa.' Het moet jou ook gespeten hebben dat jullie niet door dit gebergte konden reizen, dat de allure heeft van de landschappen van Walter Scott.

Aan het eind van de twintigste eeuw klim je gewoon in je huurauto over een weg vol haarspeldbochten naar boven. Ergens in de kromming van zo'n haarspeld vergat ik te schakelen en kwam de auto bijna tot stilstand, zo overdonderd was ik. Vóór ons, aan de overkant van een ravijn dat vlak langs de weg een snelle dood beloofde, rees een majestueuze bergwand op. Het was een berg in lagen als verdiepingen en met een platte top, ontworpen door een Griekse Gaudí die vanuit de aarde een pantheïstische kathedraal omhoog had gestuwd. In de diepte stroomde een riviertje, afwisselend azuurblauw en smaragdgroen, dat in de loop van millennia de kloof had uitgeslepen.

Megálo-Pápingo heeft de kleur van de bergen. De muren, daken en straten zijn uit de rots gehouwen, in eindeloze variaties op het thema grijs. Over de tuinmuren hingen in wolken de zilvergrijze pluizen van de hop. We lieten de auto bij de ingang van het dorp achter, gordden de rugzakken om en sloegen een van de hobbelige weggetjes in langs gesloten, met ijzer beslagen poorten die toegang gaven tot onzichtbare binnenhoven. Ook hier had men eeuwenlang het gevaar geweerd. Daniël wees op de bijna weggesleten Turkse nummering, naast de Griekse in heldere cijfers. De straat was bezaaid met schapenkeutels. Boven het dorp klonk het getinkel van geitenbellen dat me deed denken aan een Tibetaans klooster, hoewel ik nog nooit in Tibet ben geweest.

Achter een van die poorten vonden we een pension – op het terras zweefden juist dampende schalen met *péstrofes*, forellen, voorbij. We konden zo aanschuiven en bestelden een fles koele Zitsa-wijn om te vieren dat we de poort van het klooster open hadden aangetroffen en om een dronk uit te brengen op jou en op Hobhouse. Vandaag was de tocht echt begonnen.

Er streek een donkergrijze vlinder met een doodskopmotief tusssen onze borden neer. Ik schoof mijn stoel naar achteren. Wat had dit te betekenen? Kwam hij ons waarschuwen? 'Betreed niet het land van de Skiptaren, want u zal niets dan onheil en verdoemenis ten deel vallen. Bij alle goden en profeten, ik waarschuw maar één keer.' Hoe zou het orakel van Dodona, niet ver van Ioanina, dit geduid hebben? Zo'n kwetsbaar mechaniekje, bestaande uit niet meer dan een paar ragfijne vleugels, pootjes en voelsprieten, kon toch onmogelijk ons lot beïnvloeden? Het teken op zijn rug, zei ik tegen mezelf, is niet meer dan een figuur uit een rorschachtest: *it's all in the eye of the beholder.* Ineens steeg de vlinder zigzaggend op – ik waarschuw maar één keer. Het was fijn geweest als hij nog op andere tafels was geland, maar nee, hij verdween tussen de druivenranken.

Ik dronk in één keer mijn glas leeg. Jíj zou je niet uit het veld hebben laten slaan door zo'n vlinder, je was gek op alles wat een beetje sinister was en naar de *Gothic Novel* zweemde. Om mijn gedachten te verzetten vertelde ik Daniël de geschiedenis van jouw doodshoofd. De tuinman van Newstead Abbey stootte op een dag met zijn schop op een schedel, waarschijnlijk die van een priester. Jij bracht, in een zwartgallige stemming, de kerst alleen door op het landgoed en kwam op het idee er een drinkbeker van te maken. Voor een waanzinnig bedrag liet je hem door een juwelier politoeren en van een zilveren, op vier ballen rustende voet voorzien. Over het geld zat je niet in, schrijft Thomas Marchand in zijn alom geprezen biografie cynisch. Het bedrag viel in het niet bij de rest van je schulden. De macabere drinkbeker ging van hand tot hand tijdens drinkgelagen met vrienden. Je schreef er een geestig gedicht over, 'Lines Inscribed upon a Cup Formed from a Skull':

Wek – noch veroordeel mijn verdwenen geest:
Zie in mij de enige schedel,
Waaruit, anders dan bij een levend hoofd,
Nooit iets saais vloeit.

Ik maakte nog een wandeling. De zon verdween achter de bergen, die vervaagden in een heiig blauw. Om me heen gingen de poorten piepend open – weduwen sloften naar buiten en streken in de avondlauwte neer op een muurtje. Ik dacht aan mijn moeder die nu in haar eentje naar het Journaal keek en twintig minuten misère uit alle delen van de wereld over zich uitgestort kreeg. Ik zei: 'Kallinigta.' Mijn groet werd in koor beantwoord.

Nooit zul je weten, zei ik tegen mezelf, hoe het is een immer in het zwart geklede weduwe te zijn, die haar hele leven heeft doorgebracht in een adelaarsnest op de tot voor kort schier onbereikbare top van een rots en die bij ondergaande zon tussen lotgenoten op een muurtje onder de hop zit te wachten tot het bedtijd is. En met je iets dunner geworden, maar toch altijd nog krachtige stem *kallinigta* te roepen naar een langskomende vreemdelinge, die joviaal goeienavond zegt alsof ze hier al jaren woont. Waarschijnlijk zou ik weinig op hebben met dat soort indringers die vol onbeschaamde nieuwsgierigheid door je dorp slenteren, door de spleten in de poorten gluren en je vijftig keer verstelde onderbroeken aan de waslijn fotograferen.

Mijn slaapkamer deed Turks aan met z'n lage zitslaapbank en handgeweven stoffen. Ik hing mijn kleren over een stoel en stapte de douchecel binnen. Leek dat op een schorpioen, tien centimeter van mijn grote teen? Dat wás een schorpioen, een zwarte met twee scharen aan de voorkant en een weerhaak van achteren. Hij zat klaar in de aanvalshouding en ik wilde gaan gillen, maar dacht: nee, ik wil niet het soort vrouw zijn dat bij onweer een sterke schouder zoekt – bovendien ben ik erg bloot.

Het gevecht met de schorpioen zou een mooie boektitel zijn, bedacht ik. Of was het er al een? Het onderste deel van mijn lichaam durfde ik niet te verroeren. Heel traag, als iemand die zich tegen de tijd in beweegt, boog ik mijn bovenlichaam in de richting van de douchekop. Voorzichtig tilde ik hem van de haak en richtte hem van mijn voeten af op het insect. Mijn ogen angstvallig op de schorpioen gericht houdend, draaide ik abrupt de kraan open. Er gebeurde iets wonderlijks. Als om mij te gerieven rolde de schorpioen zich op tot een bolletje, precies van het formaat van het afvoerputje. Langzaam zag ik hem naar het midden cirkelen en met het water in het afvoersysteem onder het pension verdwijnen. Wanneer je bedenkt dat negentig procent van alle levende wezens op aarde insect is, dan is ieder exemplaar dat je wegspoelt niet minder dan een vorm van geboortebeperking. Ik liet de douche nog langdurig doorstromen, want schorpioenen kruipen terug omhoog terwijl je slaapt en nergens op bedacht bent. Na zich op geheimzinnige wijze te hebben vermenigvuldigd komen ze terug met honderden en doorkruisen in slagorde je slaapkamer om zich te wreken.

Net voor ik insliep – of sliep ik al? – zag ik je op zo'n brits in het klooster van Sint Elias liggen. Je gezicht was bleek. Eén arm bungelde in je slaap naar beneden en raakte de vloer. Klimop begon zich rond die arm omhoog te slingeren, en voordat ik het wist bedekte hij je borst en ging via je hals op weg naar je gezicht. Ik probeerde de ranken, die zich met zuignappen vastzetten, los te rukken maar iedere scheut die ik afscheurde groeide onmiddellijk weer aan. De klimop is niet echt, suste ik mezelf, hij is maar een metafoor.

5

Met kloosters was Byron vanouds vertrouwd. Hij erfde er een toen hij tien jaar oud was: Newstead Abbey. Kort daarvoor was zijn oom, de vijfde Lord Byron – bijgenaamd *The Wicked Lord* – gestorven waardoor hij tegelijk met het landgoed de titel Lord kreeg. Hij woonde toen nog, ten gevolge van de spilzucht van zijn inmiddels overleden vader, in alle eenvoud met zijn moeder op kamers in Schotland. Pas toen de onderwijzer van de dorpsschool, die erg onder de indruk was, hem vol eerbetoon op cake en wijn trakteerde, drong de betekenis van zijn nieuwe waardigheid tot hem door. Op het moment dat de meester hem te midden van zijn klasgenoten bij zijn titel noemde viel er een plotselinge stilte. Van alle kanten werd hij aangestaard. Ineens was er zo'n afstand tussen hem en de anderen ontstaan dat hij in tranen uitbarstte. 'Vind je me veranderd sinds ik een Lord ben,' vroeg hij later aan zijn moeder, 'want zelf merk ik er niks van.'

Zijn moeder, die er revolutionaire ideeën op nahield en sympathie koesterde voor het volk, was niettemin trots genoeg op haar aristocratische achtergrond om verguld te zijn met het herstel van haar aanzien. Ze verkocht het grootste deel van de meubels om de reis te kunnen betalen en zette met 'de kleine Lord' koers naar het zuiden. Sappig beschrijft Marchand de scène die zich afspeelde toen de koets stopte bij het tolhek van Newstead.

' "Wat voor edelman woont hier?" informeerde Mrs. Byron, zich al verlustigend over wat ging volgen.

"Het was Lord Byron, maar hij is dood," antwoordde de jonge vrouw bij het tolhek.

"En wie is nu de erfgenaam?" vroeg de trotse moeder.

"Ze zeggen dat het een jongetje is dat in Aberdeen woont." May Gray, later haar dienstbode, riep uit: "Dit is hem, God zegene hem!" en begon de verbaasde jonge Lord te kussen.'

De eerste indruk die ze kregen van de abdij, die nog uit de twaalfde eeuw stamde en door Hendrik de Achtste aan een verre voorvader werd verkocht, was overweldigend. Samen met de ruïnes van een gotische kerk in grijze natuursteen vormde zij een geheel van schilderachtige charme aan de rand van een meer. Maar John Hanson, die bij de ingang zijn opwachting maakte, zette meteen een domper op de vreugde door hun ernstig af te raden in dit romantische schilderij te gaan wonen. Om zijn woorden kracht bij te zetten nam hij hen mee naar de achterkant van het gebouw, waar het dak langgeleden was ingestort, en naar de hall en de refter die volgestouwd waren met hooi voor de koeien. Het hele landgoed, vertelde hij, inclusief de boerderijen en stallen, was jarenlang zwaar verwaarloosd en uitgeknepen om de schulden van 'The Wicked Lord' te betalen. Maar moeder en zoon lieten zich niet uit het veld slaan. Ze hoefden hun blik alleen maar door de sombere doch imposante hal te laten dwalen of hun besluit om er te gaan wonen stond onwrikbaar vast. Na enkele kleine reparaties installeerden ze zich met het schamele huisraad dat nog over was in de abdij en genoten van het buitenleven.

De jonge Byron was in zijn element in de rol van grootgrondbezitter met een familiewapen – een zeemeermin met kastanjebruine paarden – dat zijn nieuwe identiteit legitimeerde. Hij vond in de abdij de pistolen van zijn oom en ontwikkelde een hartstocht voor het schieten als sport, die tot aan het eind van zijn leven zou voortduren. Drie jaar voor zijn dood schreef hij nog in zijn dagboek: 'Ben als gewoonlijk gaan paardrijden, en heb met de pistolen geoefend. Goed schietwerk – heb vier gewone en nogal kleine flessen gebroken in vier schoten op veertien passen afstand, met een gewoon stel pistolen en doorsnee kruit. Bijna net zo goed – gezien het verschil in kruit en pistolen – als in 1809, 1810, 1811, 1812, 1813, 1814, toen het me lukte om wandelstokken, kleiduiven, halve kronen, shillings en zelfs de knop van een wandelstok, met een enkele kogel op twaalf passen te splijten – en dat louter op het oog en berekening; want ik heb geen vaste hand, die is even veranderlijk als het weer. Van de hier opgetekende heldenmoed kunnen Joe Manton en anderen getuigen – want de eerste heeft me geleerd hoe te schieten en de anderen hebben me deze wapenfeiten zien verrichten.'

Byron heeft zich vast thuis gevoeld in het gezelschap van de met hun wapens pronkende Albanezen. Sinds die eerste schietoefeningen had hij altijd pistolen bij zich – onderweg in het door struikroverij totstandgekomen rijk van Ali Pasja moet dat een rustgevend idee zijn geweest.

Op vrijdag 13 oktober, 's morgens om negen uur, verliet hij Zitsa. De plichtsgetrouwe Hobhouse noteert hoe de tocht verder verliep, vaak in vaagheden vervallend als 'een kale heuvel' en 'een vlakte'. Bij de Kalamas aangekomen, die ze vanuit Zitsa door het landschap hadden zien kronkelen, verliest hij zich in bespiegelingen over de ware identiteit van deze rivier. De secretaris beweerde dat het de Acheron was, volgens de oude Grieken de ingang van de onderwereld. Hobhouse, die geen enkele aanwijzing zag dat dit de rivier zou zijn die in de 'Haven der Zoete Wateren' stroomde, vermoedde dat de secretaris zich op Meletius baseerde, 'een moderne Griekse geograaf die aartsbisschop van Athene was in de achttiende eeuw'.

Wij zouden een geograaf van een eeuw geleden niet gauw modern noemen. Het boek van Meletius was nog altijd een standaardwerk voor reizigers, hoewel het vol fouten stond.

Toen ze het dal van de Kalamas in gingen zagen ze een waterval, 'niet erg hoog, dwars door een bosje heen, met een kleine molen op de top van de linkeroever'. Daarna is er weer sprake van 'beboste heuveltjes' en 'met bomen bedekte heuvels' – veel moeite om voor de afwisseling synoniemen te zoeken gaf Hobhouse zich niet. Wederom werd het gezelschap overvallen door een onweersbui. Om half twee 's middags spoelden ze aan in het dorp Mosure. Vanwege het weer konden ze die dag niet verderreizen. Hun verblijf hier lijkt een herhaling van dat in Zitsa. Opnieuw werden ze ondergebracht in het huis van een priester, dat er nog beroerder aan toe was dan het vorige. 'Als je wel 's een Ierse schuur gezien hebt weet je genoeg,' noteert Hobhouse. Het hele dorp was van Ali Pasja, evenals de helft van de totale opbrengst van de oogst. Zijn roem als superbelastingheffer snelde hem vooruit.

6

Mijn beste George, – We reden terug van Megálo-Pápingo naar Zitsa om daar de draad weer op te pakken. Vanuit het zuiden kwamen we het dorp binnen, om het met Hobhouses beschrijving in de hand in noordelijke richting weer te verlaten. Abrupt hield het asfalt op. Voor ons lag een met keien geplaveide weg, een weg om met een koets overheen te hobbelen. Voordat in de hele wereld de wegen door asfalt werden gladgestreken en overal hetzelfde grauwe, levenloze aanzien kregen, moeten de karavaanroutes, de heirbanen, de verbindingen tussen plaatsen van enig belang, er zo hebben uitgezien. Het alternatief was het geitenpad, de secundaire weg van vroeger die onaanzienlijke dorpen met elkaar verbond.

Dit moest de weg zijn waarover jullie Zitsa hadden verlaten, een andere in die richting was er niet. De keien waren nog dezelfde – iets meer afgesleten natuurlijk. We zetten de auto aan de kant en begonnen te lopen. Voor het eerst volgden we letterlijk jouw spoor. Het omringende landschap was hetzelfde als dat waar jij doorheen getrokken was en het was nog net zo verlaten als toen. De tocht kreeg een extra intensiteit, het leek of iets in de atmosfeer de herinnering aan jou had vastgehouden, alsof je op een of andere manier nog aanwezig was in de rotsen, bomen en planten die we passeerden. Boven de bergen hingen dreigende wolken, er was geen zuchtje wind. Alom heerste een ingehouden stilte, waarin het gemakkelijker was je in de geest naar 1809 te verplaatsen en paardenhoeven op de keien te horen klepperen dan bij felle zon het geval zou zijn geweest.

Hoezeer was jullie reis er een in het ongewisse geweest, realiseerde ik me terwijl ik door dit onbekende landschap kuierde, doordrongen van een gevoel van nietigheid. Wij hadden de modernste landkaarten bij ons, waarop alles tot op de vierkante millimeter klopte. Jullie moesten je behelpen met chaotische kaarten vol bizarre namen, waarop de loop van een rivier rustig een centimeter of wat was verschoven. Overgeleverd aan een dragoman waren jullie op weg naar een grillige onbekende, die met een knip van zijn vingers over leven en dood beschikte en over wie jullie onderweg niet veel goeds ter ore kwam. Wie garandeerde dat jullie ooit terug zouden komen uit de streek van Dropull, aan de andere kant van de bergen? Er was toen veel moed voor nodig om deze reis te maken, begreep ik nu, hoewel de toon van je brieven er vooral een van overmoed is.

Nadat we een stuk te voet hadden afgelegd keerden we terug naar de auto. We reden enkele kilometers verder. Tijdens een afdaling zagen we links in de verte een byzantijns klooster liggen waarover Hobhouse met geen woord rept. Naarmate we verderdaalden werd de omgeving steeds lommerrijker (de bossen en bosjes van Hobhouse). De robuuste bergen van de Kassidiárisketen zagen eruit als slapende monsters die zich onverwacht grommend konden oprichten. Toen we de Kalamas naderden parkeerden we de auto in de berm en gingen te voet verder. In de diepte hoorden we de rivier ruisen, die zich verschool in een wildernis van bomen en struiken. Een verweerd bord wees de voetganger in de richting van een trap. Ranken van braamstruiken opzij duwend, daalden we af langs afbrokkelende treden. We gingen een groene wereld van mossen, varens en overwoekerde bomen binnen. Ineens glinsterde beneden het schuim van een waterval die zich door een kloof tussen rotsblokken omlaagstortte, niet zozeer van grote hoogte als wel heel wild en bruisend wit, om daarna in de vorm van een rivier verder te stromen onder een door het water in de rots uitgeslepen brug die op sommige plaatsen, langgeleden, met stenen verstevigd was. Planten hingen als lianen van de brug af.

De slingerende trap kwam halverwege uit bij een klein plateau, waarop de resten van een vermolmde bank stonden. Ter bescherming van de wandelaar was in betere tijden een balustrade gemaakt van kruislings getimmerde boomstammetjes. Ik moest denken aan sepiafoto's van mijn grootouders, quasi-nonchalant leunend op een soortgelijk bruggetje, maar dan nep, in het atelier van een fotograaf. Het romantische geheel van trappen en banken in laat-negentiende-eeuwse stijl, dat misschien ooit doel geweest was van zondagse uitstapjes van in korsetten geregen dames uit Ioanina, moest al langgeleden in onbruik en vergetelheid zijn geraakt. Wonderlijk dat Hobhouse zo kort van stof was over deze plek. Lange tijd zat ik in wankel evenwicht op een bemost rotsblok, mijn ogen gericht op de mysterieuze wereld achter het groene gordijn van lianen. Had Meletius toch gelijk en kon je hier als een Persephone de onderwereld binnengaan?

We klommen terug omhoog, staken de brug over en daalden aan de andere kant weer af. Het bosje van Hobhouse was een bos geworden, waarin ieder moment Pan kon opduiken die bronstig grijnzend een nimf achternazat.

Nadat we vergeefs naar 'een kleine molen op de top van de linkeroever' hadden gezocht, brachten we de rest van de dag door met het traceren van de brug die jullie overstaken, een halfuur nadat jullie de waterval gepasseerd waren. Op dat punt stroomde de Kalamas snel, volgens Hobhouse, en evenaarde hij 'qua breedte ongeveer die van de Avon bij Bath'. Daniël vroeg ernaar bij de bewoners van het verderop aan de rivier gelegen dorp Masariki, maar zelfs de dorpsoudste herinnerde zich niets van een dergelijke brug. Vanuit dit dorp volgden we een pad links van de rivier, in de overtuiging dat we weer op de goede route zaten. Inmiddels waren we al zo verslaafd aan het speuren naar 'tekenen in het landschap' dat mijn nek er pijn van deed. Maar het klopte, voor ons lag de vlakte waarin jullie door onweer werden overvallen.

Wij ook bijna – de lucht was zwaar van laaghangende wolken die zich ieder moment konden ontladen. Mosure haalden we niet meer, het werd al donker. We moesten er vlakbij zijn. Waar was trouwens de dichtstbijzijnde openbare weg – ik begon toch niet naar asfalt te verlangen?

Er schuifelden twee bejaarde vrouwen voorbij, diep doorbuigend onder een vracht maïs. We stopten om de weg naar de twintigste eeuw te vragen. Een van hen richtte zich monter op om, terwijl de maïs meeschudde en -ritselde, met weidse gebaren uit te leggen hoe we moesten rijden. Haar aanwijzingen volgend, bereikten we, net voordat het water met volle kracht naar beneden kwam, via een onduidelijk karrenspoor een weg die op de kaart stond. De ruitenwissers konden het nauwelijks aan, zoveel water kwam er uit de lucht.

Op de weg langs de Vikoskloof kon je maar één haarspeldbocht ver kijken: 'De stromingen die vanaf de heuvels kwamen hadden meer dan eens bijna onze paarden met bagage en al meegesleurd.' Vlak voor Megálo-Pápingo lichtten in het donker aan de kant van de weg de schimmen van twee wandelaars op. Ik durfde niet voor hen te stoppen uit angst in een slip te raken.

Niet lang daarna kwamen ze druipnat het pension binnen. Het was een echtpaar uit jouw vaderland, van het soort onbestemde leeftijd dat je alleen bij Engelsen aantreft – misschien vanwege hun rimpelloze, zachtroze huid of de Angelsaksische opvoeding die leerde onder alle omstandigheden *cheerful* te blijven. Het bleek dat de bus uit Ioanina niet tot Pápingo ging. De laatste drie kilometers hadden ze lopend moeten afleggen, de steeds zwaarder wordende Samsonites achter zich aan slepend. Hun ellende was veroorzaakt doordat de laatste auto van Budget verhuurd was. Aan ons! 'Never mind,' grijnsden ze, slierten nat haar uit hun gezicht strijkend.

Nadat ze zich hadden opgeknapt schoven ze bij ons aan tafel. De waardin stak het hout in de haard aan, terwijl haar dochter een naar tijm geurende lamsbout op tafel zette. Het kon niet anders of in deze atmosfeer ontspon zich een tafelgesprek met jouw landslieden, die er niet in het minst van opkeken dat we jouw spoor volgden. Ze woonden op tien kilometer afstand van Newstead Abbey, maar kwamen er nooit. Wel wisten ze te melden dat je graf er verwaarloosd bij ligt.

'Quite a fool, Lord Byron,' vond mijn tafelgenoot.

'Een ongewoon mens,' zei ik.

Hij hief zijn handen in resignatie, een onbekende vrouw sprak je nu eenmaal niet tegen. Was je imago in twee eeuwen tijd dan nog niet veranderd? 'Je kunt wel nagaan dat de Engelsen mij niet opzoeken en ik mijd ze,' schreef je, niet voor niets, in 1817 vanuit Venetië.

De volgende dag getuigde alleen een traag opstijgende damp nog van al het water dat uit de hemel gevallen was. De herfstzon brak erdoorheen in lange banen nevelig licht. Vandaag moesten we jullie tocht van Mosure naar Delvináki reconstrueren en ten slotte de plek zien te vinden waar jullie Albanië waren binnengegaan. De volgende dag zou professor Karagjozi ons opwachten bij de huidige, officiële grensovergang, zo'n vijf kilometer zuidelijker.

We reden rechtstreeks naar Mosure. Het enige daar wat nog uit jouw tijd stamde was een dikke eik op het dorpsplein, met een imposante bladerkroon. De rest was... het wordt eentonig om varianten in lelijkheid te beschrijven. Veel van die huizen, meende Daniël, zijn gebouwd door uit Amerika of Duitsland teruggekeerde gastarbeiders. Het was een verklaring die weinig opluchting bracht. De kennismaking met andere culturen had een bouwstijl zonder identiteit opgeleverd, noch Grieks, noch Amerikaans of Duits.

Ongeïnspireerd slenterden we rond. Vlak bij de eik stond een monument voor de gevallenen uit 1912. Het had nog een eeuw geduurd voordat de boeren hier in opstand kwamen tegen de feodale, ottomaanse structuur. 'Hier zagen we ook een huis van de vizier,' schrijft Hobhouse, 'het hele dorp, zei men, was zijn privé-bezit.'

Een stokoude Toyota-bestelwagen hotste voorbij, volgepakt met dorpelingen, en liet een meligmakende stilte achter, de stilte van een dorp waarin nooit iets gebeurt.

Op zaterdag 14 oktober verlieten jullie het dorp in noordwaartse richting, door dichte eikenbossen, de Kalamas aan jullie rechterhand. Dat deden wij ook, langzaam, want er sukkelde een met hout beladen vrachtwagen voor ons uit. In jullie tijd werd het over de rivier vervoerd: 'De dorpelingen kappen hout in de bergen dat, nadat het in planken is gezaagd, over de Calamas naar de kust gaat.' Halverwege merkten we dat de weg te veel naar het westen afboog. We keerden om en tuurden, tot we er bijna hoofdpijn van kregen, in het kreupelhout om een spoor van het originele pad te ontdekken.

Voor de zoveelste keer raadpleegden we Hobhouse: 'Na een uur trokken we langs een kleine vlakte en een meer, ook rechts.' Dat meer stond op onze kaart. Aan de noordkant scheerde de weg naar de Albanese grens erlangs. Met een boog reden we naar het punt waar die twee elkaar bijna raakten, parkeerden de auto en liepen een zandpad in dat ten zuiden van het meer het land in voert. Dat kwam uit bij een weggetje dat er, zoals Hobhouse beschreef, aan de westkant langsliep. Maar waar kwam het vandaan? We volgden het terug in de richting van Mosure en stuitten op een holle weg tussen de eiken die verderop een kleine vlakte doorkruiste. Eindelijk. De eikenbossen, de vlakte, de weg met het meer aan de rechterkant – het was er allemaal nog, al kwam er zelden iemand, zo te zien. Ik werd door een lichte euforie bevangen, telkens als we het originele pad terugvonden. Het was de beloning voor het spoorzoeken aan de hand van aantekeningen die haast twee eeuwen oud waren, en een onverwacht terugsuizen in de tijd. Met een beetje moeite konden we de hele karavaan voorbij zien komen, de voortdurend driftig in zijn notitieboek krabbelende Hobhouse met gestrekte hals voorop. We sloten ons aan als eenvoudig voetvolk, in het stof dat jullie paarden opwierpen, en zagen wat jullie gezien hadden. Paddestoelen in de berm, rozenbottels, wilde pruimen, een veld vol herfsttijloos, schapenkeutels op het pad en overal vogels die zich met veel spektakel te goed deden aan de overvloed van vruchten. Hebben jullie halt gehouden bij de oever van het meer en naar het rimpelloze wateroppervlak gestaard waarin stompe, groene bergen zich weerspiegelen? Kreeg je zin om te zwemmen of was deze grote vijver geen uitdaging voor je, gewend als je was aan het oversteken van zeestraten?

Opnieuw raakten we het spoor bijster, na het meer boog het pad te ver naar links af. We liepen terug naar de auto en volgden de borden naar Delvináki. Naarmate de weg verder omhoogkroop werd de afgrond links dieper. Achter oranjerode pruikenbomen in de berm kwam steeds meer zicht op de massieve, geplooide bergen aan de overkant. 'Albanië,' zei Daniël. Het klonk als een dreigement.

Al stijgend bereikten we een punt waar onze weg het oude pad doorsneed. Vanuit de kloof komend stak het, precies in een bocht, de autoweg over. We lieten de auto achter op het enige vlakke stukje dat we konden vinden en daalden af in de kloof, tot we in de diepte een gaaf stuk van een eeuwenoude, geplaveide weg en een boogbruggetje aantroffen. Een tros wilde cyclamen lichtte paars op onder de boog. Gemagnetiseerd draalden we rond bij dit fragment van een allang verdwenen, misschien wel Romeins netwerk van wegen, dat verloren in het landschap was overgebleven. Ik werd overvallen door heimwee naar een manier van reizen die verbonden was geweest met schoonheid. De wegen, bruggen, herbergen, koetsen, paarden en muildieren, ja zelfs attributen als reiskoffers en manden, ze waren een soort vervolmaking van het landschap geweest, niet voor niets veelvuldig afgebeeld op prenten en schilderijen.

We vroegen ons af hoe iemand een paard over zo'n smal bruggetje manoeuvreerde. Zouden wij dat straks kunnen, in Albanië? Ineens door onrust bevangen maakten we rechtsomkeert en liepen in de richting die jullie ook gegaan waren. Daar waar het pad een draai maakte had jij ook een draai gemaakt en draaide ik met je mee. Waar jij klom, klom ik ook. Hobhouse klaagt over 'massa's losse rotsen'. Onder onze voeten rolden stenen, aarde en gruis naar beneden. 'Hier gaat het oorspronkelijke pad schuil onder twee eeuwen erosie,' zei Daniël schoolmeesterachtig.

Toen we de top bereikten zagen we voor ons, in de diepte, Delvináki liggen. 'Hier werden we comfortabel ondergebracht,' laat Hobhouse ons tevreden weten. '[...] 't is als geheel een schone stad met 300 inwoners, Grieken. Het grootste deel van hen bewerkt de grond, of zorgt voor de kuddes in de heuvels. Enkelen zijn kooplieden die te paard vrachten van Constantinopel, Thessaloniki en Ioanina halen, die ze in de steden in 't binnenland van Albanië en Roumelia verkopen. Een groot deel van het jaar zijn zij niet thuis.' Ali Pasja ordonneerde dat de vrouwen en kinderen van de kooplieden thuisbleven, om er zeker van te zijn dat zijn onderdanen terugkeerden.

De Pasja had juist een week geleden drie dagen in hun 'stad' doorgebracht, vertelden de dorpsbewoners. Jullie werden warm! Men vermoedde dat hij nu in Libohovë verbleef, jullie (en ons) reisdoel van de volgende dag. Hobhouse had nog puf voor een avondwandeling na 'het gevogelte, de eieren en druiven, waaruit onze maaltijden altijd bestonden'. Hij beklom een helling en genoot van 'het schitterende uitzicht' en 'de laatste stralen van de ondergaande zon' – iets wat nooit uit jouw pen zou kunnen vloeien.

Delvináki is nog steeds een ordentelijk dorp. De orthodoxe kerk is tegen de traditie van de streek in gepleisterd en witgekalkt – een te fraai opgepoetst godshuis. Zelfs de bron is een eeuw te jong in de huidige vorm, stelde Daniël vast, die het jaartal 1908 ontdekte.

We hadden moeite de goede uitvalsroute in de richting van de Albanese grens te vinden. 'Om weer op de weg te komen moesten we stijgen en dalen over een steil zigzagpad.' Dat hielp ons niets verder, stijgen en dalen moest je hier overal. Omdat de tijd drong vroegen we de weg aan een vrouw in een streepjesschort, die bezig was een olielampje bij te vullen in een kapelletje net buiten het dorp. Ze vroeg ons om vuur en ik grabbelde vergeefs in mijn tas, op zoek naar een aansteker die jarenlang samen met een zakmes en andere nuttige parafernalia, 'voor als ik in het woud verdwaal', onder in mijn tas had rondgezworven. Ondoorgrondelijk lachend wees ze naar het noorden: we waren op de goede weg, maar hier konden we Albanië niet in. Dat wisten we. We staken onze hand op en reden verder. De vrouw hield een oude traditie in ere: het elke avond ontsteken van licht in een van de vele minikapelletjes, soms niet groter dan een schoenendoos op een stok, langs de wegen – van oudsher bakens voor herders en reizigers.

Op de plek waarover Hobhouse meldt dat er zich de 'kapotte resten van een brug' bevinden, staken we de Drinos over. De rivier zou eerder in Tepelenë aankomen dan wij, die door de bergen moesten. Op goed geluk sloegen we linksaf naar Pontikátes. De weg steeg langzaam en onthulde bij een splitsing een onverwacht vergezicht. Twee kapelletjes met vensterglas en een eenzame naaldcipres, waarvan een tak anarchistisch uit het gelid zwiepte, leken de reiziger te manen hier halt te houden en een moment rustig het landschap dat hij binnenging in ogenschouw te nemen. Dat was, diep onder ons, het nog door Ali Pasja drooggelegde moeras Xerovaltos, waar nu akkers waren en kuddes schapen graasden.

We daalden af door een bos en doorkruisten het voormalige moeras totdat de weg overging in een zandpad. Dat liep, zagen we, tussen twee bergen door rechtstreeks de Albanese vlakte van Dropull in. Er was geen twijfel mogelijk: hier waren jullie langsgekomen. Ons veilig wanend in de auto, reden we verder, het grensgebied binnen waarover wilde verhalen de ronde deden. Stel je voor dat dit onaanzienlijke pad aan het oog van de grenswachters ontsnapte. Ik zou zo graag die ene symbolische stap over de grens zetten – precies op de plaats waar jullie, niet vermoedend dat dit in de staatkundige constellatie van twee eeuwen later onmogelijk zou zijn, gewoon voorthobbelden op jullie paarden.

Er verscheen een bord dat onverbiddelijk de militaire zone aangaf. We stopten, toch enigszins geschrokken, en tuurden vol verlangen het zo onschuldig ogende pad in, waarlangs de bramen vast niet zuurder waren dan buiten de verboden zone. We durfden niet uit te stappen – stel dat vanuit het kreupelhout de kogels ons om de oren zouden fluiten. Het was een moeilijk moment, dat ik knarsetandend onderging. We waren zo dichtbij. Het was bizar, en op een of andere manier onrechtvaardig, niet verder te kunnen. Zoals jullie niet via Gjirokastër konden reizen omdat die stad in handen was van de tegenpartij, Ibrahim Pasja, zo konden wij niet verder vanwege uitgerekend hier op elkaar stuitende machtsinvloeden. Na jullie reis waren de grenzen in Europa nog geruime tijd aan verschuivingen onderhevig. Pas sinds een halve eeuw blijven ze, in de hele wereld trouwens, redelijk op hun plaats. Landveroveraartje spelen loont niet meer, behalve dan in de Balkan waar onlangs ten gevolge van ouderwets geweld nieuwe grenzen zijn ontstaan.

We reden terug het moeras van Ali in, zwijgend en voor even van ons elan beroofd. Meteen al had ik er spijt van dat we niet verder waren gereden – ik was een angsthaas. Ze hadden gelijk, ik kon niet met messen gooien. Ter hoogte van een oude schuur, het enige bouwsel in de vlakte, sloegen we in een opwelling linksaf. Misschien konden we vanaf de bergen aan de overkant van de vlakte het verdere verloop van jullie route met de ogen volgen.

Algauw ging de met scherpe stenen bezaaide weg steil omhoog. Ik bad in stilte dat we hier geen panne zouden krijgen, zo kort voor zonsondergang. Eigenlijk was het moment voor deze tocht hachelijk gekozen. We reden door de nauwe straatjes van een hooggelegen dorp, waar twee priesters met een indrukwekkend embonpoint juist hun heiligdom uit sloften, likkebaardend, alsof het Corpus Christi ze deze keer bijzonder goed gesmaakt had. Hobbeldebobbel ging het verder omhoog totdat de weg doodliep in een gehucht waar vier jonge soldaten in camouflagebroeken en t-shirts zaten te gapen en hun hoofd krabden. Nieuwsgierig kwamen ze op ons af. Daniël vertelde over het wonderlijke doel van onze reis. Lord Byron? Ze knikten vaag. Waarschijnlijk was hun missie, het vangen van Albanezen die illegaal de grens overschreden, zo vervreemdend dat alles erbij in het niet viel. Zo te zien kon alleen een bewegende stip in het landschap hen uit hun lethargie wekken. Kameraadschappelijk namen we afscheid, ten onrechte de indruk wekkend dat we als vanzelfsprekend aan hun kant stonden. Wij Europeanen, met z'n allen tegen de Albanese barbaren, die niet moeten denken zomaar van de faciliteiten van Europa gebruik te kunnen maken, nadat ze ons decennia lang in een hooghartig zwijgen de rug hebben toegekeerd.

Achter hun rug, zag ik, zette de weg zich in nog primitievere vorm voort, ook richting grens. We keerden en begonnen aan de afdaling totdat onze blik ineens, door niets weerhouden, aan de overkant van de vallei via het verboden pad Albanië binnengleed. Aan de Albanese kant, zagen we nu, waren de hellingen roestbruin ten gevolge van een bosbrand.

Daar ging de stoet, transparant zoals het een uit schimmen bestaande stoet betaamt. Jij en Hobhouse in galop voorop, want het was een vlak, met gras begroeid dal waar jullie doorheen trokken. De figuur achteraan, die vermoeid en doorgezakt op zijn paard zat en de rit lijdzaam leek te ondergaan, dat moest de arme, getergde Fletcher zijn – je hoorde hem van een afstand zuchten. Met onze ogen volgden we de traag vorderende sliert, een colonne mieren, totdat de snel dalende zon een donkere schaduw over jullie heen wierp waarin jullie onzichtbaar werden.

We kregen haast om nog voor donker thuis te komen – de haarspelden bij Pápingo wachtten op ons.

Er was een groepje Duitse wandelaars in het pension aangekomen, met het voornemen naar het Drakenmeer in het Tymfi-massief te klimmen en af te dalen in de Vikoskloof.

'Dat zul je de Grieken zelf niet gauw zien doen,' zei Daniël, 'die geven niets om de natuur. Ze komen uit snobisme naar Pápingo, slenteren wat door het dorp, werpen een ongeïnteresseerde blik in de kloof en vluchten dan een eethuis binnen.'

Hij werd tot deze uitspraak verleid door de Griekse families om ons heen die de overige tafeltjes bezetten en het zich goed lieten smaken. De aard van hun schoeisel deed vermoeden dat ze nooit van plan waren geweest ook maar één voet in de bergen te zetten.

'Dat is niet typisch Grieks,' zei ik. 'Mediterrane volkeren wandelen niet. Ze flaneren in het park, of 's avonds op de boulevard.'

Naast ons zat een omvangrijke Amerikaan van Griekse origine, die plechtig verklaarde wel van plan te zijn in de Grand Canyon van Epiros af te dalen. Dat hij geboren was in het land van de onbegrensde mogelijkheden won het van zijn genen. Hij vulde onze glazen tot aan de rand met retsina. Ik had niet de moed te weigeren, hoewel ik de afkeer van Hobhouse deel: 'De Grieken vinden dat de hars de kracht geeft die het water wegneemt, en dat de citroen de drank verfijnt, maar het komt door dit proces dat de Griekse wijn meestal zo'n wrange smaak heeft.'

Onze tafelgenoot was sinds enkele jaren als professor in de economie verbonden aan de universiteit van Athene. Hij was niet naar Griekenland gekomen om zijn wortels te zoeken maar uit nieuwsgierigheid. Die was inmiddels aardig bevredigd en had hem het inzicht gebracht dat hij toch meer Amerikaan was dan Griek. 'Het wordt nooit wat met dit land,' zei hij opgewekt, en nam een flinke slok. 'Wat hebben ze met het geld van de EG gedaan? Niets. Kijk naar de industrie, de havens – je begint te huilen. Ze komen nooit mee in de wedloop van het westen. Hoe slechter ze het doen, hoe nationalistischer ze worden. En maar pochen op hun antieke voorvaderen. Maar ik vind het hier fijn,' grijnsde hij, 'ik blijf nog een tijdje.'

We kregen het over de oude Grieken. Dat de moderne Grieken van hen zouden afstammen was twijfelachtig, gezien de wirwar van etnische groeperingen die in meer dan twintig eeuwen op het Griekse grondgebied waren neergestreken, en dan had je nog de exodus van Grieken ten tijde van de Turkse overheersing. Waren de Grieken uit de oudheid blond? Waren de Goden blond? Op deze omstreden theorie lieten we, nadat de glazen van de retsina van tafel waren geruimd en plaats hadden gemaakt voor de veel kleinere van de raki, steeds vrijmoediger fantasieën los.

Hoe we van blonde goden bij bruine beren terechtkwamen herinner ik me niet. Ik geloof dat de wandelaars aan het tafeltje naast ons zich hardop afvroegen wat ze moesten doen wanneer ze onderweg een beer zouden tegenkomen.

'Niets,' zei Daniël. 'Hij doet jullie ook niks.'

Ze hadden een tere snaar bij hem geraakt. In een van zijn reisgidsen besteedt hij onder de kop 'Een berenvriend in Kipi' veel aandacht aan de ernstig teruggelopen berenpopulatie in het Píndosgebergte. Die berenvriend, Yórgos Mertzánis, woonde als bioloog jarenlang in Kipi om voor zijn proefschrift onderzoek te doen naar de bruine beer. Voor de Griekse jager is de beer een geliefde jachttrofee waarmee hij zijn mannelijkheid, *andrismós*, denkt te bewijzen. Boeren en herders zien de beer nog altijd als schadelijk en vinden daarin een rechtvaardiging om hem te doden, onder het voorwendsel: hij viel ons aan. De bosbranden en ingrijpende veranderingen in het landschap doen de rest. Zo dreigt een elektriciteitsmaatschappij van het Berenbeekje een stuwmeer te maken.

In West-Europa bestaat de bruine beer alleen nog als fabeldier, de sullige Bruun tegenover de slimme Reinaert, en als pluchen troeteldier met een tuinbroek aan en een flaphoed op. Zelfs in de bossen is de kans groter dat je een teddybeer tegenkomt dan een beer van vlees en bloed. Sinds we de beer alleen nog als geïnfantiliseerd imitatiedier kennen, lopen de rillingen ons over de rug bij de gedachte een echte tegen te komen.

Daniël gaf het gezelschap een goede raad mee voor onderweg. 'Wanneer je een beer ontmoet die rechtop staat, schrik dan niet. Hij is bijziend en jij bent voor hem een even ongewone verschijning als hij voor jou.'

7

Als student in Cambridge kocht Byron een tamme beer. Hij bracht hem onder in een zeshoekig torenkamertje boven zijn eigen woonruimte. Aan een vriendin vertelde hij: 'Ik heb een nieuwe vriend, de beste ter wereld, een tamme beer. Toen ik hem meebracht vroegen ze wat ik met hem aan moest en mijn antwoord was: "Hij moet mijn maatje worden." ' Gewoon was het niet er een beer op na te houden. Byron genoot van het opzien dat hij baarde wanneer hij met zijn ongewone huisdier aan de lijn een ommetje maakte.

In die tijd had hij ook een newfoundlander, Botswain, een trouwe kompaan wanneer hij in Newstead Abbey was. Maar het dier kreeg hondsdolheid en stierf tijdens een aanval van stuiptrekkingen. Byron, die er geen idee van had wat de hond mankeerde, bleef maar speeksel van zijn lippen vegen. Hij was geschokt door Botswains plotselinge dood. De hond werd in de tuin begraven en postuum geëerd met een waardig grafschrift in rijm.

Zijn leven lang bleef Byron zich met dieren omringen. Tien jaar na zijn reis door Albanië, toen hij in het Palazzo Mocenigo woonde in Venetië, had hij een bonte menagerie om zich heen: vier paarden, twee apen, een vos en twee Engelse doggen. Voor de honden had zijn uitgever, John Murray, gezorgd. Byron schreef hem: 'Beste Murray, – De Buldoggen zullen me zeer welkom zijn – ik bezit slechts het ras van dit land en hoewel ze goed zijn – & bereid om op alles af te vliegen – hebben ze niet de verbetenheid om ergens de tanden in te zetten noch het stoïcijnse uithoudingsvermogen van mijn caniene medeburgers, dus stuur ze maar – met het beste vervoer, misschien over Zee.'

Byron omringde zich ook met bedienden alsof het huisdieren waren. In Venetië had hij er veertien. De merkwaardige Tita die, oorspronkelijk als gondelier in dienst genomen, iedereen ontzag inboezemde met zijn vervaarlijke voorkomen dat beheerst werd door een woeste baard, diende Byron met ware hondentrouw.

Ook in vrouwen en jongens waardeerde Byron het dierlijke element. Over een Venetiaanse geliefde 'met vonkende ogen en donker haar dat golft in het maanlicht', zegt hij: 'Ik ben dol op dit soort dieren.' Daarentegen wordt zijn vrouw Annabella Millbanke ('mijn mathematische Medea') na de echtscheiding een 'koudbloedig dier' genoemd.

Tussen twee bergen door reden de vrienden het land dat nu Albanië heet binnen, 'totdat we 3 uur na Delvináki ineens op een grote, lange vlakte kwamen, van zuid naar noord, goed onderhouden, in stukken gedeeld door hekken en heggen, en met een rivier die naar het zuiden stroomde. Aan elke kant van de vlakte was een naakte bergkam, bezaaid met [...] steden en dorpen die, als de geiten van Vergilius, aan de rotsen leken te hangen. De dorpen, zei men, waren gelegen in de buurt van een grote stad, Argyrocastro, die we van grote afstand onduidelijk zagen toen we naar het noorden trokken langs heuvels die de oostkant van deze vlakte vormen.'

De onzichtbare muur die nu dwars door het oude Epiros en het voormalige territorium van Ali Pasja loopt stamt uit 1913. Tussen 1910 en 1912 vonden in Albanië verschillende opstanden tegen de Turken plaats, met als resultaat dat er een einde kwam aan een bezetting die vijf eeuwen had geduurd. De overwinning werd bekroond met het uitroepen van een onafhankelijke democratische staat, Albanië. Tot het laatst toe hadden de omringende landen geprobeerd het Albanese grondgebied onder elkaar te verdelen, ontkennend dat er zoiets als een Albanees volk met een eigen taal bestond. In 1913 werd in Londen een internationale commissie ingesteld om toezicht te houden op de ontwikkelingen in Albanië en de definitieve grenzen vast te stellen – het land werd daarbij door de heren aan de vergadertafel gehalveerd. Zuid-Epiros werd aan Griekenland afgestaan en Kosovo ging naar Servië, een beslissing met nog steeds noodlottige gevolgen – diezelfde Internationale Gemeenschap probeert nu een conflict dat toen gecreëerd is binnen de perken te houden.

Sindsdien slingert er, streep-punt-streep, een lijn over de landkaart die in de zeestraat tussen Albanië en Korfu zelfs watervast blijkt te zijn. De scheidslijn loopt hier en daar dwars door bevolkingsgroepen die qua oorsprong, taal en religie vanouds een geheel vormen. Bij een volkstelling in datzelfde jaar was gebleken dat er in Zuid-Albanië een krappe meerderheid aan Grieken woonde, iets wat door extreem-nationalistische Grieken nog steeds als argument wordt gebruikt om dat gebied alsnog bij Griekenland te voegen. Die kleine meerderheid zelf is minder fanatiek – zij eist alleen de vrijheid op om de eigen taal en cultuur te handhaven, ook op de scholen.

In dit overgangsgebied signaleerde Hobhouse de eerste Albanezen: 'De kleren van passanten waren veranderd van de losse wollen "brogues" van de Grieken in de katoenen "kamisa" of "kilt" van de Albanezen en als ze Vasilly groetten spraken ze niet langer Grieks. Men zegt in dit land dat het echte Albanië, het oorspronkelijke land van de Albanezen, bij de stad Delvináki begint, maar omdat ik er nooit in ben geslaagd te achterhalen waar deze grenslijn precies loopt ben ik er, zoals hierboven, nogal vaag over.'

Was toen die grens nog imaginair, nu is hij schier onover-brugbaar. Elke dag proberen Albanezen, in groepjes of alleen, hem ongezien te overschrijden om werk te zoeken – er zijn jongens van vijftien jaar bij. Griekse soldaten, zoals wij ze ont-moetten op hun hooggelegen post, hebben tot taak deze des-perado's tijdig te signaleren en op te pakken. Het lijkt wel een computerspelletje. Wanneer ze genoeg Albanezen verzameld hebben worden die met een bus naar de officiële grensover-gang gebracht en in hun eigen reservaat gedeponeerd.

De Albanezen verdwijnen onmiddellijk in de bergen om een nieuwe poging te wagen.

8

Mijn allerbeste vriend, – In de bus naar de grens zag ik de eerste Albanezen. Ze waren fijner van bouw dan de Grieken. Het kwam me voor dat ze ook een vuriger blik in hun ogen hadden – zoals die van de dubbelkoppige adelaar op hun vlag. De weg werd aan de Griekse kant gerenoveerd, waarschijnlijk met het oog op de verbeterde handelsbetrekkingen sinds zich ook in Albanië een prille vrijemarkteconomie ontwikkelt.

Vlak voor de grensovergang passeerden we rijen door de Albanezen in Duitsland, Engeland of Nederland gekochte tweedehands vrachtwagens. We stapten uit en het grote wachten begon. Tussen de naar huis terugkerende Albanezen vielen wij op met onze rugzakken – er was geen toerist te bekennen. Vooral Daniël trok alle blikken naar zich toe met zijn herdersstaf. Aan de andere kant van betraliede hekken probeerden taxichauffeurs luidruchtig onze aandacht te trekken.

De Grieken lieten ons met voorrang door. Aan de Albanese kant werden we naar een kantoortje gebracht door de meest spectaculaire douanebeambte die ik ooit heb gezien: een donkerharige schoonheid in een nauwsluitend spijkerpak, op hoge pumps en met een revolver in haar gordel. Daarbinnen werden onze paspoorten met gefronste wenkbrauwen bestudeerd. We noemden de naam van de professor die ons opwachtte, maar het had geen enkel effect. Wat nu? Tijdens een ongemakkelijke stilte ging de deur open en vielen twee politie-agenten het kantoor binnen. Kwamen wij voor professor Karagjozi? We knikten verbluft. Ineens was alles in orde, we kregen onze paspoorten terug en werden meegenomen over een zanderige vlakte, door een wirwar van schots en scheef geparkeerde, waarschijnlijk in Italië en Griekenland gestolen Mercedessen.

Daar stapte de kleine man uit die ik het laatst had gezien in een halfduister spoorwegrestaurant. De hartelijke begroeting was vervuld van opluchting – de reis die we gingen maken was zo ongewoon dat beide partijen er tot het laatst toe heimelijk aan hadden getwijfeld of het er echt van zou komen.

Het eerste wolkje trok over het gezicht van Afrim Karagjozi. De man met de paarden, die er om elf uur had zullen zijn, was nergens te bekennen. Het was nu twaalf uur. Omdat er zelfs geen primitieve horeca-nederzetting was bij deze grensovergang stelden de agenten voor in een naburig dorp koffie te drinken om het wachten te bekorten. De sfeer was gemoedelijk. We leerden onze eerste Albanese woorden: *faleminderit* (dank u wel) en *mirupafshim* (tot ziens). Ze lachten om onze onhandige pogingen, wij lachten omdat deze taal klonk als een parodie op zichzelf. Karagjozi was minstens zo opgewonden als wij. Voor het eerst zou hij vrij rondreizen in zijn geboortestreek.

We keerden terug naar de grens, nog steeds geen glimp van paarden. De politie kwam met het voorstel de paardenman een stukje tegemoet te rijden over het oude pad dat deze verondersteld werd te volgen. Gretig stemden we daarmee in – zo'n reis die maar niet op gang wilde komen was frustrerend.

De zwaarbeladen, aftandse Mercedes hotste over keien en door kuilen – je hoorde hem kraken van verontwaardiging. Toen we uit een diep gat omhoogkropen brak de uitlaat. Die werd er voor het gemak afgehaald, waarna we de tocht voortzetten tot het pad zelfs voor de geharde Mercedes onbegaanbaar werd. We stapten uit. Onze rugzakken werden uitgeladen, samen met de opvallend bescheiden reistas van de professor. Leunend op een oud stenen bruggetje wachtten we, innerlijk steeds ongeduriger zonder openlijk toe te geven dat het een domper was op onze reislust, zo aan het begin van de tocht. Met samengeknepen ogen keken we over de ons omringende vlakte uit naar de paardenman, die zo jammerlijk verstek liet gaan. De professor, die steeds zichtbaarder zijn woede probeerde te verbergen, ging rond met een pak Albanese biscuitjes die naar niets smaakten en de algemene meligheid nog verhoogden. Een van de agenten, die in alle onschuld de naam van het heldendicht *Ilyás* droeg, stelde voor te voet naar het eerste dorp op onze route, Glinë, te gaan. Hij kende het gebied als zijn broekzak en kon ons als gids vergezellen, terwijl zijn collega met onze bagage in de achterbak van de auto via een omweg over begaanbare wegen naar het dorp zou rijden en ons daar opwachten.

Hoewel het niet helemaal in jouw stijl was om als voetvolk Albanië binnen te gaan, was een blik op de bergen in het oosten waar we doorheen moesten trekken en waar het om zeven uur donker werd voldoende om te begrijpen dat we weinig keus hadden.

De enorme vlakte die we overstaken is ontstaan door het buiten zijn oevers treden van de Drinos. Tot voor kort was dit deel van de vallei streng verboden militair terrein. Enver Hoxha, zo'n veertig jaar lang president en alleenheerser, liet in zijn paranoïde angst voor vijandelijke invallen, op strategische plaatsen in het hele land betonnen koepeltjes bouwen die plaats boden aan een of twee schutters. Elke Albanees zijn eigen gevechtskoepeltje, was het motto. Lichtelijk bevreemd liepen we tussen de mallotige bouwsels door, voortgesproten uit een verziekt brein, ridicuul in het atoomtijdperk. Het was warm en heiig. We staken de ondiepe rivier over, die door een bedding van witte kiezels stroomt. Met soppende schoenen liep ik verder, me afvragend waarom Hobhouse de rivier naar het zuiden liet stromen in plaats van naar het noorden waar ze zich, net onder Tepelenë, bij de rivier de Vjosa voegt.

We lieten het schootsveld van Hoxha achter ons en kwamen in een aangenamer gebied vol akkertjes. Een boer en zijn vrouw rooiden blootsvoets zilveruitjes, oma keek met een kunstig geknoopte, witte Arabische hoofddoek om toe aan de voet van een boom. Op alle gezichten verscheen een nieuwsgierig en geamuseerd lachje om de bizarre aanblik die wij als samengeraapt gezelschap boden, op een pad waar wellicht een halve eeuw geen vreemdeling meer was gesignaleerd.

Het landschap werd heuvelachtiger. Ilyás plukte wilde peertjes en liet me proeven. Steeds dichter naderden we het punt waar jullie tussen twee bergen door tevoorschijn moesten komen. Het verbrande bos op de helling, dat we de vorige avond, vanaf de Griekse bergen naar het westen kijkend, hadden gezien lag nu ten oosten van ons. We bleven stijgen totdat we uitkwamen bij een breder pad, met keien verhard en nog zo gaaf als, op foto's in de reisgids, de Via Egnatia die elders door Albanië loopt en ooit gediend heeft voor het handelsverkeer tussen Rome en Constantinopel.

'Dit is de weg,' zei Daniël laconiek. Allevier stonden we stil en volgden het pad met onze ogen zoals het doodgemoedereerd vanuit Griekenland Albanië binnenkwam. Eeuwenlang was het een doorgaande route geweest voor reizigers uit en naar het zuiden, nu was het een cul-de-sac, ten gevolge van beslissingen die in het begin van de eeuw waren genomen door een stelletje bedilzieke diplomaten die al lang dood waren. Terwijl de anderen verdergingen, liep ik jullie een stuk tegemoet. Het pad ontroerde me, zo verlaten en nutteloos als het erbij lag. Maar dat was schijn, want ieder ogenblik konden jullie van achter een bocht tevoorschijn komen.

Het was jammer dat jullie pad niet voerde door de streek

waar eeuwenlang de Canon heerste. Daar waar de Albanese bergen vrijwel ontoegankelijk waren leefden de Malissoren; zij waren er als enigen in geslaagd weerstand te bieden aan de Turken, die vergeefs hadden geprobeerd de onneembare bergen in te lijven bij hun imperium. Terwijl de rest van Albanië vijf eeuwen lang geregeerd werd vanuit Constantinopel, waren de Malissoren alleen gehoorzaamheid verschuldigd aan hun eigen wet, de Canon. Die was ingevoerd door Lek Dukagjini, een vorst uit het noorden van het land. Hij had meegevochten tegen de Turken ten tijde van de ottomaanse gebiedsuitbreidingen in de vijftiende eeuw. Het hele sociale leven in de bergen werd sindsdien bepaald door de wetten en regels van de Canon, waarin zonder dat er een notaris, advocaat of rechter aan te pas kwam alles was geregeld op het gebied van huwelijk en erfrecht, eigendom en diefstal, de positie van de vrouw, ontrouw, moord en doodslag, en het gastrecht. Beslissingen op het gebied van de rechtspraak werden genomen door de Raad van Ouderen, waarvan de oudste en meest gerespecteerde mannelijke leden van een clan deel uitmaakten. Overal draaide het om de eer van de familie, de clan, de stam. De bloedwraak was het belangrijkste instrument om die eer te redden wanneer hij geschonden was – de aanleiding daartoe kon een eenvoudige burenruzie zijn over een stuk grond, de ontrouw van een vrouw of een belediging waardoor zelfs een hele stam zich gekrenkt kon voelen. Ieder woord moest op een goudschaaltje gewogen worden, dat leerden de kinderen al. De bloedwraak was aan strenge voorschriften gebonden en alleen voorbehouden aan mannen. Een man was, of hij wilde of niet, verplicht tot bloedwraak wanneer de eer van zijn familie geschonden was. Omdat elke man vroeg of laat wel een keer bij zo'n erekwestie betrokken raakte, al was het volledig buiten zijn schuld, waren er weinig mannen die een natuurlijke dood stierven – erger nog, dat was bijna een schande. Bij de geboorte van een zoontje werd de wens uitgesproken: moge hij niet in zijn bed sterven.

Toen Albanië onafhankelijk werd hebben de nieuwe regering en de kerk vergeefs geprobeerd een eind te maken aan de bloedwraak. Het communisme, dat tot in alle uithoeken van het land doordrong, is het ten slotte wel gelukt – hoewel aan de andere kant van de noordelijke grens, in Kosovo, de gewoonte nog heel lang schijnt te hebben standgehouden. Maar als er zoiets als een volksziel bestaat, maakt een rudiment van deze traditie misschien nog altijd deel uit van de Albanese ziel en blijft het waarschijnlijk raadzaam op je woorden te passen. 'Een hoofd voor een hoofd': geen aantrekkelijk vooruitzicht.

Wij zouden als reizigers in het voordeel zijn geweest. Voor ons had de Canon van het gastrecht gegolden – de gast was heilig. Hij moest in de watten gelegd worden alsof het huis hem toebehoorde, de gastheer moest hem zo nodig zijn bed afstaan. Wie een gast in huis had was op dat moment gevrijwaard van de bloedwraak. De gast veroorzaakte in al zijn onschuld een wapenstilstand, een rol die ik graag op me had willen nemen!

We liepen nu langs de flank van de berg in noordelijke richting, parallel aan het langwerpige dal. De eerste Albanees die we tegenkwamen op jouw pad was een opgewekte grijsaard, die zich per ezel verplaatste in de amazonezit. Hij had stokken bij zich en een touw, God weet wat hij daarmee van plan was. Beide partijen hielden halt om, zoals algauw gebruikelijk bleek, persoonlijke gegevens uit te wisselen. *Mirëdita* – goedendag, waar komt u vandaan, waar gaat u naartoe? Toen we alles van elkaar wisten wenste hij ons, drie tanden bloot lachend, *udhë e mbarë*: een goede reis.

We kwamen langs een byzantijns kerkje, omgeven door cipressen. Men moest het, zo verscholen in de periferie van Enver Hoxha's utopie, bij de grote zuivering over het hoofd hebben gezien. In de jaren zeventig gaf hij opdracht kerken en moskeeën af te breken, of een niet-religieuze bestemming te geven – de enige god die aanbeden mocht worden was hijzelf. We liepen om het kerkje heen en raakten het aan, getroffen door de desolaatheid die het omgaf. Tiende eeuw, was in steen uitgehouwen boven de deur. Wingerd was, met de taaie hardnekkigheid van de natuur, bezig alsnog Hoxha's opdracht uit te voeren.

'Zien jullie dat daar?' Ilyás wees naar een rots hoog boven ons pad. We zagen vaag de contouren van een gebouw. Enkele jaren geleden, vertelde hij, was daar een groepje Albanese soldaten dat de grens bewaakte vermoord door Grieken. De daders waren nooit gepakt, misschien waren het extremisten geweest of vurige aanhangers van een herenigd Epiros. Ik zag weer de jongens aan de Griekse kant voor me, die hun tijd uitzaten in een afgelegen post in de bergen. Hun Albanese leeftijdgenoten hadden zich waarschijnlijk net zo zitten vervelen, wachtend op aflossing, niet bevroedend dat ze zouden worden afgelost door de eeuwigheid.

'Waarom was u eigenlijk niet in Athene, ter gelegenheid van het Byron-congres?' vroeg ik Karagjozi. 'Ik heb u daar gemist.'

De professor stootte een kort lachje uit. 'Omdat ik niet werd uitgenodigd. Zonder een officiële uitnodiging van het Griekse Byron Genootschap kreeg ik geen visum.'

Er bleek een briefwisseling geweest over deze zaak tussen hem en professor Raïzis. De laatste argumenteerde dat het onmogelijk was, gezien de gespannen verhouding tussen Griekenland en Albanië, een Albanees uit te nodigen. Hij verweet de Albanezen niet alleen dat ze onlangs steun hadden gezocht bij de Turken, maar ook dat ze door de eeuwen heen altijd al pro-Turks waren geweest. Daarbij herinnerde hij eraan dat in 1821, ten tijde van de Griekse onafhankelijkheidsstrijd, een groot deel van het Turkse leger uit Albanezen had bestaan.

'Maar dat is toch absurd,' zei ik, 'zo'n oude kwestie erbij te halen.'

Daniël grinnikte – hij kende zijn Grieken. De professor zuchtte. 'Ik heb alles geprobeerd, maar hij was niet tot andere gedachten te brengen.'

'Typisch voor de Balkan,' concludeerde Daniël. 'De vijand van mijn vijand is mijn vriend, is hier het motto. De Albanezen zijn anti-Servisch vanwege Kosovo, dus zijn de Grieken pro-Servisch.'

'Wat een ingewikkelde toestand,' riep ik uit.

'Er zijn geen eenvoudige oplossingen voor dit gebied,' zei hij laconiek.

We arriveerden in Glinë, een verzameling boerenhuizen waarvan er veel leegstonden. Bij de enige kroeg zat, aan een tafeltje onder een boom, Ilyás' collega op ons te wachten met glanzende snor. De begroeting was amicaal, alsof we elkaar al jaren kenden. Er werd bier voor ons neergezet. Dat ik zo ver had moeten reizen om in de binnenlanden van Albanië Amstel te drinken! Ik legde de witte druiven op tafel die ik nog in Griekenland had gekocht, Karagjozi ging weer rond met zijn biscuitjes. Iemand kwam met kleine, donkerblauwe druiven aanzetten, een ander voegde walnoten en granaatappels toe aan het stilleven. Er werden stoelen bijgezet, dorpelingen schoven aan en voordat ik er erg in had leken ze allemaal tegelijk aan het woord te zijn. Karagjozi wrong zich in honderd bochten om alles te vertalen. Dat jij daar ooit langsgetrokken bent wist, wonderlijk genoeg, iedereen. Uit overlevering? Ze vonden het hoogst vermakelijk dat wij jouw spoor volgden, gelukkig gaf de aanwezigheid van de professor aan onze missie een wetenschappelijk tintje.

'Om 1 uur kwamen we in een dorp waar een herberg was. Hier stopten we en toen we op onze matten zaten om een verfrissing te gebruiken liet een Albanees verschillende soorten snuiftabak rondgaan, want in dit dorp, zei men, was de grootste snuiftabakfabriek in Europees Turkije.'

De snuiftabak is allang verdrongen door de sigaret – om me heen werd flink gerookt. Iemand opende op een ingenieuze manier walnoten met zijn zakmes, een ander leerde me hoe je granaatappels moet eten zonder een gevecht te hoeven leveren met de pitten. Omdat ik aldoor in mannelijk gezelschap moest verkeren in een streek waar beide seksen van oudsher voornamelijk gescheiden leven, sloeg de waardin vol medelijden een arm om mijn schouders. Toen kneep ze lachend in mijn biceps om te zien of ik mans genoeg was om de voorgenomen reis waarover iedereen zich zo vrolijk maakte ook werkelijk te volbrengen.

En nog steeds geen spoor van de paardenman. Dorpelingen vertelden dat hij die ochtend om half elf in Libohovë gesignaleerd was. 'Dan kon hij onmogelijk om elf uur bij de grens zijn,' zei Ilyás.

De zon wierp al lange schaduwen toen we in de Mercedes stapten die ons, via een weg door het dal, terug de bergen in moest brengen naar Libohovë, het grootste dorp langs onze route. Net als jullie zouden we er de nacht doorbrengen. In de auto nam de woede van Karagjozi jegens de paardenman zulke proporties aan dat ik het ergste vreesde, mocht hij zich ooit vertonen.

Langs mislukte pogingen tot hoogbouw kwamen we Libohovë binnen. We hielden halt op een ongeplaveid, door dikke platanen beschaduwd plein voor een stijlvol, oud gebouw dat zich over de volle lengte van het plein uitstrekte, met een poort in het midden. Op de begane grond zag ik iets dat op een winkel leek, ernaast een ruimte waarin alleen een biljart stond, nog iets verder een kroeg. Buiten zaten, op imitatie-Thonet-stoeltjes, de mannen van het dorp – de vrouwen bleven vooralsnog onzichtbaar. Een stamgast bekeek ons getergd en dreigend vanuit een openstaand venster. Dat voorspelde niet veel goeds. Er speelden alleen jongens op het plein. Toen ik mijn camera tevoorschijn haalde wilden ze allemaal tegelijk op de foto, de armen om elkaars schouders en tegen elkaar aan hangend als een vermoeid voetbalteam. Door iedereen nagestaard liep ik onder de poort door, die op een binnenplaats uitkwam. Hier stond een slecht onderhouden herenhuis. Van het door klimplanten overwoekerde bordes hing lui de Albanese vlag neer.

Via de poort drong een hevig kabaal tot de binnenplaats door, het geluid van mannenstemmen in grote staat van opwinding. Ik liep terug en zag Karagjozi, klein maar dapper, tegenover een man van hetzelfde postuur staan maar met een brede, wilde kop die afstamming deed vermoeden van horden uit de steppen, ergens in een nevelig verleden zomaar op het toneel verschenen en weer verdwenen, stofwolken en bastaards nalatend.

'De paardenman,' zuchtte Daniël.

Karagjozi spuugde vuur, de ander maakte afwerende gebaren. De ruzie werd door de aanwezigen op het plein nauwlettend gevolgd en, zo te zien, heel gewoon gevonden. Van meningsverschillen die gepaard gaan met veel stemverheffing word ik erg zenuwachtig. En de opponenten gingen maar door, alsof er een mechanisme in werking was gezet dat uit zichzelf niet meer tot stilstand kon komen. Ik ijsbeerde over het plein. Straks hadden we helemaal geen paardenman meer, hoe moesten we dan verder?

Onverwacht werd het weer stil. Ze waren uit elkaar gegaan toen ik even niet oplette. Karagjozi kwam met een bars gezicht naar me toe. 'Niet mee te praten,' bromde hij, 'niet mee te praten. Een woesteling is het, een absolute idioot.'

'Waarom was hij er vanmorgen niet?' vroeg ik.

'Hij beweert dat de paarden te traag waren, maar ik zeg tegen hem: daar had je dan rekening mee moeten houden. Je had desnoods midden in de nacht kunnen vertrekken.'

'En wat nu?'

'Ik wil niets meer met deze man te maken hebben.' De professor veegde hem met een handgebaar weg in de lucht. 'Je kunt geen afspraken met hem maken.'

Ik herinnerde me wat Hobhouse schreef over problemen rond paarden. Ze 'waren er elke dag tijdens onze reis, en het kostte ons nooit minder dan twee uur voor we eindelijk konden vertrekken – een uitstel dat het geduld van iemand met zelfs grote gelatenheid zeer op de proef stelde.'

We streken neer aan een vrij tafeltje bij het café. De burgemeester kwam zich voorstellen. Hij was een beminnelijke man met lichtblauwe ogen, al garandeerde dit op zichzelf niets, dat had Ali Pasja wel bewezen. Het was alsof de burgemeester een vreedzame stemming met zich meevoerde, de spanning ebde weg en het bier deed de rest. Alleen de professor zat erbij met zijn armen strak over elkaar en een boze denkrimpel ter hoogte van zijn neuswortel. Maar hij werd uit zijn sombere overpeinzingen weggerukt omdat er alweer een beroep op zijn vaardigheid als tolk werd gedaan. Drie onderwijzers voegden zich bij ons. Hun verfijnde trekken vielen me op. Ze waren getekend door ontbering – misschien nog meer op geestelijk dan op materieel gebied. Er hing een floers van oneindige droefheid om hen heen.

De burgemeester vertelde dat het dominante gebouw met de poort en het huis aan de binnenplaats eens in bezit waren geweest van Mufit-Bey Libohovë, een verwant van Ali Pasja. Zijn nazaten waren door de communisten onteigend, waarna ze in ballingschap waren gegaan. Een tak van de familie woonde in Frankrijk, een andere in Amerika. Volgens nieuwe wetten in de jonge democratie kregen ze nu hun bezittingen terug. De ballingen zelf leefden niet meer, maar een van de erfgenamen was al komen kijken.

Ik verontschuldigde me en stond op, nieuwsgierig naar de winkel. Wat zou er in een bergdorp aan de rand van Albanië te koop zijn? Basislevensmiddelen, zoals groente, fruit, brood, melk, werden er niet verkocht. Alleen een allegaartje van artikelen die me aan de markt en de kermis deden denken: kledingstukken van de allergoedkoopste kwaliteit, lampen, vazen, kammetjes, snoepgoed. Voor het eerst zag ik een vrouw in Libohovë. Met een glimlach van oor tot oor stond ze achter de toonbank. Vertrekken zonder iets gekocht te hebben was onmogelijk. Ik wees op een schoolschrift en een rolletje Frou-Frou. Te laat realiseerde ik me dat ik nog geen leks had. Ik riep de professor erbij om het voor te schieten, maar toen die zijn portemonnee tevoorschijn haalde gebaarde ze er niets voor te willen hebben. In verlegenheid gebracht schudde ik mijn hoofd. 'Ik wil er gewoon voor betalen,' hield ik vol. Het was een penibele situatie: twee vrouwen die erop stonden elkaar een plezier te doen. Karagjozi greep mijn arm en zei: 'Je moet het accepteren, ze wil je dit geven.' Ik capituleerde, omstandig bedankend, en ging vol schuldgevoel de winkel uit.

Het slappe schriftje kwam uit Frankrijk. Het was een verschoten groen *Tigre-Cahier* van geringe kwaliteit. Achter op het kaft stonden de tafels van een tot en met twaalf, de Romeinse cijfers en een *Division de Temps*. Van een eeuw: 100 jaar, tot een minuut: 60 seconden. De indeling van de tijd leek zo eenvoudig. Het werd pas moeilijk wanneer je probeerde bijna tweehonderd jaar te overbruggen. Tot wanneer waren deze schriftjes in Frankrijk in gebruik gebleven, oftewel: wanneer waren ze gedumpt in Albanië?

De paardenman kwam eraan geslenterd, ietwat schichtig. We schoven een stoel voor hem bij. Karagjozi tuurde ostentatief naar de grond.

'Hij is nu hier met de paarden, laten we hem nog een kans geven,' zei ik zacht. 'Vandaag heeft hij het verbruid, misschien gaat het morgen beter. We kunnen niet zomaar een andere paardenman uit de lucht plukken.'

Hij knikte traag. Dat had hij zelf ook allemaal bedacht. Juist de afhankelijkheid van deze barbaar zat hem niet lekker.

Ik had een compromis – voorzichtig bracht ik het naar voren. Stel dat we ons, de volgende ochtend, met de auto terug lieten brengen naar Glinë. Vandaaruit konden we het tweede deel van het traject naar Libohovë, waar we nu door tijdgebrek niet aan toe waren gekomen, alsnog te voet afleggen. 's Middags zouden we dan te paard uit Libohovë vertrekken.

De paardenman keek ons met argusogen aan, hij wist dat het over hem ging. Daniël vond het een goed idee. Ten slotte berustte Karagjozi erin. De vrede tussen hem en de paardenman werd getekend, maar kon de denkrimpel niet gladstrijken. Halfslachtig gaven ze elkaar een hand.

De burgemeester vond dat er nu iets officieels moest gebeuren. Hij stelde een rondleiding door de bibliotheek voor, die in het gemeentehuis was ondergebracht. We namen afscheid van Ilyás en zijn collega, die onze rugzakken uitlaadde. In een kleine stoet gingen we onder het balkon met de vlag door naar binnen. Onkruid groeide tussen de dakpannen, zag ik nu, en het pleisterwerk bladderde van de muren. In optocht sjokten we door het vermolmde gebouw. De boeken waren groezelig en vochtig – nog even en ze zouden vanzelf tot ontbinding overgaan. In een hoek lagen stapels affiches waarop in martiale bewoordingen het arbeidselan werd aangewakkerd. Franse klassieken stonden broederlijk naast het werk van Lenin. Een van de onderwijzers trok het boek van professor Karagjozi over jou uit de kast en sloeg het open. Voorin stond een citaat van Enver Hoxha. Hij maakte aanstalten het eruit te scheuren, de professor vragend aankijkend. Die knikte. 'Je moest wel, toen,' zei hij laconiek.

We kwamen in de raadzaal terecht en volgden automatisch het voorbeeld van de burgemeester, die aan de lange vergadertafel plaatsnam. Ons gezelschap was inmiddels uitgedijd. Allerlei lieden schoven aan en trokken een plechtig, afwachtend gezicht. Ze hadden één ding gemeen: allemaal waren ze van de mannelijke soort. Behalve de verkoopster had ik nog geen enkele vrouw gezien. Waar waren de vrouwen van Libohovë?

Daarna zaten we allemaal te zwijgen. Blijkbaar was er inhoudelijk niets voorbereid voor dit officiële samenzijn. Alle ogen waren vol verwachting op ons gericht, drie reizigers van verre gekomen om jouw spoor te volgen dat toevallig door hun dorp liep. Om een eind te maken aan het collectieve zwijgen begon ik in het wilde weg vragen te stellen: 'Heeft een van u wel eens iets van Byron gelezen? Weet u waarom hij door Albanië trok?'

Een kleine man met een donkere huid en kroeshaar nam het woord. 'Al vanaf de middelbare school ben ik gek op Lord Byron,' zei hij met een schuchter lachje. 'Dat hij Albanië roemde vervult me met trots. Ik houd erg van zijn stijl en...' hij haperde even, 'van zijn melancholie, want zo ben ik zelf ook.' Een bevlogen aanbidder, in zo'n uithoek van Europa! 'Maar u had allang lid moeten zijn van het Byron Genootschap,' zei ik. Karagjozi knikte weifelend. We wisten allebei dat de vereniging in Albanië op sterven na dood is en door hem met kunstmatige voeding in leven wordt gehouden.

'Meneer wordt hierbij tot erelid van het Byron Genootschap benoemd,' zei Karagjozi grootmoedig.

De man glunderde. Er ontstond een hilarische stemming, iedereen raakte geanimeerd. De onderwijzers bleven desondanks treurigheid uitstralen. Een van hen vertelde dat de familie Mufit-Bey een rijk voorziene bibliotheek had bezeten, waarvan waarschijnlijk ook antiquarische exemplaren van jouw werk deel hadden uitgemaakt. Maar de communisten hadden alle boeken verbrand, eindigde hij droefgeestig.

Zijn collega vond dat we de ruïne van de burcht moesten zien, hoger op de helling boven Libohovë gelegen. Daar woonde ten tijde van jullie tocht een zuster van Ali Pasja, vertelde hij. Op de dag dat Hobhouse en jij in Libohovë aankwamen trouwde haar zoon en was er een groot feest. Nu nog wist het hele dorp dat jullie daarbij waren geweest en er hadden overnacht. Is dat waar? Waren jullie op de bruiloft? Ik betwijfel het, want een van jullie zou er zeker verslag van hebben gedaan. Het lijkt me meer een geval van epische verdichting, of *wishful thinking*. Waar of niet waar, we verlieten met z'n allen de raadzaal en gingen bergopwaarts.

Alleen de vestingmuren waren er nog. Het landhuis dat binnen de muren had gestaan en waarin grootvader Mufit-Bey nog had gewoond was afgebroken. Eveneens door de communisten. We klommen op de vestingmuur. De hemel kleurde steeds roder. Terwijl iedereen het uitzicht, diep onder ons, over de vallei en een uitgestrekt meer bewonderde, bromde Daniël die een geboren scepticus is: 'Tegenwoordig hebben de communisten het allemaal gedaan, zoals vroeger de Turken.'

Wahrheit und Dichtung begonnen al aardig door elkaar heen te lopen. Het mooist van de ruïne vond ik een zwart varken dat met zijn neus in de grond wroette en een prehistorische tractor die als een object van Tinguely van improvisatie aan elkaar hing, een halve eeuw politieke hulp in de vorm van Russische en Chinese onderdelen in zich verenigend. Het werd erg snel donker. Ik merkte niet dat men alweer de aftocht had geblazen en stond nog steeds bij het varken toen ik het geluid van dichtslaande autoportieren hoorde. Het dier keek me aan met z'n kleine, sluwe oogjes. Ik nam mijn fez af en boog: 'Ali is groot...'

In een auto met chauffeur, waarmee de burgemeester elke dag naar zijn werk werd gebracht, reden we over een angstwekkend smalle weg die zonder vangrail rakelings langs een peilloze afgrond voerde, hoger en hoger. Afrim Karagjozi onthulde dat we bij de burgemeester zouden overnachten. Dat bracht ons in een ander deel van Libohovë, waar zo te zien de betere huizen stonden achter hoge muren. De burgemeester had een nieuw huis in traditionele stijl. In de zitkamer stonden op de Turkse manier divan-achtige banken tegen drie muren. De vierde werd in beslag genomen door een wandmeubel met een televisie, die de hele avond aan zou blijven, en een draagbare cassetterecorder, geflankeerd door rechtopstaande cassettes als versiering. Overal stonden bosjes kunstbloemen in vazen, en in de bekleding van de banken waren vuistgrote bloemmotieven verwerkt.

We werden voorgesteld aan de familie: de echtgenote, vier kinderen, een kleinkind en een oma van zesentachtig. De vrouwen schoten meteen weer de keuken in, alleen oma die allang boven het verschil tussen de geslachten verheven was bleef roerloos en halfblind in een aparte hoek van de kamer zitten. De raki stond al op tafel. Voor mij, als enige vrouw, werd een glaasje mierzoete roze likeur ingeschonken. Een schoonzoon en een buurman voegden zich bij ons aan tafel. De burgemeestersvrouw kwam schuw de kamer binnen met sla, aubergines en rijstkoekjes, en verdween weer.

Terwijl we aten vroeg ik me af hoe ik met oma in gesprek kon komen. Drie jaar voor het eind van de Turkse bezetting geboren, zeulde ze de hele Albanese geschiedenis van de twintigste eeuw met zich mee. Ik boog me naar Afrim Karagjozi: 'Kan ik de oude dame iets vragen?' Hij wierp een verstrooide blik in oma's richting, alsof het nu pas tot hem doordrong dat zij er ook was. 'Maar natuurlijk.'

'Hoe vindt ze het om in het huis van haar zoon te wonen?'

Karagjozi vertaalde.

Oma, in haar hoek op de bank, knikte: 'Pas de laatste vijf jaar, sinds dit huis er is, ben ik begonnen te leven. Daarvoor was het niets dan ellende.'

Haar zoon nam het van haar over. Eerst werd, in de oorlog, haar halve familie vermoord. Later, toen Enver Hoxha aan de macht was, stonden haar man en haar broer te boek als anti-communistische elementen, omdat ze patriotten waren. Hun huis werd verwoest omdat het te bourgeois was en de hele familie werd geïnterneerd in een primitief kamp bij Tepelenë. In 1955 wist haar man met de oudste zoon naar Amerika te ontkomen – zij bleef achter met vier dochters en een zoon. Ooit, wanneer de omstandigheden het toelieten, zou zij haar man volgen over de oceaan, zo werd afgesproken. Maar hij stierf voordat het zover kon komen. Alleen de zoon had het in de Nieuwe Wereld gered. Hem had ze onlangs voor het eerst in veertig jaar in Griekenland teruggezien. Later kreeg het gezin toestemming terug te keren naar Libohovë. Aanvanke-lijk woonden ze in het huis van een communistische oom en werden ze, als straf voor het milieu waartoe ze ooit hadden behoord, gedwongen mee te werken bij de aanleg van het meer – het meer waarboven de zon die avond zo mooi was ondergegaan. Dat betekende dat ze iedere dag de berg af moesten dalen die ze aan het eind van de dag weer beklom-men – een wandeling van twee uur heen en minstens twee uur terug. Pas sinds Albanië een democratie was en haar zoon dit huis kon laten bouwen, had het leven een beetje fleur gekre-gen.

Oma luisterde kritisch mee. Af en toe knikte ze instem-mend: zoals haar zoon het vertelde, zo was het gegaan.

Het gerecht dat inmiddels voor ons was neergezet nam daarna alle aandacht in beslag. Op een ronde bakplaat van ruim een halve meter doorsnee bevond zich een pastei van bladerdeeg, lamsvlees en rijst. Uit wat voor gigantische oven kwam dit gerecht? We overlaadden de gastvrouw met complimenten: waar had ze geleerd zoiets imposants te bereiden? Ze bloosde en haar man zei: 'Mijn moeder heeft de kookkunst er bij haar ingeslagen. Zij heeft haar alle recepten geleerd en haar op haar donder gegeven als het niet goed was.' Gelach alom, de kokkin lachte vermoeid mee. Er werd een fles Albanese wijn opengetrokken, een Kallmet uit 1986. Terwijl Daniël en ik dorstig ons glas leegden bleek dat niemand meedronk. Was wijn een luxe? Ik begon me af te vragen of we niet een te groot beroep deden op het huishoudbudget. Betaalden we hier eigenlijk voor of viel ons de traditionele gastvrijheid ten deel? Daar had ik het met Karagjozi nog niet over gehad.

'Er is niets over van de wijnbouw in Albanië,' zei de professor, somber naar het etiket starend. Deze verzuchting gaf aanleiding tot een reeks grappen met betrekking tot het voormalige regime, dat overal schuld aan had. Vooral Dulla de Lelijkerd en Sorra de Kraai moesten het ontgelden – geliefde bijnamen voor Enver Hoxha en zijn gemalin.

Na de maaltijd druppelden zowaar de vrouwen de kamer binnen. Geruisloos voegden ze zich bij oma. Een van de dochters, die ik een jaar of zestien schatte, droeg een T-shirt met de provocerende tekst *Wounded but dangerous Lion*.

'Weet je wat dat betekent?' vroeg ik.

Verlegen schudde ze van nee. Karagjozi vertaalde het, een beetje giechelig. Een jonge Albanese met zo'n slogan op de borst bracht hem in verwarring. Zelf, vertelde hij me later, had hij zijn vrouw verboden een spijkerbroek te dragen. Nou ja, verboden: 'Ik heb haar gezegd dat ik het niet prettig vond en dan doet ze het ook niet.' Het meisje lachte tevreden, de betekenis beviel haar. Misschien verwees die naar een al eeuwen op de loer liggende kracht in deze vrouwen, die zich zo op de achtergrond hielden. Ooit moest Frossini toch gewroken worden.

Door de overvloed aan drank en spijzen raakte ik in een toestand van aangename verdoving. Zolang de beleefdheid vereiste bleef ik nog zitten, toen trok ik me onder dankbetuigingen voor het heerlijke diner terug in de slaapkamer die Daniël en mij was toegewezen. Karagjozi, die inmiddels in een heftig debat over politiek verwikkeld was, hield bleek van vermoeidheid stand.

Ik spoelde het stof van de reis af in een smoezelige, witbetegelde badkamer die nu al, vijf jaar na de bouw, aan slijtage onderhevig was – in het bad zaten butsen en alles was slordig gekit. Ik wist nog niet dat de aanwezigheid van een badkamer op zich al een uiterste luxe was die de hele familie waarschijnlijk met trots vervulde. Met een zucht van welbehagen gleed ik tussen de lakens. Eindelijk, een bed. Maar wat voor een! Juist toen ik me eens prettig wilde nestelen drong, ongeacht welke houding ik aannam, de toestand waarin het matras verkeerde tot me door. Het was bobbelig, vochtig en beschikte waarschijnlijk over een rijk, verborgen insectenleven. De inhoud, wist ik zonder nadere inspectie, was een samenklontering van eeuwenoude kapok, doordrenkt van lichaamsvocht en huismijt. Een matras met een lange geschiedenis van geboortes, liefdesbetuigingen, maandstonden, bedplassen, incontinentie en laatste ademtochten. Nu ik de slaap niet kon vatten, trokken al die diepmenselijke uitingen in hun kleurrijkheid aan mijn geestesoog voorbij. Daarbij bleven de dekens, hoe diep ik ze aan de linkerkant ook instopte, er aan de rechterkant voortdurend afglijden. Ook hing er een doordringende moeraslucht in de kamer die bij iedere inademing tot diep in de longen drong.

Er zijn er ook die beroofd van hun kleren in de bergen worden achtergelaten, sprak ik mezelf vermanend toe.

Ik zag ons weer tussen de gevechtskoepels van Hoxha door sjouwen, door de rivier waden, granaatappels pellen. Was Albanië anders? Ja. In mijn maag begon zich de eerste Albanese maaltijd te roeren, gevolgd door oprispingen en brandend maagzuur. Had ik te enthousiast aan de maaltijd deelgenomen? Telkens wanneer er een schaal voor mijn neus werd gehouden had ik, uit een haast suïcidale beleefdheid, opnieuw opgeschept. Ik ben geen grote eter, wel een grote slaper. Dat werd nu met geweld omgedraaid.

Daniël ging ook naar bed en werd meteen de zegen van de slaap deelachtig. Hij was de echte reiziger van ons tweeën, dat hoorde je aan zijn ademhaling die diep en regelmatig was. Kon ik misschien niet slapen omdat ik zenuwachtig was, of was ik zenuwachtig omdat ik niet kon slapen? Kom er maar eens achter, zo ver van huis. Morgen moet je goed uitgerust zijn, hield ik mezelf voor, vooruit, slaap! Maar het was alsof iemand me met een pistool op de borst beval: ontspan je!

Misschien bracht het ledigen van de blaas verlichting. Zonder licht te ontsteken sloop ik de hal in – de deur naar de huiskamer stond wijd open. Tot mijn ontsteltenis zag ik dat daar de hele familie, door ons uit hun bedden verdreven, opgerold in dekens lag te slapen. Op de banken langs de muren, in het midden op de grond. Iedereen offerde zich op om het ons naar de zin te maken terwijl ik in het donker als de krankzinnige echtgenote van de slotheer in *Jane Eyre* door het huis doolde. Ik schaamde me. Waarom had ik zo weinig vertrouwen in de orde der dingen?

Uiteindelijk nam ik mijn toevlucht tot een middel dat in jouw tijd nog niet bestond: een capsule die met vloeibaar goud is gevuld. Wanneer je die inneemt word je een vreemde, kunstmatige slaap ingesluisd waaruit je vijf uur later ontwaakt, niet bepaald verkwikt, maar toch minder beroerd dan wanneer je helemaal niet geslapen zou hebben.

Het was me niet vergund die vijf uur vol te maken. Mijn wekker ging een uur vroeger af dan nodig – ik had vergeten de wijzer vooruit te draaien naar de Albanese tijd. Het hele huis verkeerde nog in diepe rust. Wat konden die Albanezen slapen. Weer was ik de enige die in huis rondspookte. De badkamer was nog half duister, maar een druk op het lichtknopje betekende niet dat er een lamp ging branden. Was er 's nachts geen elektriciteit? Om wat beginnend daglicht binnen te laten opende ik voorzichtig het raam... Op hetzelfde moment vlogen drie honden me naar de keel, alsof ze zich al urenlang hadden verkneukeld bij de gedachte in de ochtendschemering een onschuldige vreemdeling een doodsschrik te bezorgen. Ik sprong achteruit. Mijn trillende handen gevouwen tot een kommetje, plensde ik wat water in mijn gezicht – het hielp niet tegen de nog steeds doorwerkende slaappil die me in een toestand van versuffing hield. Terwijl ik me aankleedde voelde ik een lichte kramp in mijn maag. 'Niets aan de hand,' zei ik tegen mijn spiegelbeeld.

Jullie nacht in Libohovë was ook niet vrij van ongemak, begrijp ik uit enkele opmerkingen van Hobhouse: 'In het huis van deze Turk (een kennis van een van Ali's vrouwen), in een andere kamer, gescheiden van de kamers waarin zijn familie leefde, werden we ondergebracht gedurende ons verblijf in Libokavo, en de goedgehumeurde moslim probeerde het ons zo comfortabel mogelijk te maken. [...] Maar voor de nacht waren we niet goed ondergebracht, want het hele gezelschap van 13 personen sliep in dezelfde kamer met ons – omdat 't een Turkse stad was konden we voor onze bediendes geen kamers krijgen in een ander huis.'

Hoewel hypochondrie je niet vreemd was komt er gedurende deze tocht geen klacht over je lippen. Tilde de reis je boven jezelf uit? Was je al in de rol van *Childe Harold* gekropen? Een papieren held voelt niets. Hoe dan ook, je geeft in je brieven een wel erg stoer en onkwetsbaar beeld van jezelf. Tijdens een nachtelijke boottocht in de storm, waarbij de zeilen scheurden en de kapitein in tranen uitbarstte, wikkelde jij je in een Albanese mantel en ging op het dek liggen wachten tot het voorbij was: 'In afwachting van het ergste. Ik heb geleerd op reis te relativeren.'

Als ik maar niet op je bediende Fletcher ging lijken. 'Hij heeft niets anders te verduren gehad dan *koude*, hitte & ongedierte, hetgeen zij die slapen in huisjes buiten & over bergen trekken in woest gebied moeten verdragen, & waaraan ikzelf ook bloot heb gestaan, maar hij is niet kloekmoedig.'

Kloekmoedig ja, dat wilde ik zijn.

9

Waarom moest ik zo nodig op reis? Waarom was het voor Byron bijna een zaak van levensbelang Engeland te verlaten? Waarom, vraagt Robert Eisner in *Travellers to an Antique Land* zich af, zou men op weg gaan en het comfort van thuis en de dagelijkse gewoontes verlaten? Zijn de plaatselijke keuken en de spanningen het waard?

Eisner geeft de meningen van enkele beroemde, door de wol geverfde reizigers weer. Bruce Chatwin, de schrijver die, gefascineerd door de laatste nomaden, tijdelijk hun leven deelde was ervan overtuigd dat de drang tot trekken nog altijd rudimentair aanwezig is in ons zenuwstelsel. Bij de zogenaamde zegeningen van een gesetteld leven hoort een hele reeks verantwoordelijkheden waarvan nomaden verschoond blijven. Wat Robert Louis Stevenson een eeuw eerder al schreef in *Travels with a Donkey* lijkt Chatwin in het gelijk te stellen: 'Wat mij betreft, ik reis niet om ergens heen te gaan, maar om weg te gaan. Ik reis om het reizen zelf.' Al iets meer in Byrons stijl schreef Robert Burton, de auteur van *The Anatomy of Melancholy*: 'Geen beter geneesmiddel voor een melancholisch man dan verandering van lucht en variëteit van plaatsen, in het buitenland reizen en andere leefwijzen zien.' Evelyn Waugh, in *Travel – And Escape from Your Friends*, meent dat prikkelbare schrijvers van tijd tot tijd weg moeten gaan om niet gek te worden. Omdat ze geen baan buitenshuis hebben leven ze in een onveranderlijke, bijna symbiotische verbondenheid met vrienden, familie en dagelijkse routine. Hoe gevaarlijk gewoonte is brengt de Russische formalist Viktor Sjklovski treffend onder woorden: 'Gewoonte verslindt voorwerpen, meubels, iemands vrouw, en de angst voor oorlog.'

De omstreden Franse schrijver Gabriël Matzneff die, als oprecht bewonderaar van de persoon en de dichter (in die volgorde), een studie maakte van een aantal 'eigenaardigheden' van Lord Byron – waaronder diens neiging tot regelmatig vasten – lanceert in *La diététique de Lord Byron* een nogal excentrieke theorie: reizen als alternatief voor zelfmoord. 'De vrijwillige dood bevrijdt ons; de reis evenzeer. Zich van de rotsen werpen bij Dieppe, of het vliegtuig nemen naar Manila, dat is min of meer hetzelfde.' Hij suggereert dat, naast de dichtkunst en de liefde, het reizen Byron van zelfmoord afhield. Een feit is dat Byron al jong aanvallen van bodemloze somberheid kende die een ander misschien op suïcidale gedachten zouden hebben gebracht. In mei 1811 schreef hij op de terugweg naar Engeland: 'Met drieëntwintig is het beste van het leven voorbij en verdubbelen de bittere kanten.' Zou je hem op die leeftijd nog van koketterie met een romantisch 'lijden aan het bestaan' kunnen verdenken, tien jaar later overviel dit morose levensgevoel hem bijna dagelijks: 'Ik heb overdacht wat de reden kan zijn dat ik altijd op een bepaald uur in de morgen wakker word, en altijd zeer terneergeslagen – ik mag wel zeggen ten prooi aan vertwijfeling en moedeloosheid – zelfs ten aanzien van wat me de avond tevoren nog genoegen deed.'

Daarnaast sluit Matzneff zich aan bij de gangbare opinie dat Byrons reis zowel een vlucht als de verwezenlijking van een jongensdroom was. Het was een vlucht uit zijn puriteinse geboorteland waar hij niet vrij was zijn natuurlijke neigingen uit te leven (op homoseksuele contacten stond nog altijd de

doodstraf); een vlucht voor schuldeisers, voor de ontgooche-
lingen van de liefde, voor de vijandigheid en hoon van de cri-
tici. 'Kilometers plaatsen tussen uzelf en de vrouwen die u
hebben verraden,' meent Matzneff, 'tussen uzelf en degenen
die lelijke dingen over u schrijven, tussen uzelf en het gewicht
van de wereld, dat is een maagdelijke, niet vervuilde situatie
creëren; het is minder kwetsbaar zijn.' Toen er een kwaadaar-
dig stuk over zijn *Hours of Idleness* in de *Edinburgh Review* verscheen schreef Byron aan Henry Drury: 'De Middellandse
Zee en de Atlantische Oceaan klotsen tussen mij en de kritiek,
en het onweer van de *Edinburgh Review* wordt overstemd door
het gebulder van de Hellespont.' In Perzië, beloofde hij, zou
hij met het stuk zijn pijp aansteken. Het relativerende effect
van afstand. Elf jaar later, toen hij in Ravenna woonde, verzocht hij zijn uitgever John Murray hem geen enkel kranten-
artikel, geen enkel commentaar op zijn werk meer toe te sturen – liever bleef hij buiten bereik van de tentakels van literair
Engeland.

Matzneff ziet hem als eeuwig op zoek naar een veilig oord,
waar 'Sorrow cannot reach', een paradijs waar het leven zor-
geloos en sensueel, de liefde vrij was. Waar kon dat anders zijn
dan in de mediterrane oriënt, te midden van de Grieken, Romeinen en Turken waar hij als jongen over gefantaseerd had?
Aan de kusten van de *Mare Nostrum* waar zijn warmbloedige,
hartstochtelijke aard meer bij paste dan bij het kille, nuchtere
Inglaterra? Eigenlijk waren zijn hang naar het zuiden en zijn
vervreemding van het vaderland al begonnen toen hij nog een
korte broek droeg en ademloos de geschiedenis van de Romeinen en de Turken las. Niet voor niets verkleedde hij zich
als Turkse jongen toen de kans zich voordeed. Lang voor het
vertrek was daar al het verlangen. Robert Eisner: 'Want als
men zich thuis een vreemde voelt, dan is het buitenland, waar
vreemdheid vanzelf legitiem is, een veel comfortabeler oord

voor vakantie, zelfs om te wonen en te werken.' Door Byrons *Grand Tour* was die vervreemding alleen maar toegenomen: bij zijn terugkeer in Engeland wilde hij eigenlijk meteen weer weg.

En waarom moet ik zelf regelmatig op reis? Om aan mezelf te ontsnappen, geloof ik en aan mijn dagelijkse omgeving die onderdeel is van mijn geschiedenis. Ik reis het onbekende tegemoet om, bevrijd van verleden en toekomst, iemand anders te worden die open is voor wat gaat komen: ik word een spons die indrukken opzuigt. Onder invloed van de situaties die zich onderweg voordoen en de mensen die ik ontmoet verander ik, al stuit ik af en toe – vooral bij ontberingen – meedogenloos op mijn oude ik dat ik veilig thuis waande.

Mijn reis is ook een vlucht uit de hogedrukpan van de moderne tijd. Ik kan het tempo niet meer bijhouden, de spanning niet verdragen. Het heden maakt te veel lawaai. Waar is de stilte gebleven, heeft een andere Prometheus haar gestolen? Koortsachtig baan ik me een weg naar het verleden – ik zoek een huis dat nog een huis is zoals een kind het tekent, met een rookwolk uit de schoorsteen en een boom in de tuin. Ik ben te oud, of te ouderwets, voor de moderne tijd.

Ik reis in diepste wezen om de controle over mijn leven te verliezen en dichter bij die ene waarheid te komen: dat leven gevaarlijk en veranderlijk is en dat ik mijn lot niet ken. Raar genoeg kan ik daarbij vrijer ademhalen.

Hoewel de toon van de brieven die Byron gedurende de eerste reis schreef buitengewoon opgewekt, soms zelfs euforisch is ('ik ben zo gelukkig als een kind'), getuigt de balans die hij onderweg 'naar huis' opmaakt van een ruime mate van zwartgalligheid:

'["Vier of vijf redenen die pleiten voor een verandering"]
B. Malta 22 mei 1811

1de Met drieëntwintig is het beste van het leven voorbij en verdubbelen de bittere kanten.

2de Ik heb in diverse landen de mensheid gezien en vind haar overal verachtelijk, de balans slaat in het beste geval door naar de Turken.

3de Het is me zwaar te moede:
> "Me jam nec *faeminam*
> Nec *Spes animi credula mutui*
> Nec *certare* juvat *Mero*."[*]

4de Een man die aan één been lam is, bevindt zich in een lichamelijk minderwaardige conditie die met de jaren verslechtert en zijn oude dag vergalt & onverdraaglijk maakt. Overigens verwacht ik in een volgend bestaan *vier* in plaats van *twee* benen te hebben ter compensatie.

5de Ik word zelfzuchtig en misantropisch, zoiets als de "vrolijke Molenaar": "Ik maal om niemand en niemand maalt om mij."

6de In eigen land en in het buitenland staan de zaken er treurig voor.

7de Ik ben boven al mijn verlangens uitgegroeid en vrijwel al mijn ijdelheden, ja zelfs de ijdelheid van het schrijverschap.'

Aan Henry Drury schreef hij: 'Het is mijn bedoeling om bij mijn terugkeer alle banden te verbreken met veel van degenen

---

[*] Byron citeert hier uit het hoofd en niet geheel correct Horatius (aan Venus):

Geen meisje en geen jongeling vermogen me nog te verrukken / geen lichtgelovige droom van uitgewisseld hartsgeheim, geen uren / van gedaagd drinkgelag, geen hoofd / getooid met een krans van vers geplukte bloemen. [Noot van de vert.]

die ik als mijn beste vrienden beschouwde, en mijn verdere leven alleen nog te grommen, maar ik hoop nog een keer hartelijk met jou te kunnen lachen, en Dwyer te omhelzen, en Hodgson bescheid te doen, voor ik cynicus word.'

Hier overheerst al de luimige, af en toe grimmig melancholieke humor die veel van zijn latere brieven kenmerkt, met flarden in zelfspot ontaardende zelfkennis. Dit is de toon die me voor hem inneemt en ervan getuigt dat hij in zijn brieven, en waarschijnlijk ook in het dagelijks leven, nauwelijks de romanticus was die men zo graag in hem ziet, maar veeleer een realist met een scherpe kijk op zichzelf en het mensdom.

10

Mijn waarde vriend, – Daniël, de ware reiziger van ons twee-en, stond uitgerust op. Hij had nergens last van gehad. De gastvrouw bracht ons brood, geitenkaas en bergthee – ik dronk alleen thee, om het gerommel in mijn maag tot bedaren te brengen.

Toen begon het wachten op de Mercedes die ons terug zou brengen naar Glinë. We slenterden rond het huis. Zo ver het oog reikte zag ik lommerrijke tuinen met fruitbomen en uit-puilende hooimijten. Onder het slaken van krachtige Illyri-sche kreten dreef de burgemeestersvrouw twee slaperige koei-en een weiland in. We trommelden de hele familie naar buiten voor het maken van een groepsfoto – alleen de stokoude grootmoeder die nog maar net was begonnen te leven speelde het niet klaar zo vroeg al te poseren.

Moeizaam getuf en gerammel kondigde de komst van de Mercedes aan, die tegen de steile helling op zwoegde. Af-scheid, beloftes. Pogingen mijn dankbaarheid tot uitdrukking te brengen voor alle moeite die ze zich hadden getroost om ons een grootse ontvangst te bereiden, verdampten tot gesta-mel dat voor Karagjozi nauwelijks vertaalbaar was. Tijdens de afdaling zag ik in de diepte weer het meer. We passeerden groepjes schoolkinderen met tassen op de rug. De burgemees-ter werd in het centrum van Libohovë afgezet en Ilyás, die officieel toestemming had ook deze ochtend onze gids te zijn, stapte in.

In Glinë hervatten we de tocht van de vorige dag. Het pad liep nog steeds over de flank van de bergen, met links uitzicht op de vallei van de Drinos en aan de overkant daarvan kale grijze bergen met krachtige welvingen, waar vlekken zonlicht overheen trokken. Af en toe kwamen we iemand tegen. Sommigen hadden een zwaarbeladen ezel bij zich, anderen gingen zelf gebogen onder een bos sprokkelhout. Wanneer we opheldering verschaften over onze aanwezigheid in deze uithoek knikten ze, zonder blijk te geven van verbazing. Vrouwen gingen nooit zonder hoofddoek op pad; was dit een overblijfsel van de islam of was het om praktische redenen? Ze monsterden me vol mededogen of knepen bemoedigend in mijn arm. Waarom is ze niet thuis bij man en kinderen, zag ik ze denken.

Mijn maag deed weer van zich spreken. Hardnekkig richtte ik mijn aandacht op de buitenwereld – die veranderde bij elke stap, omhoog, omlaag, van aanschijn. In een dorp zag ik een kastanjeboom die honderden jaren oud moest zijn. Wie had hij niet zien komen en gaan? Ali Pasja, koning Zog, de Italianen, de Duitsers, Enver Hoxha. Er waren soldaten en kooplui gepasseerd, in slavernij afgevoerde dorpsbewoners, draagstoelen met haremdames, struikrovers in schapenvellen, nieuwsgierige reizigers zoals jullie – én wij. Het was verleidelijk de boom eigenschappen als wijsheid en bezonkenheid toe te kennen.

'Op de heuvels waar we langstrokken waren veel dorpen,' constateerde Hobhouse. Dat was nog steeds zo. Alleen was het gebruik van het woord heuvels in dit geval wel een enorm understatement. Ik geef toe dat wij als Hollanders geneigd zijn elke verheffing in het landschap een berg te noemen, maar de hellingen die wij bestegen en afdaalden maakten deel uit van een bult van 1762 meter hoogte.

In de dorpen slingerde ons pad tussen ommuurde tuinen

door. Zag het erf binnen die muren er meestal schoon en opgeruimd uit, op het pad moesten wij behoedzaam laveren tussen modderige plassen, keien, uitwerpselen van paarden en ezels, en zakken vuilnis die over de muren waren gekieperd. Armoede? Hoe arm je ook was, je zou die zakken toch buiten het dorp kunnen verzamelen en verbranden, dacht ik als voorbijganger. In mijn land hadden we voor dat soort problemen al langgeleden collectieve oplossingen bedacht die ieders instemming hadden. Maar in het postcommunistische Albanië, had ik de vorige avond aan tafel begrepen, heerste een recalcitrante sfeer van verzet tegen vijftig jaar collectieve oplossingen die bijna niemand gewild had.

'We kregen gezelschap van een groepje Turken te paard. Een van hen wees, op kleine afstand van de snuiftabakfabriek, een heuvel links aan waarop, zei hij, de resten van oude muren waren, en verderop rechts ook enkele resten in een bosje. Ik ging erheen, en op de maat van de stenen afgaand zou ik zeggen dat ze antiek zijn, ze lagen in hopen op de grond.'

'De resten van oude muren', links van de weg, waren er nog. Daniël wierp er een kennersblik op en stelde vast dat het de overblijfselen van een Illyrische nederzetting waren. De Illyriërs, voorouders van de Albanezen, waren het eerste volk dat deze gebieden bewoonde, nog voor de Grieken en de Romeinen. Ze waren uit het oosten gekomen en hadden hun eigen taal meegebracht. Eigenlijk reisden jullie met een beperkt blikveld door dit gebied – jullie hadden alleen oog voor Griekse of Romeinse ruïnes en probeerden als literaire spoorzoekers steden, rivieren, bergen en slagvelden uit de mythologie te traceren. Een oudere beschaving zoals de Illyrische, of een jongere zoals de byzantijnse, viel buiten jullie belangstellingssfeer.

Daarom wijdden jullie geen enkele regel aan de moskee naast de 'resten van oude muren in een bosje'. Hij stond, en staat nog steeds, op een heuvel aan het eind van een door hoogbejaarde cipressen geflankeerde oprijlaan. De bomen wierpen donkere schaduwen over het pad, als schildwachten met het geduld van eeuwen. Je had van de ene schaduw in de andere kunnen springen. Er ging een grote aantrekkingskracht uit van de moskee aan het eind van de groene zuilengalerij. Trossen campanula's hingen uit de barsten in de muren. In de verwilderde tuin stond, recht tegenover de ingang, een kleine koepelvormige tombe. Een oude man kwam aansloffen, verheugd over de onverwachte menselijke aanwezigheid. In de tombe, vertelde hij, lagen de stoffelijke resten van de Bektashi-priester die hier zijn leven lang gewoond en gewerkt had. Zelf was hij de laatste oudgediende die hier nog standhield, in een niet aflatend gevecht tegen het verval. We gluurden in de tombe. De kist stond midden op de vloer, de dode kon er zo uitstappen op de dag des oordeels.

De man leidde ons rond door de moskee. Van de oorspronkelijke fresco's waren alleen fragmenten over. Het bleef onduidelijk of ze op bevel van Hoxha waren vernield, zoals Karagjozi blindelings aannam, of door de tijd. Sommige arabesken lichtten op in het halfduister om daar waar ze zich oorspronkelijk hadden voortgezet in een mist van kalk te verdwijnen. Hier was het verleden nog niet weggerestaureerd, het was er nog in de onmetelijke stilte tussen de hoge muren en pilaren – niet aangeraakt door de twintigste eeuw. Er heerste een absolute verlatenheid, afgezien van de ronddolende zielen van enkele derwisjen misschien die geen afscheid konden nemen. Ons praten ging vanzelf over in een eerbiedig fluisteren. Geprepareerde schapenhuiden hingen heidens tussen de fresco's te drogen; op de grond lagen vijgen en zilveruitjes, in plaats van gelovigen met het hoofd in de richting van Mekka.

Op de eerste verdieping werd de salon van de priester uit respect intact gehouden. Het was een harmonieuze ruimte

137

met een plafond in houtsnijwerk, en aan drie kanten boogvensters met witte gordijnen waarop Arabische tekens geborduurd waren – een oosterse kamer met veelkleurige kleden op de grond en matrassen tegen de muur om op te zit-liggen. De zon scheen naar binnen, als in een poging de taferelen die er ooit te zien waren geweest tot leven te wekken.

'Hier ontving hij zijn mensen,' zei Karagjozi. Er klonk zowel eerbied als wrevel door in zijn stem.

Na afloop fotografeerde ik hem en Ilyás op de halvemaanvormige trappen bij de ingang. De professor deed een poging tot glimlachen, maar de zorgelijke uitdrukking op zijn gezicht leek nooit meer weg te strijken. Ilyás, die speciaal voor de gelegenheid een fantasieoverhemd had aangetrokken, lachte lichtelijk ironisch, wat niet vreemd was voor een agent die onverwacht met een gesjochten stelletje literaire pelgrims het spoor moest volgen van iemand die al bijna twee eeuwen dood is.

Terwijl ik afdrukte wenste ik dat ik zelf op die traptrede zat, want mijn maag roerde zich nu zo hevig dat ik het liefst de rest van de dag met mijn hoofd tussen mijn knieën was blijven zitten. Ik had me voorgenomen het er in dit reisverslag niet over te hebben, maar nu het verschijnsel toch ter sprake komt kan ik me alleen verontschuldigen door op jouw gewoonte te wijzen in brieven en dagboeken pagina's te vullen met de gruwelijkste details van je indigesties. Zelfs in je literaire werk vond je een vorm om uiting te geven aan deze obsessie. Zo refereer je in *Don Juan* aan hen 'die weten wat een indigestie is – deze interne marteling die de Styx dwingt door een arme kleine lever te stromen'.

Maar ik bleef grijnzend overeind. Wel leek het me raadzaam mijn reisgenoten te vertellen dat de maaltijd van de vorige avond me niet zo goed bekwam.

We trokken verder, langs velden met hooimijten waarin

gnomen woonden, en akkers met tabaksplanten. Ilyás wachtte geduldig op me wanneer de anderen achter de volgende berg-flank verdwenen, totdat Karagjozi, die zich zorgen begon te maken over mijn afnemende tempo, zich genoodzaakt zag me opbeurend toe te spreken: 'De mensen hier vinden je een dap-pere vrouw, dus wees dapper.' Je moest eens weten hoe dap-per ik ben, dacht ik tandenknarsend. Ik ken mannen die in mijn geval ineenkrimpend onder een plataan zouden gaan lig-gen onder het slaken van kreten als: 'Ik sterf, ik sterf!'

Waar het pad een scherpe bocht maakte botsten we bijna tegen een oude vrouw in een zwart pluisvest op. Dun als een aanmaakhoutje liep ze breiend van A naar B, zonder acht te slaan op gaten of uitsteeksels in het pad. Het was alsof het één-recht-één-averecht haar onkwetsbaar maakte. Terwijl ze ons groette en vriendelijk toeknikte ging het tikken van de naalden zonder hapering door. Misschien had ze een verbond met de duivel: hij kon haar niet komen halen zolang ze maar door bleef breien.

Net onder de rand van een ravijn, op een onmogelijke plek, schitterde een tros gele herfsttijloos in de zon. Ik vroeg Ka-ragjozi naar de naam in het Albanees. Die kende hij niet, maar voordat ik er erg in had, hing hij in een gevaarlijke hurkzit over de rand en stak zijn hand in de diepte. Hij vergat dat hij iemand was die zijn leven achter de studeertafel doorbracht. 'Ik wilde alleen maar weten hoe ze heten,' riep ik zwakjes, maar hij hoorde niets.

'Aan de rand van de afgrond grijp ik me vast aan de punt-komma,' schreef jij in *Venus en Junon*, maar ik betwijfelde of de professor zo zijn leven zou kunnen redden.

Steeds dieper en dieper boog hij zich voorover om ook nog die ene onmogelijke bloem... Toen kwam hij met een lach vol bravoure overeind. Mijn bezwaren luchtig wegwuivend drukte hij me een boeket in de handen.

'A flower for a flower,' zei hij ridderlijk.

Zo kwamen we Libohovë binnen, ik met mijn ruiker, de professor fier rechtop. Ineens sprong hij met jeugdig elan over een hek. In een verwaarloosde tuin had zijn sperwersblik wilde cyclamen ontdekt. Hij deinsde nu nergens meer voor terug en griste in *no time* een tweede boeket bij elkaar. Het 'laat groeien wat groeit' bestierf me op de lippen. De cyclamen geurden naar lente. Met mijn dubbele boeket liep ik het plein op waar de vorige dag de vrede tussen de professor en de paardenman getekend was. We gingen een gebouw in communistische stijl binnen, dat bij ons 'multifunctioneel' genoemd zou worden.

Het was restaurant, clubhuis en nachtverblijf tegelijk, voorzien van een toilet waarvoor je door de knieën moest en een met ijskoud water gevulde wasteil. Er kwam vlees op tafel, met *pilaf*. Ik hield het bij bergthee. Omdat de serveerster ons zo bars en afwijzend bediende, stelde ik Karagjozi voor de bloemen aan haar te geven – wat moest ik ermee op een paard. Ze accepteerde ze lijdzaam; zo te zien kreeg ze nooit bloemen en wist ze zich geen houding te geven bij het ontvangen van een boeket. Hoe de bloemen heetten wist ze ook niet. De overige aanwezigen werden geconsulteerd, maar niemand in de eetzaal kende de namen van de planten die in de omgeving van het dorp groeiden. Wel kenden ze, veel beter dan ik, de namen van Hollandse voetballers.

De Mercedes, die was gekomen om onze bagage te brengen en Ilyás op te halen, vervoerde ons voor de laatste keer. Nu naar de noordelijke rand van het dorp waar, we schrokken er bijna van, de paardenman op ons stond te wachten met drie rijdieren. Het vierde paard was ondeugdelijk, mompelde hij, dat had hij teruggebracht. Er was een blonde merrie bij die me vragend aankeek. Ik zwichtte meteen voor dit zusje van Bucephalus; zij zou me helpen de bergen te bedwingen. Eén paard werd gereserveerd voor de rugzakken. Het derde, een roodbruine hengst met zo te zien een vuriger temperament dan de andere twee, zou beurtelings door Karagjozi en Daniël bereden worden. Die waren tevreden met dit compromis; ik geloof dat ze er heimelijk tegenop zagen de hele tocht op de rug van een paard te zitten.

Onze begeleider, van wie wij de naam niet te weten kwamen zodat hij voor ons tot in lengte van dagen 'de paardenman' zal blijven, was onhandig in de weer om met riemen de rugzakken op het pakzadel te sjorren. Nadat Daniël hem enige tijd had gadegeslagen kwam hij voorzichtig tussenbeide met suggesties om het gewicht beter te verdelen en de riemen zo te spannen dat ze niet in de huid van het paard sneden en de last niet kon gaan glijden. Indertijd op Samos had hij zelf een ezel als lastdier gebruikt. Maar de paardenman negeerde zijn adviezen. Hij had van een buitenlander geen aanwijzingen nodig, vertelden zijn opeengeklemde kaken. Daniël lachte verbouwereerd. Was dit wel een paardenman? De burgemeester van Libohovë had bij deze keuze bemiddeld – we wisten niets van zijn antecedenten. Volgens mij is het een Vlach, bromde Daniël. Ik wist niet wat dat was, maar het klonk als een vloek.

Onze aandacht werd afgeleid. Via de motorkap van de Mercedes besteeg professor Karagjozi de roodbruine hengst. Het was een onorthodoxe manier – zijn voorouders, de Skyptaren, sprongen vanaf de grond rechtstreeks in het zadel –, maar het resultaat was hetzelfde. De professor zat, hoewel niet van harte. Het was koddig de kleine kamergeleerde met een wantrouwende frons op een strijdbaar ros te zien zitten. Ik gebruikte een rotsblok als opstapje en liet me met een zucht van verlichting op het zadel neer – ik hoefde geen stap meer te doen. Ilyás zwaaide ons met een zorgelijk gezicht na.

'Op 17 oktober verlieten we Libokavo en daalden af in de vlakte. Voordat we weer naar het noorden konden moesten we eerst over een aantal brede, diepe voren, die gemaakt zijn om de lagere gronden te draineren. Nadat we weer 1 halfuur op onze route terug waren, kwamen we opeens bij een snelle rivier die uit een dal tussen de bergen kwam en naar het oosten stroomde, een bocht naar het westen maakte maar uiteindelijk naar het noorden draaide. Omdat we de nacht door moesten brengen in een bergdorp rechts van onze weg, waren we genoodzaakt om de rivier over te steken, wat lukte met de grootste moeite [...]. Daarna reden we over diep geploegd land. Op drie uur van Libokavo begonnen we heuvels te beklimmen in n.w. richting.'

Met deze beschrijving, die uitblinkt in vaagheid en contradicties, moesten we ons zien te redden. Wat aan te vangen met een 'snelle rivier die naar het oosten stroomde, een bocht naar het westen maakte maar uiteindelijk naar het noorden draaide'? De paardenman kende de route, zo had men Karagjozi verzekerd. Aanvankelijk liepen we door een vallei, tot zover klopte het. Maar algauw werd het terrein heuvelachtig. Dat bracht ons in verwarring, want waar was de snelle rivier die voortdurend een andere kant op stroomde? Aan de voet van een berg waarop vaag de contouren van een ruïne zichtbaar waren – volgens de kaart die van de nog niet opgegraven stad Antigone – leek de weg zich te splitsen.

De professor wist zeker dat we linksaf moesten, de paardenman was met even grote zekerheid overtuigd van het tegendeel. De een verdedigde zijn standpunt met verve, de ander ook. Karagjozi gleed in het vuur van zijn betoog van zijn paard af. Nu hij met beide benen op de grond stond kon hij zich beter concentreren. Wat volgde was, zo te horen, een heen-en-weer gekaats van Albanese krachttermen.

'Wat zegt hij?' riep ik af en toe naar Karagjozi.

Maar hij legde me het zwijgen op met een: 'Let me handle this.'

Ik steeg af en ging in het gras zitten, in fatalistische afwachting. Uit het niets verscheen een jonge politieman. Kwam hij uit het dichtstbijzijnde gehucht, omdat ze de zaak toch niet vertrouwden? Ook hij zag algauw in dat je er het beste bij kon gaan zitten. Karagjozi zwaaide met zijn honkbalpet, die hem te paard een martiaal voorkomen had gegeven, vervaarlijk naar het westen, terwijl de paardenman, die vanwege de grauwe hemel een paraplu had meegenomen, daarmee steeds naar het oosten prikte.

Ik heb een foto gemaakt op het moment dat de onenigheid losbarstte. Je ziet Daniël tussen de twee partijen in staan met een ongelovige lach op zijn gezicht, nog niet bevroedend dat het lachen hem snel zou vergaan.

Wanneer Albanese mannen het oneens zijn schreeuwen ze tegen elkaar, begrepen we. Ze doen hun best hun stem masculien te laten klinken, kijken elkaar beurtelings woest en minachtend aan, vol vertwijfeling over de stomheid van de ander, lopen boos weg en komen dan weer terug. Een oude traditie van wederzijdse intimidatie die nog niet zo langgeleden met de dolk beslecht werd, of met de overgave van een der partijen.

Nu was het de professor die boos wegliep – maar dan zonder terug te komen. 'Follow me...!' riep hij ons over zijn schouder gebiedend toe. Maar wij vouwden de kaart uit en probeerden opnieuw jullie route te traceren. Het kwam ons voor dat de paardenman gelijk had en dat we naar rechts de bergen in moesten, om vervolgens noordwaarts af te buigen in de richting van Qesarat, het dorp waar we zouden overnachten.

De gestalte van de professor werd steeds minusculer. Hij beende stevig door, gevolgd door de onzekere politieman.

'Follow me...' vingen we nog eenmaal op, maar we lieten hem met een gerust hart gaan, hij was in goed gezelschap. Graag waren we naar Antigone geklommen, maar er was geen tijd voor. Het was te onzeker hoe lang we over het traject zouden doen. We klauterden op de paarden en sloegen een breed pad in dat iets verderop langs een riviertje liep. De door Hobhouse vermelde rivier? Ook hier was een bosbrand geweest. 'De herders steken het aan,' zei Daniël, 'ze denken dat het goed is voor de grond.'

Paardrijden is beslist van een hogere orde dan wandelen. De voetganger, lopend op zware bergschoenen die de naam dragen van beruchte pieken, is genoodzaakt voortdurend de toestand van het pad in het oog te houden. Een losse kei, een verkeerd ingeschatte sprong, een glibberige helling – vanaf de bodem van een ravijn is het uitzicht veel minder. De tweede dag al komt de spierpijn in zijn kuiten opzetten van al het stijgen en doen zijn buikspieren pijn van het dalen.

Hoe anders is de situatie te paard. Je hoeft alleen maar te zitten. Het is precies de juiste hoogte om, in alle rust, het omringende panorama in je op te nemen. Je schommelt door het landschap, de toestand van het pad overlatend aan het paard dat elk hoefje zorgvuldig plaatst. Dit zitten op de warme rug van een levend wezen, in de geschiedenis van de mensheid lange tijd de enige manier om zich te verplaatsen, kwam me vertrouwd voor. Het zou me niet verbazen als er, ergens in onze hersenschors, nog een rudiment is uit de tijd van verre, over de steppen dravende voorouders.

Had ik voordeel van de lessen in Engelse draf en galop, langgeleden in een Brabants dennenbos? Nauwelijks, want het ging hoefje voor hoefje. Maar één keer, op een graslandje bij een beek, kwam er een zekere uitgelatenheid over het paard en ontstak het in een onhandig drafje. Ik werd heen en weer geworpen in het houten pakzadel dat bedoeld was voor het vervoer van jutezakken en gevlochten manden. Dit was een berg-, geen renpaard. Een paard met poten in plaats van benen. Een paard waar je niet van af moest vallen, dat was alles. Maar lief! De zachte blonde manen, de kloppende spier in haar nek, de gedweeheid waarmee het gevolg gaf aan een klein rukje aan de teugels, de vanzelfsprekendheid waarmee het over mijn veiligheid waakte. Ze zeggen dat een paard van voren niet weet dat het van achteren ook bestaat. Dat is een fabeltje. Mijn paard wist heel goed waar zij en ik begonnen en eindigden.

Het was verontrustend dat de weg en de rivier ineens naar rechts bogen, terwijl wij links omhoog moesten om de goede richting aan te houden. Het pad hield op. We baanden ons een weg tussen doornige struiken en laag overhangende takken – ik moest voortdurend stoppen om mijn haar eruit los te peuteren.

Daniël kreeg het uit ongerustheid over de te volgen route op zijn heupen en verdween uit het zicht. Voor me, op het paard met de bagage, reed nu alleen nog de paardenman, op zijn rug hing zijn zwarte paraplu als een vleermuis aan de kraag van zijn jasje. Af en toe hield hij zijn paard in om me een wormstekig appeltje of een beschimmelde walnoot toe te steken. Hij zei er dingen bij die ik niet begreep, vergezeld van gebaren die in elk land een andere betekenis hebben. Zo drukte hij met zijn middelvinger op een plek recht onder zijn oog, dan onder zijn andere oog, me daarbij strak aankijkend. Of hij wees met zijn hand halverwege zijn dijbeen. Betekende het: de anderen zijn gek, laat ze maar? Of was het een oneerbaar voorstel? De opmerking van Daniël, dat hij waarschijnlijk een Vlach was, kwam in een obscuur licht te staan. Wat was dat toch, een Vlach? Hij had een stoppelveld op kin en wangen. Ik schatte hem een jaar of vijftig, maar hij kon ook veel jonger of ouder zijn – wat was de invloed van de prikkelende Albanese berglucht op het uiterlijk? Hij deed alsof we samen een geheim hadden. Dat beviel me helemaal niet. Met een strak gezicht beduidde ik, op mijn horloge tikkend: geen flauwekul, we moeten opschieten. 'De professor...?' vroeg hij. De professor, knikte ik.

Was hij beledigd? Onverwacht schoot hij voor me uit, Daniël achterna, wiens silhouet in de verte weer was opgerezen. Plotseling leek hij er behagen in te scheppen Daniël met een rauwe commandotoon op te jagen, naar links, naar rechts. Die werd daar erg zenuwachtig van en bleef in takken en doornen hangen met zijn kleren. Aan wat voor idioot waren we overgeleverd? Een gids die geen gids was, een paardenman die geen paardenman was? Hij had geen notie van de route die we moesten volgen, dat was duidelijk. 'Don't shout at me,' schreeuwde Daniël. Hij werd al een echte Albanees.

De helling werd steeds steiler, het leek of de aarde zich onder me vandaan dreigde terug te trekken. Rechts van ons, in een gapende diepte, kronkelde het riviertje dat ons enige oriëntatiepunt was. Een lichte twijfel aan de onfeilbaarheid van mijn brave merrie besloop me. Af en toe schraapten haar hoeven langs een rots, je voelde hoe ieder spiertje in haar lichaam een nieuwe balans zocht. Ik zat klaar om te springen. Op de gevaarlijkste punten bleef ze staan om met doodsverachting een smakelijk kruid te verorberen. De paardenman had me een twijg gegeven om haar te slaan, maar die zou ik nog eerder als tandenstoker gebruiken dan als zweep.

Terwijl het paard met kleine rukjes iets groens naar binnen werkte keek ik om. We hadden een flinke hoogte bereikt, achter onze rug was het decor veranderd. De Grote Regisseur had met een lichtblauwe penseelstreek in de diepte een meer aangebracht, nog lager met groen het dal van de Drino en daarachter in wazig grijsblauw de bergen aan de overkant. De wolken had hij opzijgeschoven opdat de angstwekkend snel dalende namiddagzon over de plooien in de bergen kon strijken. De contouren van Antigone staken scherp af tegen de lucht om publiek te lokken voor de Reien, die bij het vallen van de duisternis een hemels gezang zouden aanheffen.

Je schreef in een brief aan je vriend Henry Drury: 'Van Albanië heb ik meer gezien dan enig Engelsman [...] want het land wordt zelden bezocht vanwege de bloeddorstige aard van de bewoners, hoewel het meer natuurschoon bezit dan de klassieke streken van Griekenland, die echter nog steeds uiterst mooi zijn, vooral Delphi, en Kaap Colonna in Attica. Toch zijn die niets vergeleken bij streken in Illyrië, en Epiros, waar plaatsen zonder namen en rivieren die nog niet in kaart zijn gebracht op een dag als ze beter bekend zijn mogelijk met recht hoogstaander onderwerpen worden geacht voor de pen en het potlood dan de droge sloot Ilisos en de moerassen van Boeotië.'

Je had gelijk, dit landschap was een 'hoogstaand onderwerp voor de pen'. Toch was de schoonheid ervan moeilijk in woorden te vangen. Daarom maakte ik een foto, een alternatief dat jij nog niet tot je beschikking had voor als woorden tekortschoten. Hoewel ik scheef en half achterstevoren op mijn paard hing, ontpopte deze momentopname zich later tot een van de mooiste foto's die ik ooit gemaakt heb. Dat de fotografe verdwaald was en een onbetrouwbare maag had is onzichtbaar, hoewel indirect misschien terug te vinden in de Rembrandteske lichtval – een groot contrast tussen licht en donker.

Onverwacht liet de paardenman zijn stem opklinken. Hij riep de professor en er kwam zowaar antwoord. Maar waarvandaan? Door het echo-effect tussen de bergwanden leek het uit alle windstreken tegelijk te komen. Was Karagjozi als God alomtegenwoordig geworden? De paardenman keek me met opgetrokken wenkbrauwen aan, zijn paraplu in de richting van Antigone stekend. Wat hem betrof kwam de stem van de professor daarvandaan, waarom niet eens een kijkje gaan nemen? Ik schudde mijn hoofd, op de zon wijzend. Het zou absurd zijn terug te gaan, nog verder omhoog, om te zien of het werkelijk de professor was die riep.

We zwoegden verder totdat we op een soort pad stuitten. Hét pad? We wisten het niet meer, het enige wat we wilden was voor donker thuis zijn. De paardenman was nog steeds buitengewoon inventief in het scheppen van verwarring. Nu bleef hij voortdurend staan om de professor te roepen. Misschien werd hij door twijfel beslopen over de vraag wie van ons nu eigenlijk zijn opdrachtgever, of broodheer, was. Weer klonk de stem, veel dichterbij ineens. Er was geen twijfel meer aan, het was die van de professor. We doorkruisten een veld met hoopjes keien, op onderling gelijke afstanden van elkaar opeengestapeld. Een magisch veld waar bij volle maan Illyrische riten werden bedreven? Aan de overkant wachtte Karagjozi ons op, bars tegen de lage zon in kijkend.

'Thies is the wurst day of my hool life,' zei hij, naar zijn hartstreek grijpend. In geen vijftien jaar had hij zijn harttabletten nodig gehad, maar nu had hij er toch een moeten nemen. 'Why did you follow him, not me?' vroeg hij met ingehouden woede.

Omdat we in de veronderstelling verkeerden dat we rechts om Antigone heen moesten, zeiden we schuchter.

'Ik had de goede weg,' zei Karagjozi, 'en ik ben ook nog in Antigone geweest. Al een eeuwigheid sta ik hier op jullie te wachten. Die idioot weet niets. Hij is ontslagen, ik wil hem nooit meer zien.'

Later, toen we de kaarten er nog eens op nakeken, begrepen we dat we beiden van de juiste route waren afgedwaald. Jullie zijn langer in de vlakte gebleven en later dan wij de bergen in gegaan, links om Antigone heen, waarvan jullie het bestaan vermoedden: 'Volgens dr. Pouqueville is het [de Drinos] de oude Celydnus, en misschien een zijrivier daarvan. Vanuit die veronderstelling zou de reiziger geneigd kunnen zijn uit te kijken naar overblijfselen van Hadrianopolis, An(m)antia en Antigonia, steden die bloeiden onder de Romeinen, ergens in de streek die bevloeid wordt door de Celydnus.'

Onze zonden overpeinzend reden we door een holle weg met knoestige bomen aan weerszijden. Dit was jouw pad, dat voelde je meteen. Hier vielen we weer samen, eensgezind naderden we Qesarat. Koperkleurig licht bestreek het landschap. Voor ons, op een kruising van wegen bij de ingang van het dorp, raakte professor Karagjozi in gesprek met enkele dorpsbewoners en twee agenten, die vanuit het hoofdkwartier gestuurd waren om te controleren of de vreemdelingen de tocht door niemandsland hadden overleefd. De agenten leken zoveel op elkaar dat ik dacht: ik zie dubbel van moeheid.

Een knappe jongeman – eentje die jij beslist als page in dienst zou hebben genomen – klampte ons aan. Zijn voet was gebroken en zat in het gips, op zijn zwarte T-shirt stond een grote gevleugelde A afgebeeld. De A van Antigone? Van Albanië?

'Wat vindt u van mijn land?' vroeg hij in verrassend goed Engels.

'Prachtig,' zei ik verbluft, 'de natuur is indrukwekkend.'

'Zo prachtig is het niet,' wierp hij tegen. 'We zijn vreselijk arm.'

'Jullie hebben toch een rijke bodem. Jullie zouden de landbouw kunnen ontwikkelen en het toerisme,' opperde ik. Het had iets hautains, zo vanaf het paard met hem te spreken.

'Nee, nee,' hij wees alles af, 'er is geen enkele hoop hier iets te kunnen beginnen, alles is hier even onmogelijk.'

De professor voelde zich geroepen de jongen vaderlijk toe te spreken: 'Albanië is een rijk land,' verklaarde hij met een zekere trots, 'rijk aan mogelijkheden, mits de mensen ze weten te benutten, initiatief ontplooien.' Breed gebarend schilderde hij de potentiële mogelijkheden, waarvan de strekking was: als de mensen maar wilden. Hij nam zijn honkbalpet af om zich het zweet van het voorhoofd te wissen. Wat een beproevingen op één dag. Nu moest hij ook nog de jongere generatie bemoedigend toespreken.

De jongen schudde almaar van nee. Hij werkte in Griekenland. Helaas had hij zijn voet gebroken en was hij tijdelijk uitgeschakeld, maar na de genezing ging hij zo snel mogelijk terug. Karagjozi beschuldigde hem van escapisme: hier moest iets opgebouwd worden. Wat moest er van Albanië terechtkomen als de jongeren het land verlieten? 'Please,' onderbrak de jongen hem geërgerd, 'I am talking to the lady.'

Kon ik niet een keer terugkomen, vroeg hij me, de professor de rug toekerend. Hij wilde me graag een eeuwenoude kerk laten zien en een grot – dit was een bijzonder dorp. 'Ik heet Alexander,' zei hij fier, 'zoals Alexander de Grote.' Ah, de A van Alexander!

'Mirupafshim!' klonk het om ons heen. Ik had al die tijd in de aangename veronderstelling verkeerd dat we ons doel hadden bereikt, maar nee, dit was Saraqinishtë pas. Een verschrikkelijke moeheid overviel me. Nog verder? Dat kon toch niet waar zijn. Met vage beloftes nam ik afscheid van de gevleugelde A.

Enkele dorpelingen die beter ter been waren dan hij begeleidden ons een stukje, maar keerden om toen er een diepe kloof voor ons gaapte met bijzonder steile hellingen. Moesten we hier dwars doorheen? Ja. Jij had dat ook gedaan, dit was exact het traject dat jullie gevolgd hadden, daar was iedereen het voor de afwisseling over eens. En ja, met schrik herinnerde ik me de betreffende passage in het verslag van Hobhouse: 'Het was al erg laat voordat we de reis hervatten, zodat het, nadat we een uur in de heuvels waren geweest, donker werd. We namen 't verkeerde pad, de paarden die de bagage droegen dreigden te vallen, en toen we halverwege de berghelling waren, moesten we stoppen in het bos, waar we in de war raakten. We wisten niet meer waar we ons bevonden. Twee of drie van ons echter, besloten naar 't eerste dorp te gaan en een gids te zoeken. Want we waren een tijdje langs onregelmatige steiltes omhoog en omlaag gegaan, zonder dichter bij ons doel te komen.'

Ik hield mijn adem in en keek naar beneden. De kloof was idyllisch begroeid met pruikenbomen en waar geitenpaadjes tussendoor kronkelden. Mooi waren ze wel, de rode hellingen, maar onder deze omstandigheden had het iets van een afdaling in het vagevuur. Het was er zo steil dat we genoodzaakt waren af te stijgen, de paardenman ontfermde zich over onze rijdieren.

Ik ging als eerste naar beneden, bezeten van maar één gedachte: voordat het donker werd de overkant bereiken. Nu de zon achter de bergen verdwenen was verloor alles snel kleur. Eerst werden mensen, dieren en dingen grijs en dan zo zwart dat je ze niet meer van elkaar zou kunnen onderscheiden. Ik zou hulpeloos rondtasten in een ondoordringbare, verstikkende duisternis.

Daarom schoot ik als een haas voor de anderen uit de kloof in – hier en daar gleed ik met gruis en rollende stenen vanzelf naar beneden. Achter me hoorde ik de paarden hijgen van inspanning – 'de paarden die de bagage droegen dreigden te vallen'. Als de nacht ons onder in de kloof overvalt, bedacht ik buiten adem, kunnen we geen voet meer verzetten. Bij iedere stap op smalle rotsrichels heb je licht nodig. Dan zitten we met zijn allen lelijk gevangen – een explosief gezelschap vol smeulende wederzijdse verwijten die opvonken in de duisternis. Ik kan zelfs mijn contactlenzen niet uitdoen, want het houdertje en de bewaarvloeistof zijn grondig opgeborgen in de allerdiepste regionen van de rugzak, die met duizend knopen op de rug van het paard gegord is. Dan moet ik de hele nacht mijn ogen openhouden, zonder iets te zien.

Zo maalde ik, terwijl ik me zwetend een weg baande door het pruikenbomenbos. Dat jullie daar verdwaald waren troostte me niet. Je moest de analogie niet overdrijven. Als je daarmee begon, wist ik er nog wel een: 'Op het midden van onze levensweg bevond ik me in een donker woud, omdat ik van de rechte weg was afgedwaald. Ach, hoe moeilijk is het onder woorden te brengen hoe woest en ruw en onbegaanbaar dat woud was...' Het midden van mijn levensweg was ik al gepasseerd. Misschien was het einde zelfs nabij, ik zou niet de eerste reiziger zijn van wie nooit meer iets vernomen werd.

Voor me doemde een bergwand op. De overkant van het dal had ik bereikt, nu nog omhoog. Een nauwelijks zichtbaar pad (of was het geen pad?) schemerde tussen de rotsen. Me optrekkend aan struiken en uitstekende rotspunten begon ik omhoog te klauteren. Mijn hart klopte in mijn slapen, de maagpijn kwam in alle hevigheid terug. Bergen op een landkaart zijn anders dan bergen in het echt. Uitgevouwen op tafel zien ze er bedrieglijk onschuldig uit – fijne arceringen in een donkerder tint, ernaast de naam in letters, de hoogte in cijfers. In de werkelijkheid zijn ze een monstrueuze stenen uitstulping van de aarde, al of niet van vulkanische oorsprong. Bij het ontstaan werd geen rekening gehouden met eventuele begaanbaarheid. De berg is onwrikbaar. Hij geeft niet mee. Het laat hem koud of je van hem af valt. Jij bent sterfelijk, hij niet. De arrogante onverschilligheid van de berg die ik aan het beklimmen was voelde ik bij elke meter die ik steeg.

Op het moment dat ik boven aankwam was de duisternis in de kloof compleet. Had ik er vijf minuten langer over gedaan dan had een lange arm me terug de Hades in getrokken.

Hierboven was de nacht ook gevallen, maar je zag toch nog de contouren van huizen en bomen. Onder me hoorde ik aan het rollen van steentjes dat de anderen naderden. Met in mijn hoofd alleen nog het droombeeld van een opgemaakt bed met gladde lakens strompelde ik zonder op hen te wachten het dorp in. Een donkere gestalte passeerde zwijgend met een kudde schapen. Ik drukte me tegen de muur om ruimte te maken voor de loom schommelende kudde – er ging iets geruststellends van uit.

Ik kwam langs een huis waarvan de tuin een stuk boven de weg lag. Een paar kinderen, die nog buiten speelden, zagen me langsschuifelen en ontstaken in een snerpend gegil. Huilend renden ze het huis in om hun vader en hun grote broer te halen. Die kwamen razend en tierend door de tuin op me af rennen. Maak dat je wegkomt, donder op, hoe haal je het in je hoofd onze kinderen angst aan te jagen – zo interpreteerde ik het lawaai dat uit hun mond kwam. Ik maakte me haastig uit de voeten, terug naar waar ik vandaan gekomen was. Geschrokken, maar ook verontwaardigd – ik herinnerde me niet dat er ooit iemand bang voor me was geweest. Het ontbrak er nog aan dat ze met stenen waren gaan gooien. Hun krachttermen klonken als een zich verwijderend onweer op de achtergrond. Maar uit de tegenovergestelde richting kwam nu ook het geluid van stemmen. Werd daar mijn naam geroepen?

Daar waren de anderen, dank aan de goden. Ook zij waren kwaad, ze riepen al een tijd vergeefs mijn naam. Ik trilde op mijn benen, van schrik, boosheid en moeheid. Als drenkelingen trokken we langs een ander pad gezamenlijk het dorp binnen. Ik vertelde Karagjozi wat me zo-even was overkomen. Hij toonde niet de minste verbazing.

'Ze denken dat je het boze oog hebt,' zei hij laconiek. 'Omdat je een wildvreemde bent, met licht haar en lichte ogen, die in het donker vanuit het niets opdaagt.'

Het boze oog? Een afgezant van de duivel? Was ik in oude tijden misschien gelyncht? Dit was te veel eer. Ik barstte in lachen uit – was ik gek aan het worden?

'Wat valt er te lachen,' zei de professor verstoord. 'Ik vind het behoorlijk achterlijk.'

Ons pad kwam uit bij een gebouw dat, voorzover zichtbaar in het donker, in vergevorderde staat van verval verkeerde. Ervoor lag een oude auto op zijn zij. In het licht van de koplampen van een andere aftandse auto duwde de opgeschoten dorpsjeugd de auto heen en weer tot hij op vier wielen stond, waarna ze er triomfantelijk op gingen dansen. Omdat er nergens in de dorpen straatverlichting was, en de huizen verduisterd leken als in oorlogstijd, bood het geheel een sinistere aanblik. Terwijl we van een afstand het tafereel gadesloegen verzamelden zich steeds meer nieuwsgierige mannen (altijd mannen) om ons heen, zichtbaar aan het gloeiende uiteinde van hun sigaret. Iemand werd eropuit gestuurd om onze gastheer te zoeken en kwam kort daarna terug met het bericht dat die wegens ziekte verhinderd was ons te ontvangen.

Nee toch! Dit kon er niet meer bij. Mijn maag antwoordde onmiddellijk op dit bericht. Ik ging erbij op een rotsblok zitten. 'Don't worry,' zei de professor. 'Let me handle this.' Boven mijn hoofd werd overlegd in een knoestige taal. Het leek uren te duren. Iedereen bemoeide zich ermee en niemand had haast. Wat werd er bekokstoofd? Moesten we in het hooi slapen, uitgerekend hier, waar ik voor een handlanger van de duivel werd aangezien? Er rustte geen zegen op dit dorp. Aan de overkant van de vallei zag ik, verlokkend, de lichten van Gjirokastër. Een schone hotelkamer, met een bed en een bad, helemaal voor mij alleen – ogenschijnlijk dichtbij, maar onbereikbaar.

Ik trok Karagjozi aan zijn mouw: 'Waarom nemen we niet een taxi naar Gjirokastër en slapen gewoon een nacht in een hotel, na een dag als deze?'

'No no,' wimpelde hij mijn voorstel af. 'I'll handle this, don't worry.'

Betere argumenten waren vereist, anders stonden we hier om middernacht nog.

'Luister,' drong ik aan, overeind komend. 'Ik moet naar een apotheek, ik heb een medicijn nodig voor mijn maag. De pijn wordt langzaam onhoudbaar.'

Hij aarzelde. De dorpelingen praatten maar door, voor hen waren we het evenement van de avond.

'Okay, okay, we do that,' zei de professor ineens. Het klonk zelfs alsof hij opgelucht was.

Weer werd er overlegd. Iemand had een auto en kon ons brengen, mits we het over de prijs eens konden worden. Die was niet kinderachtig, maar we waren toegeeflijk – als we maar wegkwamen uit dit onzalige dorp. Er verschenen weer twee politieagenten. Hoe? Ik zal het nooit weten. Zonder auto in ieder geval, want ze reden graag met ons mee naar Gjirokastër.

Nu moesten we ons nog van de paardenman ontdoen. Karagjozi had hartgrondig genoeg van hem. Hij wilde de man nooit meer – *in my hool life* – zien. Over geld was tot nu toe niet gesproken. Omdat de burgemeester hem had aanbevolen was de professor er blindelings van uitgegaan dat de prijs schappelijk zou zijn.

Van het ene moment op het andere veranderde de knoestige taal boven mijn hoofd in het geloei van roestige kanonnen. De professor en de paardenman vlogen elkaar bijna aan en iedereen bemoeide zich ermee.

'What is the problem?' riep ik.

Ik had het kunnen weten. 'Let me handle this,' riep hij me toe vanuit het strijdgewoel.

Kreunend zeeg ik terug op mijn steen.

Ik geloof dat alle dorpsbewoners een mening hadden over

het geschil. De een na de ander verhief zijn stem, dreigend of verongelijkt. Ik weet niet op wiens hand ze waren. Het was een groot kluwen donkere gestalten, uitdijend en inkrimpend, een reusachtige octopus.

'Waar gaat het toch om?' riep ik steeds omhoog. Toen mijn vraag zomaar in een korte stilte plonsde, kreeg ik antwoord.

'Money,' riep de professor schor. 'De man vraagt een belachelijk bedrag.'

'Hoeveel dan?' drong ik aan, maar er werd alweer geduwd en geschreeuwd. Was dit pas mijn tweede avond in Albanië? Een gevoel van machteloosheid, van handelingsonbekwaamheid, nam geleidelijk bezit van me. Was dit misschien het Albanese levensgevoel, dat op me was overgeslagen? Of dat van de vrouwen hier: geduldig afwachten wat er voor je beslist werd?

'Hoeveel dan?' bleef ik zwakjes roepen.

In een adempauze kreeg ik antwoord. 'Vierhonderd dollar.'

Mijn mond viel open. Voor dat bedrag, wist ik, moest de professor drie maanden college geven. Ik hoorde Daniël honend lachen op de achtergrond. Wat haalde de stoppelbaard met de rotte appeltjes zich in zijn hoofd? Dat hij de sprookjesopdracht van zijn leven in de wacht had gesleept? Bedreef hij een moderne variant van struikroverij? Speelde hij in op het schuldgevoel van de rijke westerling? Wist hij niet dat velen in het westen een halve maand moesten rondkomen van dat bedrag? Was het een afkoopsom omdat de professor 'never wanted to see him again in his hool life'? Of was hij niet van deze wereld; vond hij gewoon dat het bedrag mooi klonk? Was het overmoed of stupiditeit? Ik neigde tot het laatste. In dat geval had het geen zin met hem te argumenteren.

'Laten we er morgenochtend verder over praten,' riep ik, overeind komend, 'en nu vertrekken.'

Karagjozi, waarschijnlijk een mentale uitputting nabij, knikte. De auto die ons uit dit naargeestige dorp zou wegvoeren stond al enige tijd met verlokkend brandende koplampen te wachten. De professor gaf opdracht de bagage van de paarden te halen en in de auto te laden. Er ontbrandde weer een nieuw gekrakeel. De paardenman dacht dat we ertussenuit knepen zonder te betalen. Ik zocht mijn steen, maar vond hem niet meer.

Van dit dorp had ik me op basis van de berichtgeving van Hobhouse iets heel anders voorgesteld: 'Om ons niet weer in een ander avontuur te storten vonden we voor 7 uur allen onderdak, nadat we 5 uur gereisd hadden vanaf Libokavo – een afstand van niet meer dan 9 mijl. Al toen we het dorp in kwamen werden we aangenaam verrast door een keurige, comfortabele cottage, waar we hartelijk ontvangen werden door een Albanese landheer, die persoonlijk bevriend bleek te zijn met de Signor Secretaris. De naam van het dorp was Cesarades, op enkele huizen na alleen bewoond door Christenen. Alles was hier van heel andere aard dan het in de Griekse dorpen was. We ondervonden veel vriendelijkheid en aandacht van onze gastheer. [...] Het was comfortabel, en we hadden er de beste nacht sinds ons vertrek uit Jannina.'

Er kwam geen eind aan het strijdgewoel, het was als een natuurkracht waar de mens hulpeloos tegenover stond.

'Laten we gewoon gaan.' Mijn stem kwam er nauwelijks bovenuit. Demonstratief opende ik een van de portieren.

'Ja...' zuchtte Karagjozi, zich losmakend uit het kluwen, 'we vertrekken.'

'Waar slaapt hij vannacht?' Ik wees op onze kwelgeest.

Karagjozi haalde zijn schouders op. 'Die? Die redt zich wel.'

De auto kwam hotsend in beweging, achtervolgd door een brullende paardenman. Het rode schijnsel van onze achterlichten bescheen zijn wanhopige kop – hij begreep er niets meer van.

Ik werd overvallen door een lastig en misplaatst sentiment, medelijden. 'Wacht... wacht even...' beduidde ik de chauffeur. Hij stopte, ik draaide mijn raampje open. Meteen verscheen daar het verwilderde hoofd van onze achtervolger. Ik greep zijn hand. 'We komen terug, morgen!' Ik wist niets beters te verzinnen dan een dollarbiljet tevoorschijn te trekken om hem te laten zien dat hij wel degelijk betaald zou worden voor zijn diensten: 'Morgen!' Hij kalmeerde enigszins. De chauffeur gaf gas en we verdwenen in de nacht, over een zandpad vol kuilen. De politie zat voorin, wij drieën zwijgend achterin. Ik dacht nergens meer aan. Afwachting was ik geworden, tot deze dag zou eindigen. We reden door in duisternis gehulde dorpen, onze koplampen belichtten mannen die bij elkaar zaten voor de poort van een huis. Met een grote boog staken we daarna de vallei over, dwars door een droge rivierbedding.

Ergens aan het einde der tijden reden we Gjirokastër binnen. Een van de agenten wist een goed hotel. 'Het moet wel goedkoop zijn,' zei Daniël. 'Ik voel er niets voor me te laten afzetten. Ze schijnen hier te denken dat alle buitenlanders bulken van het geld.'

Ten prooi aan visioenen van comfortabele bedden en schuimende badkuipen was ik, in stilte, bereid elke prijs te betalen. We stopten bij een veelbelovend, modern hotel met een helverlicht restaurant. Dat elektrisch licht zo verwelkomend kon zijn. Iemand stapte uit om naar de prijs te informeren. Hij was in een ommezien terug. Alles vol, beduidde hij. Hoeveel kon een mens op een dag verdragen?

Meer dan hij dacht, want het ging gewoon verder.

'Listen,' zei Karagjozi, 'ik heb hier een nicht, een weduwe, die in een heel goed huis woont met een prachtige badkamer – een West-Europese badkamer. Zal ik haar bellen?'

'Ik wil niemand tot last zijn,' zei ik zonder veel overtuigingskracht.

Dat bezwaar wegwimpelend stapte hij uit om ergens op te bellen. Daniël en ik wachtten apathisch, ohne Wörter, murw van de gebeurtenissen. Het duurde niet lang of de professor kwam terug. Zijn kwieke tred verraadde goed nieuws – hij moest over geheime energievoorraden beschikken. Ja, we konden bij zijn nicht terecht.

'Het was een vreemde stad die als een voorhistorisch wezen plotseling op een winternacht in het dal leek te zijn opgedoken en moeizaam tegen de helling van de berg omhoog was gekropen. Alles in de stad was oud en van steen, de straten, de fonteinen, maar ook de daken van de grote, eeuwenoude huizen, bedekt met platen van grijze steen die op reusachtige schubben leken. Het was bijna onvoorstelbaar dat zich onder dit harde pantser het tere vlees van het leven bevond, en dat het zich er vermenigvuldigde.

De reiziger die de stad voor het eerst zag, wilde haar met andere vergelijken, maar algauw zag hij in dat hij in een val liep, want elke vergelijking was onmogelijk. De stad leek op niets anders.' Zo beschrijft Ismail Kadare, de beroemdste Albanese schrijver, zijn geboorteplaats in de roman *Kroniek van de stenen stad*.

We reden omhoog over steile, met keien geplaveide straten tussen dicht opeenstaande huizen. De auto manoeuvreerde een zijweg in en stopte – het laatste stuk moesten we te voet afleggen. De nicht stond al op wacht, in het zwart, vriendelijk, lijdzaam en zeer bleek. We gingen een onberispelijk, stads huis binnen. Bij onze binnenkomst in de huiskamer werd de televisie aangezet. Net als bij de burgemeester van Libohovë domineerde hier een enorm wandmeubel, waarin kopjes en glazen op mathematisch exact dezelfde afstand van elkaar stonden. De muren waren kaal, op de foto van een kleinkind na. In het midden aan het plafond hing een lamp die een klinisch wit licht verspreidde waardoor de weduwe nog bleker werd.

Karagjozi en Daniël aten, het bord op schoot, een geïmproviseerde warme maaltijd. Ik deed boete voor mijn gulzigheid van de vorige avond en had alleen om wat brood gevraagd. Met de handen over elkaar keek de weduwe toe. Het lag nu op mijn weg, voelde ik, naar de familie te informeren.

Was het al langgeleden dat haar man overleed?

'Twee jaar,' knikte ze treurig.

Had ze kinderen?

Lijvige fotoalbums werden op mijn knieën gelegd, vol plaatjes van de bruiloft van haar dochter waar hij ook nog op stond. De professor kneep ertussenuit in de richting van de badkamer. Ik viel bijna van de bank van moeheid. Mijn probleem is dat ik vriendelijk en geïnteresseerd blijf tot de dood erop volgt – in mijn rigor mortis zal ik nog beleefd glimlachen. Wat had Karagjozi toch lang werk.

De oudste zoon kwam thuis. Na een korte groet viel hij neer op de bank, greep de afstandsbediening en begon te zappen. Een moderne jongen, het tegendeel van de Albanezen die we op het bergpad ontmoetten en wier belangstelling voor ons wel en wee geen grenzen kende.

Eindelijk was ik aan de beurt, in de badkamer die de zonen hun moeder geschonken hadden, wist ik van de professor, als troost voor het verlies van haar man. 'Een voor Albanië unieke badkamer,' volgens hem, 'ik zal me mijn hele leven niet zoiets kunnen veroorloven.' Het vertrek was klein, maar voorzien van degelijk sanitair van on-Albanese kwaliteit. Er was alleen ruimte voor een zitbad – ik frommelde mezelf erin. Ah, dat gaf verlichting voor de maag. Zo zat ik enige tijd, met mijn kin op mijn knieën en peinsde over de kwetsbaarheid van het menselijk lichaam. Hoe vaak had ik de twintigste eeuw niet vervloekt en terugverlangd naar een primitiever verleden dat me kleurrijker en authentieker voorkwam. Maar nu zat ik hier, omhuld door warme dampen, vol dankbaarheid jegens het vierwielig motorvoertuig dat ons dwars door een rivierbedding naar het moderne comfort had teruggebracht. Wel was ik een deserteur. Ik was weggevlucht uit mijn eigen reis, ik was niet in jullie spoor gebleven. Maar ik suste mijn geweten met het argument dat jullie, als de omstandigheden het hadden toegelaten, beslist ook naar Gjirokastër waren gereden. Hobhouse vond het jammer dat dit onmogelijk was: 'Maar ik betreur het dat de situatie waarin het land verkeert, en onze positie als vrienden van Ali, ons niet toestonden de stad te bezoeken, en zelf kennis van zaken te krijgen.'

De situatie waarop hij doelt beschreef hij kort daarvoor: 'Over Argyro-Castro, dat 9 mijl naar het westen heel goed zichtbaar is, kwam ik te weten dat deze stad 20.000 inwoners zou hebben, voornamelijk Turks, en de hoofdstad is van een Pashalik waartoe twee geërfde gebieden behoren, en een zeer bevolkt district dat in het oosten en noordoosten grenst aan het land van de Chimerioten. Toen wij er waren viel het niet onder de macht van Ali, maar onder die van Ibrahim, Pasja van Vallona, de prins met wie Ali oorlog voerde.'

11

Ik bevond me in goed gezelschap met mijn maagpijn. Byron leed in Patras aan een zware indigestie; de klysma's en braakmiddelen die hij op aanraden van een door de Engelse consul aanbevolen arts innam werden hem bijna noodlottig. Aan zijn zuster Augusta schreef hij dat hij uiteindelijk zichzelf genezen had met een dieet van rijst en azijn.

Zo kwam mijn rantsoen van bergthee en een beetje brood in een ander daglicht te staan. Byron was al vanaf zijn jeugd gewend aan langdurige periodes van vasten, vooral om zijn neiging tot corpulentie te bestrijden. Op achttienjarige leeftijd woog hij 202 pond, terwijl hij maar een meter zeventig was. Gabriël Matzneff beschrijft scherp en geestig, maar met een ondertoon van bewondering, hoe Byrons silhouet gedurende de zesendertig jaren van zijn leven voortdurend aan uitzetting en inkrimping onderhevig was. Elisabeth Pigot, een goede vriendin van de jonge Byron, noemde hem 'a fat bashful boy'. Matzneff: 'Om bij zijn leeftijdgenoten en bij zichzelf in de smaak te vallen, om zich gemakkelijk te kunnen bewegen en zijn lichaam te transformeren, ging Byron de strijd aan met zijn vetzucht, door de toepassing van hete baden, boksen, schermen, vooral zwemmen en paardrijden, twee sporten waarbij hij zijn gebrek vergat, – en ten slotte door een extreem streng dieet dat hij, behalve wanneer hij een aanval van euforie of angst had, in de gaten bleef houden met onverminderende ijver en waakzaamheid.'

Trots hield hij zijn oude schoolvrienden per post op de hoogte van zijn vorderingen: 'Jullie zullen me niet herkennen!' In de loop van enkele maanden verloor hij dertig kilo, en zowaar, hij werd niet herkend, zelfs niet door de koorknaap John Edleston aan wiens oordeel hij op dat moment misschien wel het meest hechtte. Aan een van zijn vrienden schreef hij, een vroeg voorbeeld van ijdele aandacht voor zijn uiterlijk, dat zijn zwarte haar een kastanjebruine glans had gekregen.

Toen hij in juni 1811 terugkeerde van zijn eerste *Grand Tour* schreef hij zijn moeder dat hij vegetariër geworden was: hij at alleen nog groene groentes, aardappels en biscuits en dronk geen wijn meer. Kort na de verschijning van *Childe Harold* vond er een verzoeningsdiner plaats ter ere van de dichter Thomas Moore, die door Byron in *English Bards and Scottish Reviewers* niet was gespaard. Byron bracht iedereen in verlegenheid door uitsluitend om beschuit en bronwater te vragen, het enige wat niet in huis was. Ten slotte stelde hij zich tevreden met aardappels, die stukgekookt waren in azijn.

Ook later in zijn leven bleef hij zich aangetrokken voelen tot een Spartaanse dagelijkse routine: 's morgens een kop sterke groene thee, zonder melk of suiker, en een rauw geklopt ei; 's middags enkele beschuiten, 's avonds gekookte groente, vergezeld – dat wel – van twee flessen bordeaux. Vlees vond hij 'voer voor boksers'.

Maar hij zou niet de man van tegenstellingen zijn die hij was, wanneer deze zelfopgelegde discipline op gezette tijden niet om haar eigen tegendeel had gesmeekt. Aan Thomas Moore, met wie hij inmiddels bevriend was geraakt, schreef hij in 1814 niet zonder zelfspot dat hij zich als vegetariër ten doel stelde alleen vlees te eten wanneer hij de enige was: 'Ik heb me laatst bijna dood gegeten aan een blinde vink van kalfsvlees [...] ter ere van de Vastentijd.'

Gedurende de eerste twee jaren van zijn verblijf in Venetië, van 1816 tot 1818, ging hij zich niet alleen te buiten aan zinnelijke liefde (de minnaressen kruisten elkaar op de trap van zijn huis) maar ook aan drank en eten. Een Engelse bezoeker sloeg hem gade: 'Hij kon niet ouder zijn dan 30, maar hij leek 40. Zijn gezicht was bleek, opgeblazen, vaal. Hij was erg dik geworden, zijn schouders breed en rond, en de knokkels van zijn hand gingen verloren in vet.' Thomas Moore, die hem in die periode een bezoek bracht, had een subtieler opmerkingsvermogen: 'Hij was dikker geworden, zowel van lichaam als van gezicht, en het laatstgenoemde had het meest geleden onder de verandering – omdat het door het dikker worden van de gelaatstrekken iets verloren had van die verfijnde en spirituele uitstraling die het, in andere tijden, had gekenmerkt.' Maar hij voegt eraan toe: 'Toch was hij nog steeds bijzonder knap; en in ruil voor wat zijn gelaatstrekken misschien verloren hadden van hun zeer romantische karakter, hadden ze meer de uitdrukking gekregen van die schelmse, ondeugende wijsheid, dat epicurische gevoel voor humor...'

Enkele jaren later motiveerde zijn wat duurzamer liefde voor gravin Theresa Guiccoli hem opnieuw tot vasten. Shelley, die hij toen regelmatig ontmoette, schreef in 1821 aan zijn vrouw Mary: 'Hij heeft zijn gezondheid volledig teruggekregen, en hij leidt een leven dat totaal tegenovergesteld is aan dat in Venetië.' Toen een zekere Lady Blessington, die hij in Genua ontmoette, hem aanraadde een wat voedzamer dieet te volgen was zijn commentaar: 'Als ik uw raad zou volgen, zou ik dik en dom worden: de vrijheid van mijn geest, mijn denkkracht hangen af van het dieet dat ik volg.' Niet alleen ijdelheid dreef hem dus, maar ook de overtuiging dat zijn geestkracht en intelligentie leden onder de vetzucht.

Met een zelfopgelegd verbod op drankinname hadden deze diëten niets van doen. 'Goed, ik drink twee flessen wijn bij het diner,' geeft hij toe. 'Desondanks is het een plantaardig dieet.' In 1814 schreef hij aan Thomas Moore: 'Ik ben ook weer begonnen met drinken, en, een keer, heb ik met drie vrienden in de Coco gedronken van zes uur tot vier uur, ja zelfs tot vijf uur in de ochtend. We dronken Bordeaux en Champagne – tot twee uur, daarna soupeerden we, en namen tot besluit een soort punch [...], samengesteld uit Madeira, Brandy en groene thee, waarbij water beslist niet was toegestaan... Kortom, ik ben erg gezond, hoewel men beweert dat ik uiteindelijk mijn gezondheid zal ruïneren met dit dieet.'

Volgens Thomas Medwin, een neef van Shelley, dronk Byron in Italië op doktersvoorschrift een mengsel van alcoholische drank en water als medicijn voor nierstenen, een kwaal waaraan hij in 1812 had geleden. Byron plaagde Medwin graag: 'Medwin, waarom drinkt u niet? Met water versneden jenever is de bron van al mijn inspiratie. Als u zoveel zou drinken als ik, zou u net zulke goede verzen schrijven: geloof me, het is echt een middel van Hippocrates.'

Drank als muze en zelfmedicatie. Waarschijnlijk nam de drank de honger weg; daarbij kauwde hij tabak en rookte hij een pijp met hetzelfde effect. Het liefst at hij alleen, buiten bereik van commentaar op zijn dieet. Soms nam de vastbeslotenheid waarmee hij van voedsel afzag anorexia-achtige proporties aan. In 1813 schreef hij in zijn dagboek: 'Ik wou dat ik helemaal kon stoppen met eten.' Er klinkt minachting door voor voedsel in de als een credo klinkende uitspraak: '[...] en ik zal niet de slaaf zijn van enige vorm van eetlust.'

Hij verdroeg het niet wanneer vrouwen in zijn bijzijn iets anders dronken dan champagne en iets anders aten dan zeekreeftsalade, terwijl hij zelf nota bene hoofdpijn kreeg van champagne. Hij leed aan buitensporige dorst. In een nacht kon hij vijftien flessen sodawater drinken; hij beweert dat hij niet eens de tijd nam ze te ontkurken – hij brak gewoon de flessenhals.

Niet alleen zijn afkeer van vetzucht en de angst voor geestelijke versuffing dreven hem tot zijn extreme voedingsgewoonten, zijn hypochondrie was ook een oorzaak. Hij voelde zich vaak onwel, bij het minste of geringste sloeg hij alarm. Nooit reisde hij zonder arts en altijd had hij een indrukwekkende voorraad pillen en drankjes bij zich. Daarbij was hij verslaafd aan laudanum, een pijnstillend en kalmerend middel. Als student in Cambridge al, twee jaar voor zijn grote reis, schreef hij aan een vriend dat hij zich, terwijl hij zijn gedichten uitwerkte, op de been hield met medicinale drankjes en vrouwen: 'De laatste twee soorten afleiding hebben geen goede uitwerking gehad: mijn aandacht is verdeeld tussen zoveel mooie meisjes, en ik slik zulke uiteenlopende medicijnen, dat ik tussen Venus en Esculaap dreig te sterven.'

Van aanleg moet hij ijzersterk zijn geweest. Hij kon urenlang zwemmen in wateren die berucht waren om hun stromingen; hij kon eindeloos paardrijden. Op het gebied van de liefde scheen hij onvermoeibaar, vooral in zijn Venetiaanse jaren. Hij was een nachtbraker. Wanneer de werkdrift hem te pakken kreeg kon hij in korte tijd, bij voorkeur 's nachts, zeer productief zijn. Uit alles komt het beeld van een sanguinisch mens tevoorschijn, vol van een levensdrang die, naarmate zijn leven vorderde, steeds vaker getemperd werd door een minstens zo hevige levensmoeheid – een diepe neerslachtigheid, een ondraaglijk ennui. Zo tuimelde hij voortdurend van euforie in melancholie.

Het is geen wonder dat zijn lichaam deze op- en neergaande beweging volgde. Met zijn diëten en zijn medicijnen, bedoeld om de kwaliteit van zijn leven hoog te houden, maakte hij zichzelf ziek – misschien een onbewuste tegemoetkoming aan zijn levensmoeheid. Hij verschafte zichzelf een chronisch spijsverteringsprobleem – geen wonder bij een dagelijks rantsoen dat zoveel gist en koolzuur bevatte en nauwelijks voe-

dende bestanddelen. Bij een autopsie na zijn dood op zesen-
dertigjarige leeftijd, stelden de artsen vast dat hij de botten
had van een tachtigjarige. Osteoporose, zouden we nu zeggen,
ten gevolge van een ernstig gebrek aan kalk en mineralen. Hij
heeft er flink op los geleefd, was toen de diagnose, en men
huiverde van bewondering.

Waarde vriend, – Een archaïsch geluid, stip-stap stip-stap, drong door tot in mijn slaap. De paardenman! Ik schoot overeind, doorkruiste de kamer en opende het raam. Beneden was een smalle straat, geplaveid met natuursteen in een grijs-wit gestreept motief. Daarover bewoog zich langzaam een rij muildieren. Met gebogen hoofd sjokten ze voorwaarts, omhoog. Twee van hen torsten een ruiter mee – het leek of die ieder moment in slaap konden sukkelen, zo loom en dromend met open ogen lieten ze zich rijden.

Nog een niveau lager, op een plat dak, was een vrouw in een werkschort als een doorknoopjurk, zoals die in alle zuidelijke landen populair zijn, bezig de wol van een schapenhuid te scheren. Ze zag en hoorde niets, zozeer ging ze op in haar werk. Terwijl ik neerkeek op het landschap van daken die bedekt waren met platte stenen in allerlei kleurschakeringen tussen roze, grijs en zandkleur, schoot me een fragment uit *Kroniek van de stenen stad* te binnen: 'Het was waarschijnlijk de enige plaats ter wereld waar je de kans liep om op het dak te belanden als je van de kant van de weg gleed.' En: 'Als je op straat liep kon je, als je je arm wat rekte, op sommige plaatsen je hoed aan de spits van een minaret hangen.'

We ontbeten in de huiskamer, onder het portret van het kleinkind. Ik voelde me verkwikt en was tevreden dat het lot ons naar Gjirokastër gevoerd had, de geboorteplaats van Enver Hoxha, Ismail Kadare en Afrim Karagjozi. De professor werd hier in 1941 geboren, als telg van een oorspronkelijk uit Souli afkomstige familie. Zijn grootvader was grootgrondbezitter geweest. Enorme kuddes schapen begraasden zijn land en hij woonde in een van de grootste huizen van Gjirokastër.

'Een familie die patriotten en intellectuelen voortbracht.' Terwijl Karagjozi dit zei zwol zijn borst, hoewel tegelijkertijd de denkgroef bij zijn neuswortel dieper werd.

In de tijd van Ali Pasja waren twee broers Karagjozi de stamoudsten van de familie geweest. Een van hen kreeg van Ali de bijnaam Topi, Het Grote Kanon, vanwege zijn dapperheid. Uit trots op dit zelfverdiende epitheton noemde hij zijn hele familie zo. Deze tak, de Topulli, zou nog meer moedige strijders voortbrengen, onder andere Cerçiz en Bajo Topulli die in 1908 een opstand tegen de Turken leidden.

Quemal Karagjozi, Afrims vader, werd in 1912 geboren. Hij bezocht het Franse lyceum in Korça en vertrok op twintigjarige leeftijd naar Parijs om aan de Sorbonne te studeren. Algauw werd hij lid van het Albanees Patriottisch Genootschap, waarvan voornamelijk studenten en arbeiders deel uitmaakten. Zeven jaar later keerde hij terug naar zijn vaderland omdat het bezet was door de Italianen. Onmiddellijk voegde hij zich bij de Beweging voor de Bevrijding van Albanië. Hij werd een van de belangrijkste plaatselijke leiders van de Communistische Partij, die actief was in het verzet. Ogenschijnlijk had hij alles mee: hij was goed opgeleid, had een brede culturele kennis, sprak vloeiend Frans, Duits en Italiaans, en was een begaafd redenaar. Daarbij was hij een idealist van het zuiverste water: Albanië moest 'een welvarend land voor iedereen' worden, vond hij.

Toen de professor op dit punt van zijn vaders geschiedenis was beland, werd zijn gezicht, dat glansde van verering en genegenheid, gespannen. 'Hij heeft nooit geweten waarom,' zegt

Karagjozi, 'maar in 1943 werd hij uit de partij gezet.'

Weliswaar was zijn vader een vriend van Hoxha, die vier jaar jonger was, maar Hoxha deinsde er niet voor terug vrienden en partijgenoten te liquideren omdat hij 'the one and only' wilde zijn. Hij duldde geen capabele mensen om zich heen, in wie hij alleen een potentiële bedreiging kon zien.

Zoals over het leven van veel Albanezen in deze roerige periode viel er een slagschaduw over dat van Quemal Karagjozi. Het voorouderlijk huis was bij een bombardement in 1942 vernietigd omdat het een communistisch centrum was waar veel vergaderd werd. Na afloop van de oorlog was hij werkloos; de familie verhuisde naar Tirana omdat daar meer kans was op een baantje. Ten slotte werd hij vanwege een hartkwaal invalide verklaard, waarna hij van een minimaal pensioen moest rondkomen met zijn gezin. Zijn leven lang ging hij gebukt onder de onrechtvaardige en onbegrijpelijke schorsing – niet wetend dat willekeur en ogenschijnlijke ongerijmdheden niet alleen het bewind van Hoxha kenmerkten, maar inherent waren aan het systeem in alle communistische landen.

'Toch bleef hij optimist,' zegt de professor met een zucht. 'Hij heeft altijd gezegd: er zal iets goeds komen voor Albanië.'

Gjirokastër is veel ouder dan de veertiende-eeuwse byzantijnse kronieken waarin de stad voor het eerst genoemd wordt. Waarschijnlijk hangt de naam etymologisch samen met die van de Illyrische stam der Argyren. Het oudste deel is een robuuste burcht op een vooruitstekende rots, hoog boven de stad. Vanaf de toren hebben de meest uiteenlopende vlaggen gewapperd. Na de byzantijnse overheersing wapperde er vijf eeuwen lang de Turkse vlag. Als jullie twee jaar later door dit gebied waren gereisd hadden jullie vrije toegang gehad tot de stad, want in 1811 lukte het Ali Pasja na een langdurige belegering eindelijk de stad in te nemen. Wat het lot van Ibrahim

Pasja was heb ik niet kunnen achterhalen – over verliezers was men niet zo mededeelzaam.

Kadare vertelt: 'Het was niet gemakkelijk om in deze stad een kind te zijn.' Door de ogen van dit kind, een kleine jongen nog wanneer de tweede wereldoorlog begint, ziet de lezer van zijn boek hoe de Italianen, gevolgd door de Duitsers, bezit nemen van Gjirokastër: 'Weer trokken de Italianen de stad binnen. Op een ochtend was de stad vol muilezels, kanonnen en eindeloze scharen soldaten. [...] In het gevolg van de troepen arriveerden achtereenvolgens de alarmsirene, het zoeklicht, de batterij, de nonnen en de prostituees.' Enkele jaren later: 'Toen de avond viel lag de stad, die in de loop van de eeuwen op de kaarten had gestaan als bezit van de Romeinen, de Noormannen, de Byzantijnen, de Turken, de Grieken en de Italianen, in het Duitse Rijk. Uitgeput, verdoofd door het gevecht, gaf ze geen teken van leven meer.'

De inwoners zelf waren ook verdeeld. Aan het eind van de oorlog executeerden jonge partizanen op eigen houtje monarchisten en nationalisten, zelfs strijdmakkers die vaag van dergelijke sympathieën verdacht werden.

Na het ontbijt liepen we 'de stad met de duizend trappen' in om een apotheek te zoeken en dollars te wisselen.

Overal waren geïmproviseerde marktkraampjes. Wie iets te verkopen had stalde het uit op een doek of klaptafeltje en wachtte af. Stillevens van Jopie Huisman: een paar doorleefde schoenen op een morsige doek, een klok zonder uurwerk, onduidelijke kledingstukken van nog onduidelijker herkomst – het amateuristische begin van een vrijemarkteconomie. Ergens op een stenen trap zat een verkoopster met zo'n desperate trek om haar mond dat ik een tros bananen kocht. Het was het enige fruit in haar voorraad, terwijl ik toch niet ver van de stad bomen vol granaatappels had gezien en moestuinen waarin overrijpe meloenen en pompoenen erom smeekten geoogst te worden. Haar handeltje, dat ze decoratief had uitgestald, bevatte verder nog wat ongeregelde goederen zoals kauwgum, zeep, vruchtensap en waspoeder. Waarschijnlijk droomde ze ervan een goed voorziene supermarkt te bezitten en sproot haar wanhoop voort uit de afstand tussen droom en daad.

In de apotheek deed Karagjozi het woord, zijdelings op mijn getormenteerde maagstreek wijzend. Geïnteresseerd richtte de verkoopster haar blik op mijn maag. Ze prevelde een diagnose en gaf me een strip ondefinieerbare pillen, waarvan ik er blindelings een nam. Nu de dollars nog. Er was ons aangeraden op de vrije markt te wisselen, maar omdat geen van ons de koers wist zochten we toch een bank. Om ons heen zag ik veel jonge mensen in de eeuwige, heilig verklaarde spijkerbroek. Hoe oostelijker je komt in Europa, hoe dichter je het graf van Stalin, Ceausescu of Hoxha nadert, des te meer beheerst spijkergoed het straatbeeld. *East meets West*, in de vorm van een (imitatie)Levi's. Ineens hield ik een stapeltje leks in mijn handen, sommige met het eerbiedwaardige hoofd van Ismail Qemal erop, die in 1912 de leider van de eerste burgerlijk-democratische regering in Albanië werd. En op ieder biljet stond natuurlijk de adelaar met de twee koppen.

Bij het huis van Karagjozi's nicht wachtten de agenten van de vorige avond op ons. We kenden elkaar alleen als donkere schimmen. Nu konden we elkaar zien, dus stelden we ons voor. Roberto en Hadji. Ze hadden een Volkswagenbus met chauffeur meegebracht en zouden ons vandaag vergezellen, zo was het geregeld – waarschijnlijk door de professor om het gevaar van een tweede onheilsdag af te wenden.

We reden terug naar het rampzalige Qesarat. De auto was ingericht als een huiskamer, met geajourde gordijntjes aan weerszijden en een voorruit die versierd was met franje, kettinkjes en een plastic handje dat een bundel imitatiebankbiljetten omklemde. Uit de radio klonk vreemd polyfoon gezang van mannenstemmen; er ging een hypnotiserend effect van uit terwijl de bus als een schip op wielen door de rivierbedding zwoegde.

'Herdersgezang uit de oertijd,' zei Karagjozi. 'De tekst weerspiegelt de menselijke problematiek rond geboorte, huwelijk, dood, oogst. Het is een specialiteit van deze streek, de beste zangers komen uit Gjirokastër.'

Alleen wie er heel jong mee begon kon het leren, zo verduiveld moeilijk was de meerstemmigheid zonder instrumentale begeleiding. Het opvallendste was dat de sequensen abrupt eindigden, alsof een verteller midden in zijn verhaal het zwijgen werd opgelegd: een mes tussen zijn ribben, zijn mond voor altijd opengesperd zonder ooit nog geluid voort te brengen – toch ingehaald door de bloedwraak.

De bus hobbelde over een breed pad omhoog totdat we, nog zeker een kwartier verwijderd van Qesarat, de paardenman in het oog kregen die ons uit ongerustheid over zijn geld alvast tegemoet gereisd was. We waren inmiddels milder gestemd jegens hem en hadden, bij gebrek aan alternatief, besloten toch nog van zijn diensten gebruik te maken, mits we tot een financieel compromis konden komen en hij zich schappelijk opstelde. Zelfs bij de professor was, na een nacht goed slapen, iets van vergevingsgezindheid te bespeuren.

We stapten uit, de professor en de paardenman gingen broederlijk in het gras zitten – ook de laatste maakte, met een grashalm in zijn mond, een kalme, gelouterde indruk. Hij scheen zich geschoren te hebben. Zonder stoppels zag hij er geciviliseerder uit. Hij nam zowaar de moeite uit te leggen hoe de vork in de steel zat. De eigenaar van de paarden vroeg twintig dollar per dag per paard. Het was aan ons om te beslissen wat hij zelf zou krijgen, maar die zestig dollar per dag moest hij betalen.

'Maar dat is absurd,' riep Daniël uit. 'Een arbeider verdient hier acht dollar per dag en een paard zou er twintig verdienen?'

Roberto en Hadji vielen hem bij. Ja, het was inderdaad te gek voor woorden. Toen de professor Daniëls uitroep in het Albanees vertaalde ontstak de paardenman opnieuw in woede. Zo kenden we hem weer, met rollende ogen en een rooie kop, een hele geruststelling. Wederom laaiden de gemoederen op, Roberto wierp zich in de strijd – zijn haviksprofiel geschapen voor de aanval. Daniël slingerde de ene diskwalificatie na de andere in de richting van de paardenman. 'De eerste dag hebben we niks aan hem gehad en gisteren zijn we onder zijn hoede verdwaald!'

Ik wierp een steelse blik op mijn horloge. 'Het is nu twaalf uur,' zei ik. 'Voordat je het weet is het een uur, twee uur. We hebben een tocht voor de boeg en om zeven uur wordt het donker.'

'We moeten onderhandelen,' vond Daniël.

'Dat doen we al sinds gisterenavond! Ik ben bereid alles te betalen wat hij vraagt, als we maar kunnen vertrekken, nu, met de paarden.'

Vol afkeuring schudde Daniël zijn hoofd. 'Je verpest de markt als je ze geeft wat ze vragen – ze zijn alle gevoel voor verhoudingen kwijt.'

Ik zag de professor naar zijn hartstreek grijpen. De vorige avond, voordat we ieder in onze slaapkamer verdwenen, had hij me in het halfduister toegefluisterd: 'Weet je, de paardenman... hij dreigde dat hij me zou wurgen.' Straks werden deze uitzichtloze onderhandelingen nog zijn dood. Onze weerzin jegens de paardenman nam met de minuut toe. Daartegen moest het laatste restje opportunistische toegeeflijkheid dat ik nog over had het afleggen. Met lichte weemoed keek ik naar mijn blondine. Iedereen wilde van deze geboren dwarsligger verlost zijn. Nu. Meteen.

174

'Laten we hem de helft geven,' capituleerde ik. 'Tweehonderd dollar voor de bewezen diensten, en hem naar huis sturen.'

Daniël haalde zijn schouders op. Hij vond het nog veel te veel, maar soit. De paardenman echter ging niet akkoord. Nu raakte hij werkelijk door het dolle heen. Als een psychoot die het verkeer regelt begon hij wilde gebaren te maken in alle richtingen – het schuim stond op zijn lippen, dreigementen en verwensingen fladderden als opgeschrikte spreeuwen uit zijn mond.

'Hij is werkelijk gek,' constateerden we verbluft. Ik besloot hem te betalen, of hij wilde of niet. Maar hij wilde wel, toen puntje bij paaltje kwam. Hij hield wel degelijk zijn hand op en telde mee, zijn ogen op steeltjes. Twintig biljetten, een forse afkoopsom, hield hij ten slotte in zijn hand.

De chauffeur gaf heel nadrukkelijk gas, we wisten niet hoe gauw we in de auto moesten komen. We wierpen een laatste blik op deze rampfiguur, deze maestro in het scheppen van verwarring en redetwist. Hij zat in de berm en stak een sigaret op. Zo te zien zat hij zachtjes voor zich uit te grommen.

'Zo,' zei Karagjozi, 'we hebben het weer in eigen hand. De man heeft de tocht aardig voor me vergald.'

'Vergeet hem,' zei ik, hem eraan herinnerend dat het vervoer per deugdelijk rijdier ook voor Hobhouse en jou een dagelijks terugkerende crime was geweest.

We overlegden hoe we de dag zonder paardenman zouden inrichten. Het enige wat we konden doen was de afstand, die voor deze dag op maar vier uur lopen werd geschat, te voet afleggen. Roberto en Hadji kenden de weg. De bagage kon met de bus naar het voorlaatste dorp, Erind, gebracht worden. De chauffeur stemde ermee in, maar stelde als voorwaarde dat de professor bij hem zou blijven om als medeverantwoordelijke zorg te dragen voor de veiligheid van onze rugzakken.

Karagjozi protesteerde niet. Ik had het gevoel dat zijn hart en hij heimelijk aan een dag rust toe waren. In Erind, meende hij, kon hij de tijd mooi benutten om paarden te zoeken voor onze laatste etappe naar Tepelenë. Die had bij jullie, volgens Hobhouse, zeven uur in beslag genomen.

'Wat is toch een Vlach?' vroeg ik Daniël.

'Een volk dat oorspronkelijk uit Walachije komt,' zei hij. 'Nu maakt dat deel uit van Roemenië – het Vlachs is een Roemeens dialect. Ooit zijn ze als herders uitgezwermd, vooral naar de Pindos rond Metsovo, en Zuid-Albanië. Hun taal dreigt uit te sterven, omdat er geen onderwijs in wordt gegeven en er steeds meer getrouwd wordt met niet-Vlachen. Ze zijn niet zo donker als de Grieken, hebben vaak blauwe ogen, lichter haar en vierkante gezichten.'

'Waarom zou onze paardenman een Vlach zijn?'

'Omdat hij er zo uitziet, en de ruwheid van een herder heeft.'

Vergeefs probeerde ik me de kleur van zijn ogen te herinneren. Alleen de gloed ervan was me bijgebleven. Ze konden ineens ontvlammen, onvoorspelbaar en willekeurig, en wie hij op dat moment aankeek viel ten prooi aan een vreemd mengsel van verwarring, angst en woede.

In Qesarat vulde een jongetje mijn veldfles bij de dorpsbron. Het was bewolkt maar droog, en het medicijn van onduidelijke herkomst werkte. De reis begon opnieuw, in een andere bezetting. Roberto was het prototype van de Albanees zoals ik ze van prenten en foto's kende: tenger, met een gebronsde huid, zwarte ogen en wenkbrauwen, en een gebogen neus in een smal, fijngetekend gezicht. In zijn uniform zag hij eruit als 'de politie, uw beste vriend', maar in de klassieke uitdossing van rover met mes tussen de tanden zou ik niet de moed hebben gehad hem als dragoman in te huren. Hadji, die forser gebouwd was, had een boksersneus en deed en profil aan Jean-Paul Belmondo denken.

Terwijl Daniël en Roberto – de laatste bleek redelijk Grieks te spreken – vooropliepen en soms door een berg of bosschage aan het oog onttrokken werden, week Hadji niet van mijn zijde. Hij had er geen vrede mee dat we alleen in gebarentaal konden communiceren. Op de dichtstbijzijnde berg wijzend, zei hij nadrukkelijk: 'Mali.' Ik herhaalde: mali. 'Roege: pad,' ging hij verder. 'Kokí: hoofd. Kaputzet: voet.' In de maat van onze wandelpas bleven we woorden repeteren. Toen ik ze foutloos kon herhalen zei hij: 'Hrodone', wat oké betekent. Albanië was niet Albanië maar Shkiptar – dat moest ik vooral goed onthouden. En eindelijk had ik iemand gevonden die de namen van de bomen en planten kende. Hadji schepte er een kinderlijk genoegen in alles waar in veld en beemd zijn oog op viel te benoemen – onze wandeling werd een wonderlijke demonstratie van taal en teken.

Nog steeds liep ons pad langs de flanken van de Lunxherisë-bergketen, met links de vallei van de Drinos. Naarmate we vorderden was de tocht een voortdurend afscheid nemen van beelden die ik voor altijd op mijn netvlies had willen bewaren. Water hadden we niet mee hoeven nemen. Het 'groeide gewoon langs de weg', in heldere beken die zich hadden ingeslepen in grillige rotsformaties en donkere spelonken waarin de Oreaden leven, bergnimfen die reizigers veilig over de rotsen voeren. Voorovergebogen uit het kommetje van mijn hand drinkend vroeg ik hun in stilte om bijstand, hoewel ik in Hadji eigenlijk al een geweldige bergnimf had. Af en toe viel er een oktoberbui die aanvoelde als meiregen. Onze dragomannen hadden hun uniformjasjes losjes opengeknoopt; de petten met rood galon en gouden embleem hielden ze op om ze niet te hoeven dragen.

In het eerste dorp op onze route, Dhoksat, woonde een nicht van Roberto. Hij stelde, in een opwelling, voor haar een bezoek te brengen. Waarom niet? Als reactie op de vorige dag waren we in een uitgelaten stemming. Er kon ons niets meer gebeuren, ineens hadden we zeeën van tijd. Door een keurige tuin, die vreemd contrasteerde met de woestheid van de omringende natuur, gingen we een oud maar goed onderhouden huis binnen. Schoenen werden uitgetrokken en bij de ingang neergezet, alsof we een moskee betraden. Ik wierp een schuine blik op mijn sokken om te zien of er gaten in zaten. In sokken stoppen heb ik nooit zin, sokken weggooien omdat er een gat in zit vind ik zonde – ziehier het grote dilemma van de westerse vrouw aan het eind van de twintigste eeuw. Gelukkig droeg ik een paar waarvoor ik me niet hoefde te schamen.

We kwamen in een kamer met een laag plafond en gingen op een van de banken tegen de muur zitten. Nieuwsgierige, giechelende meisjes verdrongen zich in de deuropening om ons te bekijken. Roberto's nicht, van het gezette en immer vrolijke type, kwam ons de hand schudden. Twee van haar dochters, twaalf en veertien jaar oud, die al wat Engels spraken werden tegenstribbelend naar ons toe geduwd. De oudste had een archetypisch klassiek, door zwarte krullen omlijst gezicht, terwijl de jongste sprekend op het gebarsten portret van haar moeder leek dat boven de bank hing – zelf leek de moeder er niet meer op. De oudste vertelde, zorgvuldig haar zinnen vormend, dat ze later Albanië uit wilde. Naar Italië. De gedachte alleen al deed haar glunderen.

De heren kregen koffie en raki, voor mij werd bergthee gezet. De gastvrouw verdween weer in haar domein en liet de conversatie met de gasten aan haar verlegen dochters over. Toen kwam haar man thuis. Met zijn zware, sartriaanse brilmontuur zag hij eruit als een bezonken, in zichzelf gekeerde intellectueel. Hij was leraar geschiedenis – wáár in deze negorij, zo ver van de wereld, bleef een raadsel.

Het gesprek ging over jou.

Hij scheen onze missie oninteressant en overbodig te vinden – hij was vast een van die geschiedkundigen die menen dat het verleden er is om vanachter een bureau bestudeerd, in plaats van opnieuw beleefd te worden. De leraar fronste zijn wenkbrauwen en vroeg onze aandacht voor een andere held, een echte, uit de Albanese geschiedenis. Hij verhief zich uit zijn stoel en haalde een boek uit de kast waarmee hij zijn Nederlandse collega kon imponeren, maar omdat hij geen woord over de grens sprak en Roberto zijn betoog in gebrekkig Grieks vertaalde, lukte het de leraar niet zijn geestdrift op Daniël over te brengen.

Moe van de spraakverwarring vertrokken we. De raki miste zijn uitwerking niet, mijn metgezellen waren nog opgewekter dan voorheen. Ik maakte een foto van een voorbijganger die een met boomtakken beladen ezel aan een touw met zich meevoerde. Op de achtergrond zie je Roberto en Daniël hilarisch lachen. Eerstgenoemde kapseisde bijna van plezier de afgrond in.

Toen we het volgende dorp, dat volgens de kaart Qestoraat heette, naderden zagen we aan de kant van de weg een echtpaar dat bezig was vruchten ter grootte van een kers van een boom te plukken. Het viel op dat ze beiden blond waren, wat uitzonderlijk was in dit gebied, en er zwermden drie kinderen om de boom die net zo blond waren als hun ouders. Ze lieten ons proeven – de vrucht bestond bijna helemaal uit pit, hij leek me al die moeite van de oogst niet waard. Het echtpaar liet onmiddellijk de arbeid in de steek: ze stonden erop dat we iets bij hen kwamen drinken.

'Het zou onbeleefd zijn om te weigeren,' zei Roberto – in zijn ogen glinsterde het vooruitzicht op nog meer raki.

De familie ging ons voor door kronkelstraatjes. We staken een kaal plein over, dat omgeven was door lege huizen die ooit aan welgestelde burgers moesten hebben toebehoord. De verkettering van de bourgeoisie is ook een oorlogsverklaring aan schoonheid, stijl en elegantie geweest. Hun huis stond tegenover een byzantijnse kerk die nog in gebruik leek. Via een trap naar de eerste verdieping betraden we een huiskamer waarin het gruwelijkste wandkleed domineerde dat ik ooit heb gezien. Het stelde een vluchtend hert in een alpenlandschap voor, alles in vette, zwarte contouren en schreeuwende kleuren – waarschijnlijk het pièce de résistance van de familie.

De tafel werd beladen met cola, bier, raki, limonade, koekjes, noten en Turks fruit. Dat ik alleen bergthee wilde was een grote teleurstelling. Ik wees op mijn maag. Ah, *stomaaki*! De familie keek me bezorgd aan. Nog vreemder vonden ze het dat ik geen suiker in de thee deed. Zelf bedienden de bewoners van deze streek zich zo te zien – een erfenis van de Turkse bezetting? – rijkelijk van 'het zoete vergif': nog nooit had ik zoveel slechte gebitten gezien, ook bij de kinderen.

Het werd druk in de kamer. De buurman kwam erbij met zijn vrouw, die een bleke baby op de arm droeg. Toen kwam oma binnen. Ze omhelsde me innig, alsof ik haar verloren gewaande dochter was. Het had gekund, uiterlijk leek ik op haar dochter die maar verwonderd naar me bleef lachen en zich in duizend bochten wrong om het me naar de zin te maken – in andere tijden, in een ander leven, had ik haar zuster kunnen zijn.

Ze wilden alles van ons weten. Hoe oud was Daniël, hoe oud was ik? Waren we getrouwd, hoeveel kinderen hadden we? Toen ze mijn leeftijd hoorden wezen ze verbluft op mijn tanden: waren die allemaal van mezelf? Hoe was het mogelijk! Goeie tandartsen in Nederland, zei Daniël nuchter. De baby van de buurvrouw werd op mijn schoot gezet; ik onderhield me met hem in een taal die alle baby's op de hele wereld verstaan en weten te appreciëren, vooral wanneer je daarbij hun buik kietelt. Voor het eerst bleven de vrouwen er gewoon bij. Omdat dit een van oorsprong christelijke familie was? Ik dacht aan Hobhouse die soms gewag maakte van voornamelijk door christenen bewoonde dorpen.

Er werd nog meer bier op tafel gezet. Roberto was zo uitgelaten dat de vonken van hem afsloegen. Wat moesten we straks met een dronken dragoman? Misschien vroeg Daniël zich dat heimelijk ook af, want hij opende de landkaart en boog zich met de gastheer over het traject dat we nog hadden te gaan.

Ik glipte weg om de kerk te zien. De vrouw met de baby liep achter me aan. Ze knikte me toe: de deur was altijd open. Toen ik gewend was aan de halve duisternis zag ik een wemeling van fresco's. Vanuit een koepelgewelf keken de twaalf apostelen in een kring op ons neer, omgeven door bijbelse voorstellingen. Een andere Daniël stond in de leeuwenkuil, zijn handen net iets te elegant ten hemel geheven. Zwijgend vertelden ze hun verhaal, een nadrukkelijke stilte creërend, maar wanneer je je ogen sloot kon je het geruis van de fijn geciseleerde engelenvleugels horen. Aan weerszijden van het altaar was een houten lambrisering waarop schelpen en bloemen in vazen waren afgebeeld – hier en daar lag een geknakte anjer op een richel. Generaties olielampjes en kaarsen hadden sporen van vet nagelaten. Op het altaar zelf stonden versgeplukte bloemen, erachter was een deerniswekkend leeg tabernakel waaruit het allerheiligste al langgeleden moest zijn weggeroofd.

Ik hoorde geschuifel en draaide me om. Een vrouw in het zwart, een doek strak om haar hoofd geknoopt, sloeg me leunend op een stok met lege ogen gade. Een van de schikgodinnen van Michelangelo. Was ze de dorpsoudste, de oermoeder van Qestoraat? Stamde ze nog uit Byzantium en had ze Turken en communisten overleefd? Toen we de kerk verlieten verdween ze tussen de met korstmossen begroeide zerken van het aangrenzende kerkhof, of er ergens een graf was waar ze naar believen in en uit kon stappen.

In huis trof ik het hele gezelschap nog net zo aan als ik het verlaten had. Maar in het volgende dorp stond een professor op ons te wachten, waarschijnlijk met een diepe groef ter hoogte van de neuswortel. We moesten verder.

Vrolijk aangeschoten verlieten de mannen het pand. We werden omstandig uitgeleide gedaan. Grootmoeder drukte me aan haar borst en mijn gedroomde zuster rende me achterna met twee bossen bergthee, voor mijn stomaaki. Nagestaard door dorpsbewoners zetten we onze tocht voort. Vanaf een dakterras, tussen Dionysische trossen paarsblauwe druiven, keken twee cupidootjes met bolle wangen op ons neer. In de poort van een oud en robuust stenen huis stond een vrouw van mijn leeftijd. Hoewel ze nog geen rimpeltje in haar gezicht had, was haar rug aangetast door een vorm van artrose, waardoor haar bovenlichaam langzaam naar voren groeide. Zonder medische hulp zou het proces doorgaan totdat haar neus de grond raakte. Zulke gekromde wezens staan ook afgebeeld op Romeinse vazen en reliëfs. De ziekte is er altijd geweest, zou je zeggen, en werd eerbiedwaardig genoeg geacht om te vereeuwigen. Een troost is dat niet, alleen een voorbeeld van de plagen die de mens op aarde kunnen treffen en die van alle tijden zijn.

Er stond een kolossale notenboom langs de weg. Een boom die zo dik is dat er minstens vier mensen nodig zijn om hem te omarmen boezemt me evenveel ontzag in als een kathedraal. Maar niet alles groeide en bloeide hier moeiteloos. Ik zag ook verwaarloosde wijngaarden; tussen knoestige stammetjes met halfverdord loof schoot het onkruid hoog op. Het leek me een slecht teken als een land zijn wijngaarden niet onderhield – het verloor zijn esprit.

We bereikten het dorp Mingul-Nikovë. Op een ongeplaveid plein werd gevoetbald, dorpsbewoners stonden er babbelend omheen. Was dit zo'n dorp waar iedereen vanzelf iedereen ontmoette? Waar nog geen agenda's geraadpleegd werden? Was in dit land, hoewel geteisterd door alle mogelijke vormen van terreur, misschien meer van het leven 'zoals het bedoeld is' bewaard gebleven dan bij ons in het westen?

Om half vier kwam jij met je gevolg in Erind aan, wij drie uur later. Maar jullie gingen onderweg niet op visite, jullie dronken geen bier en raki. De zon was al onder, maar liet een heiig-roze atmosfeer achter die het dorp een warm en gastvrij aanzien gaf. In een moestuin, waarin monstrueuze oranje pompoenen *out of space* leken te zijn gevallen, was een vrouw aan het werk tegen een achtergrond van hooimijten en blauwe bergen. Op een heuveltje langs het pad zaten grootvaders, zonen en kleinzonen bij elkaar. Nooit zou ik weten waar ze het over hadden – of lag de vervulling in een zwijgend samenzijn. Foto, foto... riepen ze, dus maakte ik een foto. Een foto van een tafereel dat, net als de voetballers op het plein, weemoed bij me opriep. Wie ben ik, vanwaar kom ik, waar ga ik naartoe – zouden zij zich dat wel eens afvragen?

Ze stonden allemaal gemoedelijk en ontspannen op de foto, zou later blijken. Staand, hurkend... Wat doe je in Albanië met je armen als je op de foto gaat? Je slaat ze om de schouders van je buurman.

Na deze momentopname werden we achtervolgd door een steeds maar aanwassende horde kinderen, die allemaal het soort plastic sandalen droegen dat ik bijna een halve eeuw terug van mijn vader aan moest wanneer we aan zee waren – om niet in glas of schelpen te trappen. Wij waren voor hen een even grote bezienswaardigheid als zij voor ons. 'Marsmannetjes zijn we,' zei Daniël, laconiek voortstappend. Iets verder, op een laag muurtje, zaten de overgrootvaders met petten op en een gebedskettinkje tussen de vingers.

Daar verscheen ook Afrim Karagjozi. Hij kwam ons met een bezorgd 'Are you all right' tegemoet. En óf, het was een prachtige tocht, jammer dat hij er niet bij was. Het was saai voor hem geweest, gaf hij toe, nadat de chauffeur was weggereden. Maar: hij had een andere paardenman gevonden.

In dit dorp overnachtten we bij een gepensioneerd onderwijzersechtpaar. 'We werden keurig ondergebracht,' zou Hobhouse gezegd hebben. De onderwijzer, een knappe, rijzige man, had een zorgelijk kijkende vrouw, die voortdurend bedrijvig heen en weer liep alsof ons bezoek het uiterste van haar improvisatievermogen vergde.

Na aankomst wilde ik me verfrissen en verkleden – nu de zon onder was werd het plotseling koud. Ik vroeg naar het toilet. De onderwijzeres beduidde me mee naar buiten te komen. We staken een modderig erf over. Steeds draaide ze zich om – volgde ik wel? Verlegen wees ze op een kot achter in de tuin, naast het kippenhok. Ik knikte en trok het piepende deurtje open. Een hurk-wc, jawel, en van een onbeschrijfelijke smerigheid. Zoiets had ik eenmaal eerder gezien, in de Dordogne, zo'n dertig jaar geleden. Er stond een onwezenlijk wit pedaalemmertje in een hoek en wanneer je in twijfelachtige balans boven het gat hurkte hing er op ooghoogte een rol wc-papier. Je wist niet waar je je voeten neer moest zetten. Ik probeerde me af te sluiten voor de alomtegenwoordige geur van menselijke uitwerpselen, en van kippenstront uit het belendende pand. Ik moest toch Hobhouse er nog eens op nalezen om te zien hoe dit soort dingen in jullie tijd geregeld waren. De onderwijzer was geen knutselaar, anders had hij allang een aardig toiletje getimmerd. Toen ik buitenkwam stond de gastvrouw bezorgd op me te wachten. Ze maakte een gebaar van 'handen wassen', op een kraantje in een buitenmuur wijzend waaronder een plastic bak stond – de gootsteen en wastafel van het huis. Ik hield mijn handen onder het af en toe haperende straaltje, zij stond met een plechtig gezicht naast me te wachten, een kraakheldere handdoek over de arm. Je reinste slapstick, als het niet zo aandoenlijk was geweest.

We gingen naar binnen; ik trok een dikke trui aan en verzamelde moed om te vragen of ik twee kledingstukken kon wassen. Opnieuw naar buiten, nu om een teil met water te vullen. Minstens tien minuten staarden we in een beleefd zwijgen naar het miezerige straaltje, elkaar af en toe per ongeluk aankijkend en glimlachend. Zonder Karagjozi konden we geen woord wisselen. Tussendoor verdween ze, om terug te komen met een pak Dixan in haar handen. Nadat ik mijn kleren gewassen had hing ik ze te drogen aan een lijntje tussen twee sinaasappelbomen.

Ik ging de huiskamer binnen. Roberto en Hadji, in gezelschap van de chauffeur uit Gjirokastër, waren alweer van drank voorzien. De nieuwe paardenman was net gearriveerd om zich voor te stellen. Hij was klein en tanig, en zijn rimpels zaten op de goeie plaats in de vorm van een glimlach, die zich rond zijn mond en ogen had gekerfd. Terwijl de professor verslag deed van de ervaringen met onze eerste paardenman kwam de gastheer er geamuseerd bij zitten. Zijn vrouw vroeg wat we wilden eten. Ik vertelde waarom ik twee dagen gevast had. Ze raadde me aan aardappels met een gekookt ei te proberen, waarop alle aanwezigen zich bogen over de vraag wat nu eigenlijk beter was voor de maag: een hard- of een zachtgekookt ei.

Sommigen waren er ten diepste van overtuigd dat het een hardgekookt ei moest zijn vanwege de eliminatie van eventuele bacteriën, anderen wisten met evenveel overtuiging dat zachtgekookt beter verteerbaar was. Het gezelschap viel in twee kampen uiteen, zoals de 'Big-Endians' en de 'Small-Endians' in *Gulliver's Travels*, die met elkaar in staat van oorlog verkeerden over de vraag of de schaal van een ei op de top gebroken moest worden of aan de bredere onderkant. Na veel geargumenteer kwamen we tot het compromis 'medium' en verdween de onderwijzeres in een ruimte onder de trap om te koken. Konden alle Balkanoorlogen maar zo beslecht worden, dat zou een hoop droefenis en blauwhelmen schelen.

Nu begonnen de onderhandelingen over de paarden voor de volgende dag. Eén paard had onze man zelf, het andere moest bij iemand in het dorp gehuurd worden. Hij vroeg dertig dollar per paard. Karagjozi viel bijna van de bank van verbijstering. De ander legde uit dat een paard, normaal gesproken, wanneer het een dag werkte dertig dollar verdiende. Roberto en Hadji grinnikten, de discussie die op gang kwam klonk hun vertrouwd in de oren. Weer hetzelfde argument: een paard kon op een dag toch niet meer verdienen dan een professor aan de universiteit! De nieuwe paardenman wond zich niet op. Hij luisterde oplettend, gevoelig voor de redelijkheid van dit argument. Wat een geluk, dacht ik, dat autoverhuurbedrijven tabellen hanteren met vaste tarieven. Stel je voor dat er over de huur van een auto zo eindeloos gemarchandeerd moest worden.

De paardenman deed water in de wijn. De professor ook. Ze kwamen zowaar tot een overeenkomst waarmee iedereen vrede kon hebben. Ook werd besloten te paard slechts tot aan de brug over de Drinos te gaan, daarna ging het oorspronkelijke pad naar Tepelenë aan de overkant van de rivier schuil onder een elf kilometer lange verkeersweg. Onze chauffeur uit Gjirokastër zou bij de brug op ons wachten in zijn huiskamer op wielen. Er werd op geklonken, de montere stemming keerde terug.

Sentimenteel namen we afscheid van onze dragomannen, die terugkeerden naar hun Stenen Stad. Roberto zou ons de volgende dag opnieuw vergezellen. De tafel werd gedekt, er verschenen schalen met feta, gekookte eieren, vlees en dampende aardappels. Na al die bergthee was ik uitgehongerd, maar de professor was in een geanimeerd gesprek verwikkeld met de onderwijzer en scheen niet de minste belangstelling te hebben voor wat er op tafel stond. Zijn vrouw bleef vooralsnog onzichtbaar. Wachtte ze beleefd het einde van het gesprek af of handelde ze volgens een opvatting waarover ik iets bij een negentiende-eeuwse, Engelse reiziger gelezen had? Toen deze eindelijk kreeft kon eten in Griekenland liet de gastvrouw alles koud worden want 'dat was beter voor de maag'.

Het gesprek stokte en men begon te eten, alsof er een onzichtbaar teken gegeven was. Eet mevrouw niet mee? vroeg ik. Ja ja... er werd ongeïnteresseerd geknikt. Pas halverwege de maaltijd schoof zij onmerkbaar aan. Nog nooit heb ik met zoveel smaak een bord aardappels gegeten, en het ei, ja het ei was het volmaakte compromis. Karagjozi, geïnspireerd door de manier waarop ik het in kleine stukjes genoot, vertelde dat zijn ouders na zijn vaders ontslag zo arm waren dat er, wanneer het paasfeest naderde, voor de hele familie maar één ei kon worden gekocht. Nadat ze het gekookt had deelde zijn moeder het zorgvuldig in drieën en smukte het op met wat voorhanden was – het werd opgediend als kaviaar. Nouvelle cuisine avant la lettre, maar van een grote treurigheid.

Terugdenkend aan onze tocht vroeg ik waarom de wijngaarden er zo verwaarloosd bij lagen. Dat had verschillende oorzaken, meende de onderwijzer. De jonge mensen die de druiventeelt nieuw leven hadden kunnen inblazen, waren naar het buitenland vertrokken. Voorts was er veel geld nodig voor de aankoop van landbouwmachines, pesticiden, kunstmest, vervoermiddelen. Waar moest dat vandaan komen? Het buitenland durfde niet te investeren. Dit probleem gold in bredere zin voor de hele landbouw en fruitteelt. Daar kwam nog bij dat veel van de bedrijfsgebouwen van voormalige coöperaties na de val van het communisme door de voormalige werknemers uit opgespaarde frustratie vernield waren. Sindsdien lagen veel akkers braak.

'Dit is een rijk land,' zuchtte Karagjozi, 'maar 't moet wel worden geëxploiteerd.'

Met weemoed dacht hij terug aan het begin van de jaren zeventig, toen hij met zijn leerlingen van het gymnasium aan de zuidwestkust van Albanië terrassen had aangelegd op de berghellingen, waarna ze die beplant hadden met olijf- en sinaasappelbomen. Het was een vrijwillige, landelijke actie in het kader van Hoxha's landbouwcampagne 'maak de heuvels en bergen net zo vruchtbaar als de vlakten'. Nu stonden al die bomen te verpieteren, wist hij, er was niemand om te snoeien of te oogsten.

Het werd ook duidelijk waar de droefgeestige uitdrukking op het gezicht van onze gastvrouw vandaan kwam: haar drie dochters woonden met man en kinderen in Griekenland, vertelde ze, omdat daar werk was en hier niet. De oude familieverbanden, die hier in de bergen nog lang hadden voortbestaan, werden doorbroken nu een uittocht van jongere generaties op gang was gekomen.

Met een gevoel van malaise ging ik naar bed. Weg was de roes van die middag toen ik me, met mijn achtergrond van westerse welvaart, schaamteloos had overgegeven aan romantisering van het leven in de dorpen waar we doorheen kwamen. Iets van de desolaatheid, de hopeloosheid van Albanië, was op me overgeslagen. Het leek of alle pogingen om vooruit te komen faalden in dit land, – een omstandigheid die, de geschiedenis in aanmerking genomen, al heel lang voortduurde – hoewel telkens in een andere vorm. Iemand kan op het verkeerde moment op de verkeerde plek geboren worden. In

Albanië, leek het, werd je altijd op het verkeerde moment geboren. Dat die plek 'meer natuurschoon bezit dan de klassieke
streken van Griekenland' woog daar niet tegenop. *Erst kommt
das Fressen, dann die Schönheit der Natur.*

13

Van Qesarat naar Erind lopen, zoals wij deden, zou voor Lord Byron onmogelijk zijn geweest
    'Weg, gebochelde!'
    'Ik ben zo geboren, moeder!'
Zo begint het drama *The Deformed Transformed*. Twee veelzeggende zinnetjes die de verhouding tussen Byron, als kind, en zijn moeder aardig weergeven. Wanneer de door emoties beheerste, grillige vrouw een slecht humeur had verweet ze hem zijn gebrek. Hij, op zijn beurt, zou haar zijn leven lang de schuld blijven geven. Het kwam, daarvan was hij overtuigd, doordat ze tijdens de zwangerschap een korset had gedragen, of door haar overgevoeligheid bij de bevalling.

Er zijn allerlei medische theorieën in omloop over wat hem nu eigenlijk mankeerde. Had hij een echte horrelvoet? Was het een of andere erfelijke misvorming, was het een gevolg van kinderverlamming, of was er bij de geboorte iets misgegaan?

Byrons vriend Trelawney, die het slachtoffer was van zijn eigen op hol geslagen fantasie, heeft geprobeerd de voet na Byrons dood bij te zetten in een griezelkabinet. Nadat hij Fletcher de kamer had uitgestuurd om een glas water voor hem te halen, zou hij het opgebaarde lichaam aan een nadere inspectie hebben onderworpen om het geheim voor eens en voor altijd te ontraadselen. Hij tilde het kleed op dat de dode bedekte, en zag tot zijn verbijstering dat zijn vriend zowaar twee horrelvoeten had en dat zijn onderbenen tot aan de knie geatrofieerd waren. 'Het silhouet en de gelaatstrekken van een Apollo,' schreef de sensatiezoeker, 'met de voeten en benen van een satyr uit het bos.' En dat terwijl ze talloze malen samen gezwommen hadden!

Thomas Medwin, met wie Byron in Italië enige tijd optrok, geeft in alle onschuld een geloofwaardiger beeld: 'Ik verwachtte te ontdekken dat hij een horrelvoet had, misschien een bokkenpoot; maar het was moeilijk verschil te zien tussen de ene voet en de andere, noch wat de omvang, noch wat de vorm betrof.'

Zijn moeder zelf heeft, toen hij nog maar net kon lopen, duidelijk beschreven wat eraan mankeerde. In een brief aan zijn tante, Mrs. Leigh, vraagt ze om hulp voor de aanschaf van een speciale schoen: 'George's voet draait naar binnen, en het is de rechtervoet; hij loopt helemaal op de buitenkant van zijn voet.'

Ook op school, in Harrow, werd hij de eerste maanden pijnlijk op zijn gebrek gewezen. Soms lag zijn voet als hij wakker werd in een ton water – een verrassing van zijn kamergenoten. Hij leerde vechten om zich te handhaven. Aanvankelijk haatte hij de school maar in de loop van de tijd lukte het hem zich een plaats te veroveren en vrienden te maken. Men had een schoen met een riem rond de enkel voor hem bedacht maar hij was slordig en vergat het ding aan te trekken. Hij wilde gewoon kunnen doen wat de anderen deden – met enorme wilskracht bedreef hij allerlei soorten sport, eenvoudig zijn handicap negerend. Toen hij elf was werd zijn voet door een kwakzalver gemasseerd en machinaal opgerekt, wat gemeen pijn deed en niets uithaalde. Daarna werd er een 'orthopedische' laars voor hem gemaakt.

Op zijn vijftiende kwam de kwelling uit een andere hoek. Hij leerde zijn nicht Mary Chaworth kennen die op een landgoed in de buurt van Newstead woonde. Zij was enkele jaren ouder dan hij en hoewel ze verloofd was en 'not to have' werd hij desperaat verliefd op haar. Zij hield ervan te flirten en liet zich geamuseerd de idolatrie van de pafferige schooljongen welgevallen. Ziek van onvervulbare liefde weigerde hij in september terug naar school te gaan. Hij hing maar rond in haar huis en begon haar lichtelijk op de zenuwen te werken. Er kwam een abrupt einde aan de tergende idylle toen hij hoorde hoe ze zich tegen een dienstmeisje liet ontvallen: 'Wat? Ik zou iets om die mankepoot geven!' Geschokt en woedend ging hij ervandoor. Zijn verliefdheid bekoelde, hoewel ze zijn leven lang voor hem het prototype van de ideale vrouw zou blijven.

Het mankement aan zijn voet is hem altijd met opstandigheid blijven vervullen. In een brief aan zijn literaire vriend Francis Hodgson, van 13 september 1811, waarin hij vanwege diens vroomheid danig van leer trekt tegen het christendom, ontvlamt ook een humoristisch zelfbeklag: 'En onze karkassen, die weer zullen opstaan, zijn die het waard om opgericht te worden? Ik hoop dat als dat met het mijne gebeurt, ik dan een beter stel benen zal hebben dan waarop ik me nu al twee-entwintig jaar voortbeweeg, anders zal ik sterk in het nadeel zijn in het gedrang voor het Paradijs.'

De afwijking was een aanslag op zijn ijdelheid, en evenzeer op zijn temperament omdat hij erdoor gehinderd werd bij allerlei activiteiten. Hoewel de voet achteraf gezien in literair- en cultuurhistorisch opzicht gerust *le défaut de sa qualité* kan worden genoemd, is er voor hemzelf van acceptatie nooit sprake geweest, hooguit van compensatie. Het credo van Arnold in *The Deformed Transformed* is: 'Ik ben mooi en ik zal bemind worden.' Gabriël Matzneff suggereert dat Byrons turbulente liefdesleven een permanente compensatie zou zijn geweest voor het zich onbemind voelen vanwege zijn voet – als kind door zijn moeder, en later niet minder door zichzelf.

De sport was een andere uitweg: schermen, boksen, schieten, maar vooral fanatiek zwemmen en paardrijden. Als jongen had hij in Schotland leren zwemmen in de Dee en de Don; in het water had hij geen last van zijn handicap. Hij werd een onvermoeibaar zwemmer die vriend en vijand versteld deed staan van zijn onbevreesdheid en uithoudingsvermogen. In Portugal zwom hij de Taag over die, zo dicht bij de monding, berucht was om zijn kolken en stromingen. In Turkije stak hij in gezelschap van een Engelse luitenant zwemmend de Hellespont over, in navolging van de mythische Leander die elke nacht heimelijk zijn geliefde Hero bezocht in haar toren aan zee – een gewoonte die Leander op een stormachtige nacht met de dood moest bekopen. Hobhouse noteerde het evenement geestdriftig in zijn dagboek: vandaag had hij de mythe met eigen ogen voor zich gezien! Byron zelf, hoewel trots op zijn prestatie, schrijft droogjes: 'De totale afstand die E & ikzelf zwommen bedroeg meer dan 4 mijl, de stroming was sterk en koud [...] we waren niet moe, maar een beetje afgekoeld; deed het met weinig moeite.' Zes dagen later legde hij de gebeurtenis vast in een luchtig vers, 'Geschreven na een zwemtocht van Sestos naar Abydos'. Talloze zwemmers hebben sindsdien de oversteek gewaagd, waarover dankzij Byron een romantisch-heroïsche gloed lag.

Jaren later, toen Shelley tijdens een zeiltocht verdronken was en Byron diens aangespoelde lijk moest identificeren, zwom hij vier uur lang in zee, aangeslagen door de gebeurtenis en geschokt door het feit dat Shelleys zakdoek door het water onaangetast was gebleven, terwijl de drenkeling alleen nog herkenbaar was aan zijn tanden. Bij deze gelegenheid liep hij een verkoudheid op en verbrandden zijn schouders zo hevig, dat Theresa Guiccoli een week later de velletjes eraf kon trekken.

Lord Byron is er al lang niet meer, maar zijn velletjes zijn er nog wel. Op een dag ben ik ernaar op zoek gegaan. Hoewel ik het hele idee belachelijk vond wilde ik ze toch zien.

Op een herfstige maandagochtend bezocht ik de Biblioteca Classensa in Ravenna, een eeuwenoude bibliotheek die is ondergebracht in een voormalig klooster van de kapucijnen. Toen ik vertelde dat ik Byrons velletjes wilde zien verscheen de dame van het archief met een enorme sleutelbos, een uit het slot van Blauwbaard. Met klikkende hakken ging ze me voor door langwerpige zalen met twee verdiepingen boeken. Er was niemand. Zoals in alle oude bibliotheken leek het hier slechts zijdelings om de boeken te gaan; het gebouw was een kunstwerk op zichzelf met balustraden van fijn houtsnijwerk en barokke plafondschilderingen. We stegen een etage en werden, nadat we nog eens vele zalen doorkruist hadden, eindelijk in het Heilige der Heiligen binnengelaten dat als het ware werd aangekondigd door een borstbeeld van Byrons geliefde, Theresa Guiccoli.

Dit was het domein van een schraal, witgehandschoend mannetje, een schim bijna, wiens enige taak het scheen te zijn de velletjes te bewaken. Met veel gerammel van de sleutelbos opende hij een kluis. Er werd plechtig gezwegen. Het wachten was tantaliserend – even bekroop me het gevoel dat de Grote Zwemmer ieder moment vanachter een gordijn tevoorschijn kon stappen. 'Wat is dit voor belachelijke vertoning,' zou hij zeggen. 'Het enige goede aan het leven is het einde, heb daar toch vrede mee.' Er werden kartonnen dozen op tafel gezet en met oneindig veel eerbied door de handschoenen geopend. Nu moest ik me beheersen. Met beleefde belangstelling, wetenschappelijke afstandelijkheid voorwendend, bekeek ik de parafernalia. Uit een roestig doosje kwam een in paars fluweel gebonden boekje uit de achttiende eeuw tevoorschijn, waarvan het eerste hoofdstuk over de Vesuvius en het platteland rond Napels ging. Achterin, op het schutblad, had

Byron een brief aan Theresa gekrabbeld, gedateerd 29 augustus 1819. Het was toegestaan het boekje vast te houden en erin te bladeren.

Byron verontschuldigt zich ervoor dat hij in het Engels schrijft: '[...] maar je zult het handschrift herkennen van hem die gepassioneerd van je houdt [...].'

Het was een vreemde, onbeschrijflijke gewaarwording zijn originele handschrift te zien en aan te raken. Mijn metgezellin zat erbij als een chaperonne en volgde al mijn handelingen. Toen werd er een doos naar voren geschoven die uitpuilde van Byrons correspondentie aan Theresa; de brieven waren aan twee kanten beschreven waardoor de tekst, in het Italiaans en in zijn zwierige handschrift, moeilijk leesbaar was. Er was geen tijd ze allemaal te ontcijferen, maar in de gauwigheid zag ik dat een van de brieven jongensachtig eindigde met: 'Ik geef je 10.000.000 zoenen' – ik heb de nullen geteld.

Nog steeds geen velletjes. Maar daar kwam een collectie voorwerpen, ieder voorzien van een met de hand geschreven toelichting van Theresa. Toen ze een dame van middelbare leeftijd was heeft ze alles wat aan haar beroemde minnaar herinnerde geordend, gecatalogiseerd en geromantiseerd. Op een van de briefjes stond bijvoorbeeld: 'Behang uit de kamer waarin ik gewoonlijk Lord Byron ontving in mijn ouderlijk huis in Ravenna.' Uit vloeipapier kwamen reepjes behang tevoorschijn, een motief van brede strepen in ecru en kersrood, met een smallere zwarte streep ertussen, alles van zijde en nog zeer levendig van kleur. Dit behang, niet meer dan een stukje stof, had meer gezien dan ik. In een ander vloeipapier zat een ecrukleurige zakdoek, plissé, waar Theresa bij had geschreven: 'De zakdoek behoorde toe aan Lord Byron en heeft me nooit verlaten tijdens de ziekte waardoor ik getroffen werd ten gevolge van het verdriet om het verlaten van Lord Byron in Venetië.'

Er verscheen een portret van Byron en Theresa in een donkerrood plat doosje. Haar gezicht was uitgeradeerd. De bibliothecaresse kreeg een stem toen ze mijn verbazing zag. 'Het was een kwestie van ambiguïteit,' meende ze. 'Waarschijnlijk deed ze het in de periode dat haar man door jaloezie bevangen werd – om niet samen met Byron herkend te worden, terwijl ze diens portret dolgraag wilde bewaren.' Er volgde een karikatuur van de jonge Byron, waarop hij eruitzag als een varkentje, en een emaillen medaillon van Byron in Venetië. Haarlokken waren er natuurlijk ook, een roodbruine van Theresa en drie donkerbruine van Byron, vier jaar voor zijn dood afgeknipt en bewaard.

En eindelijk, ja eindelijk, de stukjes huid in een doosje. Perkamentkleurige flintertjes die misschien wel het benodigde genetische materiaal bevatten om hem te zijner tijd te kunnen klonen. Ik wed dat Byron, wanneer hij opnieuw geboren werd, met zijn hang naar het epische, romans zou schrijven in plaats van gedichten. In ieder geval zou voor zijn voet al vroeg een fraaie orthopedische oplossing gevonden worden, dus Byron zou Byron niet meer zijn.

Na zijn dood heeft Theresa een pelgrimstocht naar Newstead Abbey ondernomen, daarvan getuigde een doosje met beukennootjes en gedroogde rozenblaadjes uit het park. Een beetje morbide waren ze wel, al deze getuigenissen van wat weliswaar niet vergeten maar wel heel erg dood was. Het stemde somber dat van gepassioneerde liefdesnachten niets meer overbleef dan een stukje behang. Al deze spullen waren 'prepared by Savory, Moore and Davidson, Chemists of the Royal family'. Het laatste wat ik doorbladerde was een dik, door Theresa in het Frans geschreven manuscript over het leven van Byron in Italië. Tot nu toe had niemand brood gezien in een uitgave ervan. 'Het boek staat op microfilm,' vertelde de schatbewaarster. 'Laatst vroeg daar iemand om, misschien is er toch belangstelling voor.'

Heel erg doordrongen van mijn eigen sterfelijkheid verliet ik het museum. Van mij zal zelfs geen stukje huid of haarlok bewaard blijven, dit zijn nuchtere tijden.

Zwemmen was voor Byron zijn lust en zijn leven. 'Het water, dat is de vrijheid,' filosofeert Matzneff. 'Het water zuivert en bevrucht; het maakt ons onbereikbaar.' Door de jaren heen zorgde Byron ervoor in vorm te blijven. Toen hij in Athene woonde zwom hij in de Ionische Zee bij Piraeus – later, in zijn Venetiaanse tijd, in de Adriatische Zee en het Canal Grande. Gravin Albrizzi schepte er behagen in te vertellen dat 'men een keer had gezien dat hij een paleis aan het kanaal verliet en zich, in plaats van in zijn gondel te stappen, in het water wierp, gekleed en wel, en zo naar huis zwom. Om de roeispanen van de gondeliers te ontwijken droeg hij een toorts in zijn linkerhand, in de nacht.'

Paardrijden, die andere hartstocht, had hij ook jong geleerd. Zodra hij reed vergat hij, en vergaten de anderen, zijn voet. Hij heeft zijn leven altijd zo ingericht dat hij er dagelijks te paard op uit kon. Zijn Italiaanse dagboek is in dit opzicht veelzeggend. Op 15 januari 1821 schreef hij: 'Mooi weer. Bezoek ontvangen. Paardgereden in de bossen – met pistolen geschoten.' Een dag later: 'Gelezen – gereden – met pistolen geschoten – terug – gegeten – geschreven – bezoek gebracht – muziek beluisterd – onzin verkocht – naar huis gegaan.' Op 17 januari: 'Gereden in het bos – pistoolschieten – gegeten.' Wanneer hij een dag oversloeg was dat ook het vermelden waard: 'Heb vandaag niet gereden omdat de post laat kwam.'

Tot veertien dagen voor zijn dood in Missolonghi, op 19 april 1836, bleef hij trouw aan deze gewoonte. Zijn gezondheid was toen al ondermijnd. Hij stond erop te gaan rijden, nadat dit enkele dagen lang wegens zware regenval onmogelijk was geweest. Pietro Gamba, de jongere broer van Theresa die hem in Griekenland vergezelde, deed later verslag van de tocht: 'Drie mijl van de stad werden we door hevige regen overvallen en keerden doornat terug binnen de stadsmuren, vreselijk transpirerend.' Doorgaans gingen ze per boot terug, maar Gamba had erop aangedrongen te paard naar huis te gaan omdat Byron anders, zwetend en wel, een halfuur lang stil had moeten zitten, blootgesteld aan de elementen. Hoewel Byron beledigd reageerde – 'Ik zou een mooie soldaat zijn als ik me iets zou aantrekken van zo'n bagatel' – was hij toch op het voorstel ingegaan. 'Twee uur na onze terugkeer begon hij te rillen,' vertelt Gamba, die net zo'n plichtsgetrouwe boekhouder is als zijn zuster. 'Hij klaagde over koorts en reumatische pijn. Om acht uur 's avonds ging ik zijn kamer binnen; hij lag op een sofa, rusteloos en melancholiek. Hij zei tegen me: "Ik heb veel pijn; ik geef niet om de dood, maar deze folteringen kan ik niet verdragen."'

Desalniettemin zat hij de volgende dag weer op zijn paard, met pijn in zijn botten en in zijn hoofd. Goedgehumeurd maakte hij een flinke tocht tussen de olijfbomen met Pietro en zijn lijfwacht. Bij zijn terugkeer gaf hij de stalknecht ervan langs omdat hij hem had laten uitrijden op het natte zadel van de vorige dag. Het was zijn laatste tocht. Hierna nam de ziekte in hevigheid toe en piekerde Byron over een voorspelling die hem als jongen in Schotland was gedaan: 'Wees op uw hoede in uw zevenendertigste levensjaar.' Toen men hem bijgelovigheid verweet verdedigde hij zich met: 'Om eerlijk te zijn, ik vind het nogal moeilijk om te weten wat je in deze wereld moet geloven en wat niet.'

Is het paardrijden onder slechte weersomstandigheden hem noodlottig geworden? Er zijn veel theorieën in omloop over de oorzaak van zijn dood, zoals moeraskoorts, malaria, uitputting. De meest populaire is dat zijn artsen hem met een overdaad aan goede wil en aderlatingen hebben omgebracht. Het urinezuurgehalte in zijn bloed zou daardoor zo hoog geworden zijn dat het een zware vergiftiging veroorzaakte.

Of hij een even goed ruiter was als zwemmer, daarover lopen de meningen uiteen. Medwin noemt hem een 'voortreffelijk ruiter', terwijl de Gravin van Blessington, die hij niet lang voor zijn dood in Genua ontmoette, beweert dat hij middelmatig was en een beetje vreesachtig.

Een ding is zeker: toen hij zijn tocht door Albanië maakte zat hij nog jong, gezond en monter te paard. 'Ik ben op de paarden van Viziers uitgereden,' schepte hij op tegen zijn moeder. Hij moet zich een held uit een van de ridderromans van Walter Scott gevoeld hebben, en een stoutmoedig ontdekkingsreiziger in de oriëntaalse wereld waarvan hij als jongen gedroomd had: 'Van Albanië heb ik meer gezien dan enig Engelsman [...].' Nieuwe horizonten, avontuur, exotisme, vrijheid, lossere zeden, jong gezelschap... alles was goed als het de herinnering aan Engeland maar naar de achtergrond verdreef.

Er spreekt een behoorlijke dosis jeugdige overmoed uit zijn brieven: '[...] Ik rook en tuur naar bergen, en krul mijn snor zeer onafhankelijk, ik mis comfort niet [...].' Veli Pasja, Ali's zoon die hij later ontmoette, raadde hem aan zijn 'Albanezen te onthoofden als ze zich slecht gedroegen'.

Zelf verloor hij zijn hoofd noch zijn onschuld. Die laatste was hij trouwens allang kwijt.

14

Mijn dierbare vriend, – Ik werd wakker van een opdringerig Amerikaans stemgeluid. Amerikaans? Wis en waarachtig, maar gemengd met staccato oerklanken. Het bed van Daniël was leeg. Ik schoot mijn kleren aan en ging op het lawaai af. Mijn ene oog zag Daniël die met de gastheer broederlijk naar een Amerikaans commercieel televisieprogramma zat te kijken; mijn andere oog zag een oud radiotoestel waaruit polyfoon herdersgezang opsteeg. Misschien zag hij in mijn blik een stille vorm van kritiek – toen ik mijn hoofd om de hoek stak zette de onderwijzer haastig de radio uit.

Ik ging naar buiten. Mijn handdoek hing al klaar in de openluchtbadkamer. De gastvrouw wees op mijn broek, die ik de vorige avond gewassen had. Ze haalde hem van de lijn en liep ermee het huis in om hem op een elektrische radiator te leggen. Haar zorgzaamheid was roerend. Stil glimlachend bleef ze bij me in de buurt om me van alle denkbare gerief te voorzien. Toen ik bewonderend op de bloesem van een sinaasappelboompje wees plukte ze de hele tak voor me af. Ik was zo onvoorzichtig ook nog op een boom met mandarijntjes te wijzen – ik kreeg er zoveel als ik dragen kon. Daarna durfde ik geen goedkeuring meer te laten blijken, ze zou me huis en hof geschonken hebben. Vol vrees dacht ik aan de strenge regels van het oude Albanese gastrecht.

We ontbeten met dikke yoghurt en zelfgemaakte pruimenjam, terwijl op de televisie een apparaat werd aangeprezen waarmee men zijn lichaam kon oprekken. Vrouwen in strakke fitnesspakjes demonstreerden met een lach van oor tot oor de buitengewone voordelen van het martelwerktuig. Daarna werd de kijker plompverloren naar een Amerikaanse keuken verplaatst waar iemand met een veredelde rasp groente snipperde en in dunne plakjes sneed, de keukenacrobatiek voltooiend door van een winterpeen een spiraal te maken. Om acht uur 's morgens zag de onderwijzer hoe in onze doorgedraaide consumptiemaatschappij overbodige behoeftes gekweekt werden.

Het vertrek ging weer gepaard met uitgebreide dankrituelen. Ik wilde het echtpaar vereeuwigen op de veranda – een foto opsturen was wel het minste dat ik kon doen om blijk te geven van mijn dankbaarheid. Zij bleef lang weg om zich mooi te maken maar kwam toen, een ware metamorfose, in een zwart mantelpakje met witte noppen en op hoge hakken naar buiten. 'Elegante!' riep ik uit, zij lachte vol ongeloof. Bedeesd poseerden ze. Daarna liepen we in colonne het hobbelpad af naar beneden, de gastvrouw laveerde op haar pumps over de keien, een zwarte tas tegen zich aan klemmend. Het echtpaar kon met onze chauffeur meerijden naar Gjirokastër en had besloten er een dagje uit van te maken.

De nieuwe paardenman stond met een innemende grijns op ons te wachten, naast hem een stugge, bruingebrande jongen in een grofgebreide wollen trui die hij, ook toen het flink heet werd, niet uit zou trekken. De vader van deze 'dragojongen', die ik een jaar of veertien schatte, was de eigenaar van het tweede paard. Het was helder weer, alles was diep van kleur en glinsterde in de zon. Als gewoonlijk gadegeslagen door een publiek van mannen en kinderen klauterde ik op een schimmel, terwijl Daniël het andere paard, dat glanzend roodbruin was, besteeg. En daar gingen we weer, heel ontspannen deze keer, het kon dus ook anders.

Het landschap was nu aan alle kanten weids, met robuuste bergen rondom – we volgden niet langer de flank van het gebergte. Het verslag van Hobhouse met betrekking tot dit deel van de reis was geografisch weer voor velerlei uitleg vatbaar: 'Toen we op de ochtend van de 19de Ereeneed verlieten daalden we van de heuvels af en kwamen in de vlakte waardoorheen, naar het noordwesten, de rivier stroomde die we overgestoken waren op weg van Libokavo naar Cesarades.' Hij doet het voorkomen of ze in een vloek en een zucht beneden waren. De hoogvlakte die éérst moest worden overgestoken slaat hij voor het gemak over.

Midden in die vlakte, waar geen enkel teken van menselijke bewoning was, stond een kamerbreed orthodox kerkje, opgedragen aan de Heilige Georgios. Al langgeleden was het overgelaten aan de elementen, te oordelen naar het dak dat half was ingestort. Toch had iemand de moeite genomen in de beschutting van een nis een icoon van de Heilige en een Madonna met Kind neer te zetten, en er een kaarsje bij te ontsteken. Een herder? Onderweg hadden we er veel gezien, met kuddes schapen of geiten – yoghurt en kaas waren beslist de redding van de Albanezen.

Onder het oog van de Heilige Georgios steeg Daniël van zijn paard af om plaats te maken voor de professor, die er met bars ongeduld op klauterde. Net als je dacht: hij glijdt er aan de andere kant weer af, wist hij op het nippertje in het zadel te blijven. Zijn favoriete vervoermiddel zou het nooit worden. Bij mij diende zich trouwens ook het eerste ongemak aan: mijn knieën en dijen schrijnden aan de binnenkant. Daniël, die steeds in de amazonezit reed – wat ik in stilte een truttige aanblik vond – raadde me aan hetzelfde te doen. Ik volgde zijn advies en zowaar, het was bijna alsof je in een leunstoel zat. Onbewust had ik steeds de heroïsche voorstelling van over de steppe galopperende Mongolen voor ogen gehad, terwijl dit de bergen van Albanië waren en allen die we passeerden in de amazonezit reden.

Toen we langs een vlakke weide kwamen stelde Roberto voor wat schietoefeningen te doen, niet bevroedend dat hij daarmee volmaakt in jouw geest handelde. Hij zette een colablikje op een boomstronk in het veld, op eerbiedwaardige afstand, en trok zijn pistool uit zijn gordel. Hij richtte, schoot en miste. Er kwam een gevoel van hilariteit over ons – Karagjozi en Daniël wilden ook wel eens een pistool vasthouden. Lacherig lieten ze zich door Roberto instrueren over de werking van het vuurwapen. Nu de gewapende overval die *Le Monde* beloofd had uitbleef moesten we zelf voor de nodige opwinding zorgen. Afrim nam een martiale houding aan, de humor verdween, ineens leek het volle ernst. Hij hield de loop op ooghoogte en concentreerde zich. Het colablikje stond nog gaaf op het cachot en daagde hem uit. De professor met een wapen te zien was nog potsierlijker dan hem op een paard te zien zitten. Niet iedere Albanees had de struikroverij in zijn genen. Hij schoot, de kogel verdween in de oneindigheid zonder het blikje te raken. Daniël verging het net zo.

Mijn eerzucht werd geprikkeld. Stel je voor dat ik als enige vrouw wél... Ik herinnerde me jouw opschepperij over je trefzekerheid: 'Goed schietwerk – heb vier gewone en nogal kleine flessen gebroken in vier schoten op veertien passen afstand, met een gewoon stel pistolen en doorsnee kruit.' Ik tikte Roberto op zijn schouder. Alsof het de gewoonste zaak van de wereld was legde hij het pistool in mijn hand – wat een heerlijk koel en glad voorwerp. Hij demonstreerde hoe ik het met gestrekte arm van me af moest houden en de trekker overhalen. Beelden uit films en televisieseries schoten door mijn hoofd. 'Heilige Maria, Calamity Jane...' prevelde ik en schoot. Nog geen seconde later danste ik met mijn vingers in mijn oren als een derwisj in het rond, geschokt door de enorme knal en de kracht die erbij vrijkwam. Er werd vol leedvermaak gelachen. Het colablik was nog stuitend gaaf. Nu wilden we allemaal tegelijk, maar Roberto was door zijn patronen heen. Ik had het graag nog eens geprobeerd, en nog eens. Dit ene schot was voldoende om voor dit geliefde tijdverdrijf van jou, dat ik altijd nogal bedenkelijk had gevonden, iets meer begrip te krijgen.

De tocht werd voortgezet. Ik vond geen geschikte steen om als opstap te gebruiken bij het bestijgen van de schimmel. Roberto deed voor hoe je met een sprong in de amazonezit kon komen. Overmoedig geworden door het schieten zette ik me af tegen de aarde en zowaar, ik zat. Ik steeg in zijn aanzien. 'Je springt al op een paard als een Skiptaarse,' lachte hij.

Zelf had ik het idee dat ik steeds meer op een 'Albanese maagd' ging lijken. Binnen de traditionele clansamenleving in de geïsoleerde delen van Albanië waren vrouwen altijd beschouwd als minderwaardige wezens. 'Een vrouw moet harder werken dan een ezel, want een ezel eet gras terwijl een vrouw brood eet,' luidde het gezegde. Vrouwen werden zodra ze geslachtsrijp waren uitgehuwelijkt en gesluierd naar het familiehuis van hun bruidegom gevoerd. Daar brachten ze als eigendom van de schoonfamilie de rest van hun leven door, meestal ver verwijderd van hun geboorteplaats. Bij de uitzet zat een kogel, omdat een man het recht had zijn vrouw te doden wanneer ze hem ontrouw was. Het leven van getrouwde vrouwen bestond uit werken en baren, bij voorkeur zonen – in de patriarchale samenleving, waar alles verliep via de mannelijke afstamming, was een gezin met uitsluitend dochters niets waard. Voor wie aan dit lot wilde ontkomen was er een door iedereen gerespecteerde oplossing: man worden. De vrouw moest dan openlijk beloven nooit te trouwen en maagd te blijven, moest zich voortaan als man kleden, wapens dragen en eventueel als soldaat optreden. Wanneer er geen andere mannen in haar familie waren kon ze zelfs hoofd van het gezin worden en alle belangrijke beslissingen nemen. De Engelse tekenares Edith Durham, die in het begin van deze eeuw door de meest ontoegankelijke berggebieden van Albanië reisde, beschreef in haar boek *High Albania* een vrouw die deze keuze gemaakt had. 'Hier [in het dorp Rapsha] vonden we een van de Albanese maagden die mannenkleding droegen. Terwijl we stopten om de paarden te laten drinken, kwam ze aanlopen: een magere, pezige, beweeglijke vrouw van 47 jaar, gekleed in haveloze lompen, een broek en een jasje. Ze vond het zeer vermakelijk om gefotografeerd te worden en de mannen plaagden haar met haar "schoonheid". Ze droeg al sinds haar jeugd jongenskleding, vertelde ze, omdat ze het graag wilde, en haar vader had haar laten begaan. Ze liet zich spottend uit over het huwelijk: al haar zusters waren getrouwd, maar zij keek wel uit.'

De zon brandde op onze hoofden. Ik benijdde Afrim Karagjozi om zijn honkbalpet. Nog liever had ik zo'n witte, kunstig tot luifel gevouwen hoofddoek gehad zoals de vrouwen droegen die op het land werkten. We bewogen ons door het landschap met het gezapige tempo van vier hoeven, een goede les of remedie voor wie zo gewend is aan haast als wij. Ik zag de handelskaravanen voor me die vanaf de Albanese kust over de Via Egnatia naar Constantinopel getrokken waren, of door deze zuidelijke bergen naar Ioanina en Athene. Hoe lang hadden ze daarover gedaan? Wat een verschil met onze vrachtwagens, waarvan de chauffeurs 'op provisiebasis' over de autowegen razen om verse snijbloemen of groente vanaf de veiling binnen een etmaal naar Rome of Madrid te brengen. Waaraan dachten handelsreizigers door de eeuwen heen gedurende die lange reis? Tijd en stilte voor overpeinzingen in overvloed gedurende de lome cadans door steeds wisselende landschappen. Tijd en stilte die in West-Europa aan het eind van de twintigste eeuw lijken te ontbreken. We wonen boven op elkaar in uitpuilende steden en zijn zo bang geworden voor de tijd dat we hem alleen nog kunnen doden.

Hobhouse had tijdens de tocht van Erind naar Tepelenë fantasieën over Griekse en Romeinse legers die de door rivieren uitgeslepen kloven benut zouden hebben om via schier ondoordringbare gebergtes oostwaarts te trekken en Macedonië te veroveren. Het kon, want Pyrrhus had het ook gedaan, met olifanten zelfs – in 288 voor Christus, om het voormalige rijk van Alexander de Grote nieuw leven in te blazen.

We gingen een dorp met de bizarre naam Hundëkuq binnen. Ergens werd een voortuintje gevuld door een liefdevol met doeken bedekte tractor. Op een strategisch punt was onlangs een café gebouwd, bij de ingang waarvan weer een nieuw politieduo op ons stond te wachten. Overdreven ze niet een beetje, we hadden Roberto toch al? Maar ze kwamen alleen controleren of we niet ergens in de onmetelijkheid verdwenen waren. Er moest natuurlijk op de ontmoeting gedronken worden. Binnen rook het naar vers hout en verf. Sigaretten en Hollands bier verschenen op tafel, onbekenden schoven aan. Het doel van onze tocht wekte algemene bevreemding. Je zag ze twijfelen tussen spot en respect – naarmate de consumptie van bier steeg kreeg het eerste meer en meer de overhand.

Maar we moesten verder, het laatste stuk te paard. De Drinos kwam in zicht, een zilveren slinger in het landschap. Op de oevers glinsterde de witte kiezel tussen het overdadige groen van platanen, populieren en wilgen. Omdat het pad zich in de verkeerde richting voortzette staken we een knollenveld over. De paarden ploegden met hun hoeven tussen zware aardkluiten, vogels die zaden aan het pikken waren vlogen verschrikt op. Aan de overkant van de akker hoedde een spichtig vrouwtje met een zwarte kap op het hoofd haar kalkoenen, vederbossen die ze met een stokje bij elkaar dreef. Toen zagen we, tussen de bomen door, de brug in de verte.

Op dit punt aangekomen maakt Hobhouse gewag van een bijzondere ontmoeting: 'Nadat we een uur door de vallei hadden getrokken, kregen we een brug in het oog, en zagen er een grote groep soldaten overheen gaan, en enkele Turken te paard die een bedekte stoel of draagkoets begeleidden. Even later, tot onze grote verbazing, kwamen we een koets tegen, niet slecht gemaakt, volgens de Duitse methode, met een man op de bok die de teugels in een hand hield, en twee vuile Albanese soldaten die achter hem op de voetenplank stonden. Ze baggerden in een drafje door de modder. We begrepen totaal niet hoe ze de weg hadden kunnen afleggen die wij waren gegaan. In ieder geval, de populatie van hele dorpen kreeg de opdracht hen verder te helpen, en we hoorden later dat de koets veilig in Libokavo was aangekomen. De koets had, zei men, een dame uit de harem van de Vizier vervoerd tot aan de brug, waar de draagstoel haar tegemoet kwam, waarin ze op mannenschouders naar Tepellenië gedragen werd.'

Een tableau vivant waar een grote aantrekkingskracht van uitgaat. Maar er zijn geen koetsen, geen haremdames, geen viziers meer, en van de stenen boogbrug zijn alleen twee pijlers en enkele bogen boven de oevers nog intact. Een weinig idyllische, roestige baileybrug verbindt nu de oevers met elkaar. Ik moest heel sterk aan je denken toen ik de brug naderde. Onze voetstappen 'spoorden' hier letterlijk. Jullie moesten afstijgen omdat de boog van de brug te steil was in het midden, wij stegen af omdat het met het paardrijden gedaan was. Gemotoriseerde paardenkracht zou het op de andere oever overnemen. De paarden werden te grazen gezet op een veld naast de bogen, en wij staken met z'n allen de brug over – voetje voor voetje want er ontbraken planken, terwijl andere halverwege afgebroken waren of versplinterd.

Aan de overkant stond een café, een platte doos zonder kraak of smaak. Op dit belangrijke knooppunt had vast en zeker ooit een oude 'Han' gestaan. Sommige plekken zijn geschapen voor inkeer en gebed, daar staat een kerk – andere plekken zijn al vanaf de oertijd bestemd voor drank of waterpijp, daar staat een kroeg. We begroetten onze chauffeur en Hadji, die met hem was meegekomen, en streken neer op het terras. Dit was het moment voor een laatste dronk. We vormden een grote kring, die zo meteen uiteen zou vallen. De begeleiders van de paarden keerden, zonder zelfs maar een trommeltje brood bij zich te hebben gestoken, diezelfde dag nog terug naar Erind. We maakten de paardenman een compliment, dankbaar voor de soepel verlopen tocht – zo kon het dus ook. Hij was tevreden, de ongebruikelijke missie was volbracht.

We klonken op elkaars gezondheid en namen afscheid. Schouderklopjes, foto's, en toen de bus met de gordijntjes in. Op naar Tepelenë.

'Daarna moesten we over een pad op de richel van een steile helling, met de rivier die breed was (± 70 voet), diep, en erg snel stroomde, onder ons.'

Die richel, waar jullie ooit overheen laveerden, is nu een geasfalteerde weg. Na de stilte in de bergen was het geronk van motoren een inbreuk op de ziel, iets van een verpletterende agressiviteit. Hoe konden we daarmee leven? Ten koste van wat? Er waren veel Mercedessen op de weg, vrachtwagens uit westerse landen, bussen van Russische en Chinese makelij. Auto's zonder nummerbord of met een gebroken voorruit – alles kon in Albanië, aan APK waren ze nog lang niet toe. Daniël vroeg zich af waar al die auto's ineens vandaan kwamen. Vier jaar geleden was hij in Tirana geweest, toen had nog niemand een auto. Langs de weg stonden graftombeachtige bouwsels ter herinnering aan dodelijke ongelukken. Ook waren er veel oudere gedenktekens voor gesneuvelde partizanen waar alles van waarde, zoals stukken marmer of brons, af was gesloopt – was er geen eerbied meer voor de helden? Op zeven kilometer voor Tepelenë passeerden we een beroemde geneeskrachtige koudwaterbron, waar in Hoxha's tijd ter verpozing van de arbeiders en hun kameraden een uitspanning bij was gebouwd.

Jou verloor ik uit het oog door de vaart waarmee we ons verplaatsten. We snelden voor je uit, de negentiende eeuw en haar nog menselijke tempo achter ons latend – en toch had ik het gevoel dat ik je niet in kon halen. In het dagboek van Hobhouse is nog sprake van het langzaam naderen van de stad, een gevoel van verwachting en het rekken van de nieuwsgierigheid: 'Op een afstand van twee uur van de brug werd de rivier veel breder, en een stuk verderop kwam er nog een redelijke rivier bij die uit een smal dal in het noordoosten kwam. Niet lang na het samenkomen van de rivieren leek de hele rivier zo breed als de Theems bij Westminsterbridge, maar toch zag hij er op veel plaatsen ondiep uit, met kiezelstrandjes boven de waterspiegel. Spoedig erna kregen we zicht op Tepellenië, het doel van onze reis, dat aan de rivier lag, en in drie kwartier gingen we de geboorteplaats van Ali binnen.'

Tepelenë. De bus hobbelde over afbrokkelend asfalt de stad binnen. Van achter de gordijntjes zag ik flats in gevorderde staat van ontbinding – afbladderend pleisterwerk, betonrot, gebroken en dichtgetimmerde ramen, verveloosheid, vuil. Hoxha had eens moeten zien wat het gevolg op lange termijn was van zijn maatregel om flats door buurtgenoten te laten bouwen, en door intellectuelen die een maand per jaar verplichte handarbeid moesten verrichten. Professionele bouwvakkers, vond hij, moesten zich wijden aan 'belangrijker projecten', zoals fabrieken, culturele centra, bioscopen.

De straten van Tepelenë werden geflankeerd door stompjes

hout op de plaats waar ooit bomen hadden gestaan. 'Omgehakt in de hongerwinter van '91,' zei Karagjozi laconiek. De stoepen waren gehavend, alles was modderig, her en der waren autowrakken en vuilnis neergekieperd.

Tegen dit decor was het een drukte van jewelste. Daar waren weer de kraampjes bestaande uit een lap met twee stokken, kartonnen dozen of sinaasappelkisten – ergens, zag ik in het voorbijgaan, werden alleen wieldoppen verkocht. De bewoners hingen wat rond, sommigen apathisch, anderen met ingehouden energie, of zelfs gespannen. In een plantsoen, aan de voet van drie borstbeelden van helden uit de tweede wereldoorlog, zaten mannen op een verwilderd gazon in kleermakerszit te kaarten. Er waren opvallend veel kinderen. 'Van elke drie Albanezen zijn er twee jonger dan dertig jaar,' vermeldde mijn reisgids. Een inhaalmanoeuvre misschien, omdat door de eeuwen heen zoveel Albanezen waren weggetrokken: naar Griekenland en Italië, en zelfs de oceanen over naar de Verenigde Staten en Australië?

We stopten bij het gemeentehuis. Er moest daar een dame zijn die op de hoogte was van onze komst, zei Karagjozi. Omdat het enige officiële hotel in Tepelenë volgens de reisgids van Daniël het slechtste van heel Albanië was, had Afrim de burgemeester een brief geschreven en via hem onderdak geregeld in een voormalig hotel voor partijbonzen, dat bergopwaarts aan de rand van de stad moest staan. De burgemeester, die deze dag zelf niet aanwezig kon zijn, zou zich laten vertegenwoordigen door een dame. Karagjozi verdween in het gemeentehuis. Na lang wachten kreeg hij te horen dat de betreffende persoon vandaag niet hier maar in Gjirokastër was. Het zag ernaar uit dat we onszelf toegang zouden moeten verschaffen tot het vakantieheiligdom.

De bus hobbelde naar boven tot waar de hoogbouw ophield en we in een florissanter gebied met tuinen belandden. Hier kwamen verschillende verspreid staande bouwsels van communistische snit in aanmerking als partijhotel. Terwijl wij op een stenen muurtje in de schaduw van cipressen wachtten ging de professor op onderzoek uit. Naar de haveloze stad in de diepte starend, probeerde ik een langzaam opkomend gevoel van neerslachtigheid te onderdrukken. Ik las Hobhouses pagina over jullie aankomst er nog eens op na: 'De straten van de stad, waar we doorheen gingen, waren vuil en slecht bebouwd.' Dat was een hele troost – ook in jullie tijd was Tepelenë op het oog een naargeestig oord. De verrassing kwam pas toen jullie het domein van Ali Pasja betraden: 'Maar alles wat daarna onze aandacht trok werd onmiddellijk vergeten toen we door de poort in een toren binnenkwamen op het plein van het paleis van de Vizier.'

Ja, waar was het paleis. Jullie draafden rechtstreeks een duizend-en-een-nacht sprookje binnen, wij zaten op een muurtje en wisten niet waar ons bed zou staan. Er kwam een blonde man van een jaar of vijfentwintig aanslenteren, zo 'bright and shining' in vergelijking met de Albanezen die we gezien hadden, dat hij alleen maar een Noord-Amerikaan kon zijn – zoeen die je in reclames ziet surfen in de branding voor de kust van Californië.

'Hi...' Luchtig stak hij zijn hand op. Blijkbaar was het voor hem meteen duidelijk dat wij geen Skiptaren waren. Hij bleef staan om een praatje te maken, zo te zien had hij alle tijd van de wereld. Onze missie wekte geen enkele verbazing – ik moet toegeven dat die van hem daarbij vergeleken veel absurder was. Als lid van een protestant kerkgenootschap was hij uit Vancouver gekomen om in Tepelenë zieltjes te winnen en sociaal werk te doen.

'Wat voor kerk?' vroeg ik.

'Niet een speciale richting,' zei hij vaag, 'we passen ons aan, het moet een echte Albanese variant worden, you know...'

Zijn vriendin was er ook en daarnaast opereerden verschillende andere leden van de kerk in Tepelenë en omgeving. Na veel bureaucratische beslommeringen waren ze nu een eigen gebouw aan het opknappen.

Later vertelde Karagjozi dat religieuze instanties uit oost en west, met het oog op de door het communisme ontstane lacune, probeerden in Albanië voet aan de grond te krijgen voordat de concurrentie het zou doen. De islamieten waren daarin het meest succesvol – overal in het land verrezen nieuwe moskeeën, en slechts af en toe zag je een nieuwe rooms-katholieke of Grieks-orthodoxe kerk.

Albanië was een vroegchristelijk land. Na het schisma in het christendom werd het noorden katholiek en het zuiden orthodox. Onder de Turkse bezetting werd het land langzaam geïslamiseerd, niet met dwang – maar veel geraffineerder. Je moest wel een rotsvaste geloofsovertuiging hebben wilde je niet bezwijken voor de verleiding van een stuk grond of aanzienlijke belastingverlaging, in het vooruitzicht gesteld aan hen die bereid waren voortaan met het hoofd in de richting van Mekka te bidden. De meesten van ons verkopen hun ziel wel voor minder aan de duivel. Als de katholieken indertijd in plaats van de inquisitie dit middel hadden toegepast waren ze vast veel succesvoller geweest. Zo ging het merendeel van de Albanezen ten slotte over tot het soennitische geloof van de veroveraar, hoewel tegelijkertijd onder een kleine minderheid de Bektashi-beweging opgang maakte.

Deze tolerante, mystieke variant van de islam, die ook heidense en christelijke elementen bevat, werd in de zestiende eeuw door de derwisj Hadji Bektashi Veli uit het Perzische Khurasan in het leven geroepen. Zijn aanhangers geloven (want ze zijn er nog steeds, vooral in Anatolië) in de Heilige Drie-eenheid en de twaalf apostelen; daarnaast kennen ze de biecht als middel tot vergeving. Aan feestelijke rituelen doen zowel de mannen als hun ongesluierde vrouwen mee. Er wordt wijn of raki gedronken en gemengd gedanst op religieuze muziek, alles zeer verheven en niets op aan te merken, hoewel onder orthodoxere islamieten geruchten over orgiën de ronde deden en veel Bektashi's daarom werden vervolgd en gedood. De beweging lijkt een soort oecumene avant la lettre te praktiseren, omdat ze ook andersoortige gelovigen in haar gelederen opnam zonder dat die daarvoor hun oorspronkelijke religie moesten opgeven. Er moet een grote aantrekkingskracht van zijn uitgegaan, want zelfs Ali Pasja trad rond 1800 heimelijk tot de beweging toe.

Voordat de communisten kerk en religie verboden waren de Albanezen voor zeventig procent moslim, twintig procent Grieks-orthodox en tien procent rooms-katholiek. De Grieks-orthodoxen woonden vooral in het zuiden, in en rond de steden Gjirokastër en Korça. In het ottomaanse rijk werden de Albanezen nooit als een apart volk beschouwd. De moslims waren voor de overheersers Turken, de orthodoxen Grieken en de katholieken Italianen. Iemands nationaliteit werd door zijn geloof bepaald – een slimme verdeel-en-heerspolitiek? In ieder geval werden gevoelens van nationale eenheid er eeuwenlang door bemoeilijkt.

Hoxha rekende niet in één keer af met de kerk; hij deed het in etappes. Aanvankelijk werden religieuze bijeenkomsten niet verboden, maar alleen gedwarsboomd. Vanaf 1967 startte hij naar het voorbeeld van de Chinese revolutie een aantal antireligieuze campagnes 'om in de mensen de wetenschappelijk materialistische wereldbeschouwing te verankeren'. Aan de jongeren werd hierbij een actieve rol toebedeeld. Kerken en moskeeën kregen, wanneer ze niet werden afgebroken, een nieuwe bestemming: sporthal, museum of cultuurcentrum, gesymboliseerd door een rode ster op torenspits of minaret. Imams en priesters ondergingen een heropvoeding tot gewoon burger. De katholieke kerk in Shkodra, eens het Vaticaan van Albanië, werd een atheïstisch museum met een permanente tentoonstelling van foto's en documenten waarop het succes van de campagne getoond werd. Zoals de eerste christenen hun kerken bij voorkeur bouwden op de heilige plaatsen van de heidenen, zo brachten de jonge atheïsten de kerk terug tot haar voormalige heidense staat. Panta rhei – alles stroomt, en soms stroomt alles weer terug.

Het werd zelfs verboden pasgeborenen een christelijke naam te geven – wie wilde opklimmen in de cohorten van de Partij kon voor zijn kinderen het beste een Illyrische naam kiezen.

Of door al deze maatregelen het religieuze leven echt uitgebannen is moet de komende jaren blijken. Zullen al die pasgebouwde, nog naar cement ruikende godshuizen vol gaan stromen met gelovigen? De professor trok een erg vies gezicht toen ik hem naar zijn mening vroeg. Vlak bij zijn huis in Tirana riep sinds enige tijd de moëddzin weer op tot gebed – allemaal onzin, vond hij, en geluidsoverlast. 'Als de Albanezen zo nodig moeten gaan geloven laten ze dan katholiek worden: wij zijn van oudsher christenen, geen mohammedanen.'

We namen afscheid van de montere zendeling. 'Good luck!' Hij lachte onbezorgd en liep veerkrachtig verder. Bij hem was alles easy en vanzelfsprekend. Ik benijdde hem. Waar haalde hij zoveel zelfvertrouwen vandaan, in een desperaat land als Albanië? Het kon niet anders of hij was helemaal 'in de Heer'. Ik vroeg me af hoeveel onschuldige Albanezen hij in zijn opgeknapte tempelclubhuis zou binnenlokken onder het mom van sociale bijstand.

Inmiddels had Karagjozi het hotel gevonden, en een man die het terrein bewaakte. Nadat de professor hem het hele verhaal had gedaan, hadden ze samen een slot geforceerd. Het hotel was een toonbeeld van communistische megalomanie.

Alles was buitenproportioneel – de hal, het trappenhuis, de slaapkamers en hun bedden, de badkamer en de eetkamer, met hoezen over de stoelen en een gigantisch wandmeubel waarop de tweekoppige adelaar in hout was uitgesneden. Alom heersten de bruinen en beiges van de jaren vijftig, zestig en het geheel was aan een grote opknapbeurt toe. Zo stuitend als de wansmaak en strengheid waren, zo belachelijk was de imitatievoornaamheid.

De professor, in zijn ongeneeslijke hoffelijkheid, had mij de kamer toebedacht waarin tegenwoordig het districtshoofd van de democratische partij sliep wanneer hij in Tepelenë moest zijn. Een blik in dit uitverkoren nachtverblijf was voldoende om geschrokken terug te deinzen. Ik wist zeker dat ik geen oog dicht zou kunnen doen in die immense gestoffeerde doodskist vol zwartleren fauteuils. Er hing een terneerdrukkende somberheid die waarschijnlijk voor deftig door moest gaan. In plaats daarvan koos ik in allerijl een iets opwekkender partijbonzenkamer met een driepersoonsbed en uitzicht op de haveloze flats van Tepelenë, maar ook op de bergen daarachter.

Ik waste wat hemden en sokken en hing ze her en der te drogen. Met dit wasgoed op stoelleuningen en knoppen van radiatoren kreeg de kamer meteen een menselijker aanzien. Daarna liet ik me achterover op het immense bed vallen en bleef enige tijd met gespreide armen en benen liggen. Een gevoel van grote bevreemding overviel me. Waarom was ik hier en niet ergens anders? Niets wees erop dat ik nu vlak bij Ali Pasja's serail was. Ik zat hier in dit oneigenlijke gebouw – het schemerde buiten en ik moest mijn ongeduld tot de volgende dag bedwingen. Jij zou je in de verste verte geen voorstelling kunnen maken van de situatie waarin ik me, in het Albanië van nu, bevond. Toen jij stierf moest *Het Kapitaal* nog geschreven worden, een boek dat de wereld heel wat drastischer

215

veranderd heeft dan jouw *Childe Harold.* Hoe zou ik je dat kunnen uitleggen? Ik snuffelde verstrooid aan een bosje bergthee. Ah, de geur van het land waar we doorheen waren getrokken.

Ze zaten allemaal bij elkaar in de hal. Er werd nog wat nagepraat en afgerekend met de chauffeur. Ik moffelde Hadji en Roberto een bewijs van mijn dankbaarheid in de hand, wat ze steeds hadden afgeslagen maar nu heimelijk toch graag accepteerden. Het was alsof we elkaar al jaren kenden en zo namen we ook afscheid. Een 'Mirupafshim!' dat nooit zou worden ingelost, en daar gingen onze dragomannen, ons achterlatend met de oppasser die somber en stil door het gebouw sloop.

Het was etenstijd. Afrim Karagjozi stak een flinke zaklantaarn bij zich met het oog op het ontbreken van straatverlichting. We daalden af tussen de flats. Hoewel er nog steeds veel mensen op straat waren was de atmosfeer op een ongrijpbare manier sinister. Vier mannen, van wie achter vensterglas vooral stevige haardossen en leren jacks met grote ritsen zichtbaar waren, stoven voorbij in een Mercedes. 'Maffiosi,' constateerde de professor somber, 'in Tirana worden ze "The Powerful" genoemd.'

Het duurde even voordat tot me doordrong dat we voor Ali's vestingmuren stonden die uit grijze, hier en daar zwart uitgeslagen blokken steen waren opgetrokken. 'Hier was toch ergens een restaurant,' mompelde Karagjozi, met gefronste wenkbrauwen rondspeurend. Hoop vlamde op, zouden we vandaag toch nog die paar magische passen door de poort doen en binnengaan in een andere wereld? De professor vond het restaurant, maar kreeg te horen dat er alleen vlees geserveerd werd, geen aardappels, geen groente, nix. Hij schudde zijn hoofd. Waar ging het met dit land naartoe als er in de restaurants geen groente te krijgen was. Je kon zeggen wat je wilde van Hoxha, maar in zijn tijd hield Albanië zelfs groente over voor de export. Met een knagend gevoel van honger liepen we verder langs de muur.

In het voorbijgaan bescheen de professor met zijn lantaarn een bronzen plaquette met jouw beeltenis – je draagt je Albanese hoofdtooi en ter hoogte van je linkerarm zweeft een olijftak. De vorige plaquette was vernield, zei Karagjozi, hij had ervoor geijverd dat er een nieuwe kwam. Een vriend had hem gegoten; de tekst was, naast een citaat uit *Childe Harold*, van hemzelf. Ik geloof – ere wie ere toekomt – dat in Albanië de professor de enige is die jouw naam voor vergetelheid behoedt.

We zochten verder. Nergens een restaurant, zelfs geen simpel eetlokaal. Wel stonden overal vrachtwagens geparkeerd; zo te zien was Tepelenë de laatste stopplaats voor de Griekse grens. Waar aten al die chauffeurs? Bevreemd en met een nog toenemend gevoel van onbehagen dwaalden we door de donkere binnenstad.

In een café waarvan de deur openstond zag ik een oude bebaarde man met hoed, die schuin voorovergezakt aan een kaal tafeltje zat te dommelen. Zijn kruk, die hem het lopen moest vergemakkelijken, was meegezakt en versperde het gangpad. Iemand zal daarover struikelen, zei ik bij mezelf, en zijn been breken en tijdens de revalidatie een kruk nodig hebben waarover dan weer, op een dag, een ander ten val zal komen. Dit was ook wat er met Albanië gebeurde, zo kwam het me voor, al eeuwenlang – het Droste-effect in de vorm van steeds dezelfde ellende, zonder dat er iemand was die je de schuld kon geven. De man, die een T-shirt droeg met het opschrift *American Tennis Good*, had een opengeslagen schrift voor zich en een potlood; zijn rechterhand rustte op het papier. Wat had hij willen schrijven? Vergde het zoveel van zijn afgetobde brein dat hij in de slaap was gevlucht? Als hij nu eens de reincarnatie van Homerus was en zich had voorgenomen deze keer de geschiedenis van de Balkan te schrijven? Dan kon hij maar beter snel wakker worden, en blijven. Dit alles dacht ik in een flits en het stemde me nog somberder. Op een of andere manier leek de slapende man meer te openbaren dan alles wat ik tot nu toe had gezien en gehoord.

Er passeerde een groepje mensen voor wie het epitheton 'nouveau riche' zelfs nog een eufemisme was. Mannen in felgekleurde trainingspakken met dikke, goudkleurige armbandhorloges, ringen en kettinkjes, in gezelschap van dito vrouwen. Waarom werd van het westen vooral de lelijkheid overgenomen? Ze contrasteerden karikaturaal en stuitend met de anderen, die veruit in de meerderheid waren in hun versleten colbertjes over duizendmaal gewassen, pluizige truien.

We hadden de moed al bijna opgegeven toen we aan de rand van de binnenstad een klein, pas opgeleverd restaurant ontdekten. Een vrouw met een fors lichaam en een stuurse kinnebak stond ons met de charme van een nijlpaard te woord. Ja, ze serveerden hier aardappels en een salade bij het vlees, gaf ze met tegenzin toe. We wisten niet hoe gauw we moesten gaan zitten. De professor ontspande zich; met een weids armgebaar bestelde hij een grote schotel gebakken lamsbout.

Toen het gerecht gebracht werd viel ik on-ladylike aan. Maar niets scheen die avond mee te zitten – een lamsbout is een stuk van een dood dier, met die wetenschap moet je vrede hebben, maar dit lam was wel heel erg dood. Ik spuugde de bedorven hap zo onopvallend mogelijk uit en nam gauw een aardappel om de smaak te verdrijven. Maar de professor had het al gesignaleerd. 'Bedorven,' zei ik zacht en liet er berouwvol op volgen, 'maar het geeft niet, ik eet wel wat meer aardappels.'

Hij trok het zich persoonlijk aan, zoals ik al vreesde. Geenerveerd stak hij zijn vork in het vlees op zijn bord en proefde. Die van hem was in orde, wilde ik ruilen? Nee, nee, weerde ik af, eigenlijk was het voor mijn maag sowieso beter geen vlees te eten. Daniël viel me bij: zijn vlees was niet zozeer bedorven als wel veel te rauw. Met een strak gezicht at de professor verder. Ik bestelde een extra bord aardappels.

De rekening was absurd hoog. Hoewel Daniël en ik hem vrijhielden was Karagjozi weer helemaal van slag. 'I feel very bad,' verzuchtte hij, zijn hoofd in zijn handen. We probeerden hem te troosten: het gaf niet, we waren op alles voorbereid.

De zaklantaarn was geen overbodige luxe bij het terugvinden van het hotel. Daar werden we opgewacht door de huisbewaarder, een verloren gestalte die met neergeslagen ogen in de immense hal stond – er ging een suggestie van groot drama in verleden of toekomst van hem uit.

'Waarom kijkt hij toch zo treurig?' fluisterde ik.

'Omdat hij langzaam blind wordt. Hij is nog jong, zesendertig, maar sinds enkele jaren gaan zijn ogen angstwekkend snel achteruit. Kleur ziet hij niet meer en zijn reactie op licht en donker wordt steeds minder. Hij was officier in het leger toen de ziekte begon, hij heeft een vrouw en twee kinderen.'

Ik vroeg of hij geopereerd kon worden. In Albanië? De professor antwoordde met een kort droog lachje. Nee, zijn enige kans op genezing lag in handen van een groep Italiaanse jagers, advocaten, artsen, leraren, die eens per jaar een week in dit hotel verbleven om vanhieruit op jacht te gaan in de bergen. Zij hadden aangeboden hem op hun kosten in Italië te laten behandelen. Maar er was een vreemd probleem gerezen. De Italiaanse ambassade weigerde hem een visum. Hij probeerde het al jaren, tevergeefs. Misschien had in het verleden een crimineel onder dezelfde naam geopereerd, of leek zijn portret op dat van iemand die niet welkom was in Italië. Je kwam er niet achter. Terwijl hij dag in, dag uit over dit raadsel tobde ging zijn gezichtsvermogen steeds verder achteruit en kwam de dag waarop hij ook dit baantje zou moeten opgeven steeds dichterbij.

'Maar ik heb een kennis die bij de ambassade werkt,' zei Afrim, 'misschien kan die iets voor hem doen.'

Ik deed een stap in de richting van de huisbewaarder om iets opbeurends te zeggen, maar wat kon ik voor hoopvols bedenken voor iemand wiens toekomst bepaald werd door een vergissing in de Italiaanse bureaucratie die, zoals bekend, op basis van dwalingen en malversaties functioneerde – of niet functioneerde, geen mens die het wist. Langzaam kwam ik in de greep van de onmogelijkheden die Albanië beheersten – zonder hulp van buitenaf moest het land zich aan zijn eigen haren omhoogtrekken.

Om het katterige gevoel van me af te spoelen nam ik een bad in de macro-badkamer. Het bad was groezelig, zoals alles in het hotel, maar uit de kraan kwam een forse straal warm water. Me vastklemmend aan de rand om niet te verdrinken in de kuip, waarin drie partijbonzen tegelijk hadden kunnen plaatsnemen, dacht ik aan de verandering der tijden. Jullie werden met alle egards ontvangen in het paleis van een om-hooggevallen struikrover die naar willekeur besliste over het lot van zijn onderdanen. Negen jaar later werd Marx geboren, ten gevolge waarvan ik nu in een partijbonzenbad lag. Tussen toen en nu was de wereld duizelingwekkend veranderd. Ten goede of ten kwade? Dat was de vraag die zich de hele tijd aan me opdrong omdat mijn voortdurende, misschien wel ziekelij-ke hang naar het verleden, me met scepsis vervulde. Het du-bieuze verlangen naar een tijd waarin, nuchter bezien, man-nen levend geroosterd en vrouwen in jutezakken verdronken werden, kon alleen bestaan dankzij de enorme tijdsspanne tus-sen 1809 en 1996, waardoor zelfs over Ali Pasja's wreedheid een bronzen gloed was komen te liggen, zoals die van het an-tieke licht dat hier iedere namiddag over het landschap streek.

Zo kreeg zijn wreedheid een eigen schoonheid, die onderdeel werd van de exotische atmosfeer die hem omringde en jullie met geestdrift vervulde.

In bed, kingsize op zijn Albanees, had ik de hele tijd het gevoel dat ik tussen Dulla en Sorra in lag. De spoken van Albaniës recente verleden hingen nog rond in de kamer, gefrustreerd om hun gezichtsverlies.

Het contrast tussen dit nachtverblijf en dat van jullie was schril: 'Bij onze aankomst kregen we te horen dat we in het paleis zouden slapen. Nadat we afgestegen waren beklommen we een stel houten trappen en liepen een lange galerij in met twee vleugels, die toegang gaven (zoals in een grote Engelse herberg) tot deuren van verschillende appartementen. Men leidde ons een kamer binnen met grote zijden sofa's, en een kamer erboven om te slapen – een gemak dat bijna nooit voorkomt binnen het Turkse rijk. Zijne Hoogheid (want zo worden de Pasja's die drie erfgoederen bezitten genoemd door hun Griekse bedienden) zond ons een welkomsgroet, en gaf opdracht alles uit zijn eigen huishouden tot onze beschikking te stellen. Tegelijkertijd liet hij weten dat 't hem speet dat de ramadan hem ervan weerhield ons uit te nodigen bij een van zijn maaltijden. Maar hij gaf opdracht om sorbets, suikergoed en fruit vanuit zijn eigen harem naar ons toe te brengen.'

15

'Hij zei dat ik hem tijdens mijn verblijf in Turkije als zijn vader moest beschouwen & dat hij me als zijn zoon zag. – Hij
behandelde me daarna als een kind en liet me wel twintig keer
per dag amandelen & besuikerde sorbets, vruchten & snoeperij brengen.'

Ali Pasja zorgde wel heel erg goed voor Lord Byron. Waarom? Toch niet alleen omdat hij zulke 'kleine oren, krullend
haar & kleine blanke handen' had? In wat voor constellatie
kwam Byron terecht toen hij door de poort het fort binnenging?

De Pasja was een geslepen staatsman. Toen hem ter ore
kwam dat een jonge Engelsman, van adel nog wel, over zijn
grondgebied reisde moet hij over zijn witte baard gestreken
hebben en overwogen dat zo iemand hem in diplomatieke zin
nog wel eens van pas zou kunnen komen. Tijdens de Napoleontische oorlogen hield hij Engeland, Frankrijk en Rusland te
vriend. Zowel de Engelse legerleider Nelson, als de Russische
Tsaar en Napoleon zagen in de naar onafhankelijkheid stre-
vende Pasja een middel om het kwijnende ottomaanse rijk, dat
'de zieke man van Europa' genoemd werd, verder te verzwak-
ken.

'Napoleon heeft tot twee keer toe aangeboden hem koning
van Epiros te maken,' schrijft Byron aan zijn moeder, 'maar
hij geeft de voorkeur aan de Engelse belangen & heeft een
afkeer van de Fransen zoals hij me zelf heeft verteld, hij heeft

zoveel invloed dat hij door beiden met respect wordt behandeld, omdat de Albanezen de meest oorlogszuchtige onderdanen zijn van de Sultan, hoewel Ali alleen in naam afhankelijk is van de Porte. [...] Bonaparte heeft hem een snuifdoos met zijn beeltenis gestuurd: hij zei dat de snuifdoos prima was maar dat hij best buiten het portret kon, aangezien *het* hem evenmin als het *origineel* aanstond.'

Hobhouse geeft nog een ander voorbeeld van Napoleons relatiegeschenken. Op een avond, tijdens een van de audiënties, liet Ali hun enkele pistolen en een sabel zien. Het mooiste bewaarde hij voor het laatst: een geschenk van de keizer der Fransen. Het was een geweer waarvan de lade was ingelegd met zilver, en afgezet met diamanten en briljanten. De vrienden waren onder de indruk, maar later kwam de ontnuchtering – de secretaris vertelde dat 'toen het geweer van Napoleon kwam het alleen een gewone lade had en dat alle ornamenten waren toegevoegd door Zijne Hoogheid om het meer op een keizerlijke gift te laten lijken'.

Hobhouse, die altijd gedreven zijn huiswerk deed, heeft uitgebreid het doopceel van zijn gastheer gelicht. Daaruit blijkt dat Ali maar een gewone jongen was toen hij rond 1750 in Tepelenë geboren werd. Zijn vader was een onaanzienlijke Pasja van twee erfgoederen. 'Onze bediende Vasilly zegt dat hij zich herinnert als jongen Ali te hebben gezien in de cottage van zijn vader met de ellebogen door zijn mouwen. In die tijd kwam deze met troepen uit Tepellenië, 's nachts, om zich meester te maken van de kuddes van de dorpen waarmee hij op vijandige voet stond.' Het ene dorp na het andere innemend slaagde Ali Pasja erin geld en macht te vergaren. Zijn trawanten, een groep professionele rovers, werden in de vorm van plunderingen betaald – in die tijd overigens ook voor soldaten een gebruikelijke aanvulling van hun soldij. Ten slotte had hij genoeg geld om een *pashalik* te kopen, vanwaaruit hij doorging met oorlog voeren. Hij wist Ioanina te veroveren en werd officieel tot Pasja van drie erfdommen verklaard door de Sultan in Constantinopel.

Ali kon alleen nog denken in termen van gebiedsuitbreiding: 'Toen voerde hij oorlog met de Pasha's van Arta, van Delvino en Ocrida, die hij onderwierp samen met die van Triccala, en kreeg een grote invloed op de Aga's van Thessalië.'

Geen middel was hem te gek. Hij liet Giaffar, de Pasja van Vallona, in Sofia met een kop koffie in bad vergiftigen om vervolgens zijn eigen zonen Mouctar en Veli uit te huwelijken aan de dochters van Giaffars broer Ibrahim. De laatste bestookte hij weer met nieuwe oorlogen. Zo wist hij steeds meer grondgebied aan de streek rond Ioanina toe te voegen. Nu moesten er voor Mouctar en Veli nog *pashaliks* veroverd worden. Maar Veli had zo braaf gespaard dat hij zonder bloedvergieten voor 15.000 piasters die van de Morea kon kopen, met de daaraan verbonden waardigheid van vizier. Mouctar, een zeer strijdlustig type, had zijn vaders plaats in de Albanese eskaders van het leger van de Sultan ingenomen en maakte daar carrière.

De grootste tegenstand, volgens Hobhouse, kwam voor Ali bij het uitbreiden van zijn macht niet van de kant van de Pasja's, maar van de veel ongrijpbaarder 'natuur van de mensen en 't land waarvan hij zich meester wilde maken. Veel van de gebieden die nu van hem zijn werden bewoond door mensen die altijd gerebelleerd hadden, of nooit helemaal veroverd waren door de Turken, zoals de Chimerioten, de Soulioten, en de volkeren uit de bergen vlak bij de Ionische kust. Bovendien waren de bossen en heuvels van ieder deel van zijn rijk in bezit van grote bendes rovers, die gerekruteerd werden uit de dorpen en zich door deze beschermd wisten, in hele streken belasting hieven, en districten die onder bescherming van de Pasja stonden in brand staken en plunderden. Tegen hen trad hij met de grootste strengheid op: ze werden verbrand, opgehangen, onthoofd en gespietst, en aldus zijn ze uit vele delen verdwenen, vooral uit Opper-Albanië, dat voorheen steeds weer ten prooi viel aan deze bandieten.'

Of hij wilde of niet, Hobhouse was onder de indruk van de blitzcarrière van een jongen uit de bergen die het tot Pasja van een zelfgecreëerd imperium had gebracht en die nog lang niet op zijn lauweren rustte: '[...] en als zijn plannen tot uitbreiding slagen, dan zullen de landen die vroeger het zuidelijk deel van Illyricum vormden, het koninkrijk Epirus, deel van Macedonië, het hele gebied Thessalië, Eubaea, en alle Griekse Staten, onder het bewind van een barbaar zijn die lezen noch schrijven kan.'

Er waren twee visies op Ali Pasja die diametraal tegenover elkaar stonden en in beide school waarheid. De Grieken zagen hem als het afschrikwekkendste monster dat ooit geboren was, de Albanezen waren vol bewondering en trots – er was geen enkele andere vorst die maar aan hem kon tippen.

Hij had dan ook veel tot stand gebracht. Gebieden die voorheen door rovers geterroriseerd werden waren schoongeveegd en toegankelijk gemaakt. Daarvan profiteerden ook de kooplieden, die nu veilig konden reizen met hun goederen – iets waardoor de algemene welstand verbeterde. Zoals alle despoten die zichzelf respecteren bouwde hij bruggen, legde hij wegen aan en moerassen droog, en breidde hij de steden uit – 'zonder misschien een ander motief dan zijn eigen verheerlijking,' suggereert Hobhouse. Bovendien symboliseerde hij voor de Albanezen de hoop op nationale eenheid en onafhankelijkheid van de Turken, aan wie hij alleen voor de vorm nog ondergeschikt was. Nog altijd werd een deel van de belastingen die Ali inde afgedragen aan Constantinopel, en nog steeds leverde hij vaste contingenten soldaten aan de Sultan, maar op uitnodigingen om aan het Hof te verschijnen ging hij nooit in – hij bleef liever in het bezit van zijn hoofd.

Het gerucht ging dat hij onmetelijk rijk was. Hij hoefde allang niet meer zijn toevlucht te nemen tot het eenvoudige handwerk – de tijd van plunderen was voorbij. Afgezien van een kleine oorlog hier en daar om in vorm te blijven, kwam het grootste deel van zijn gebiedsuitbreiding tot stand 'door het juiste beheer van zijn schatten', aldus Hobhouse, die een aardig overzicht geeft van zijn bronnen van inkomsten: 'Van een tiende deel van alle producten die voor de Porte verzameld worden, krijgt hij ten minste een vierde deel. Hij heeft ook bijna vierhonderd dorpen in zijn bezit. Bovendien int hij [hoe oud de maffia al is!] uit alle steden en dorpen willekeurige beschermingssommen. [...] Ik heb een optelling gezien die zijn inkomsten op zes miljoen piasters bracht, onafhankelijk van toevallige heffingen en de geschenken die hij van zijn christelijke onderdanen krijgt. Voeg eraan toe dat er gratis voor hem gewerkt wordt, en zijn keukens en stallen gevuld worden door de steden waar zijn onderkomen zich bevindt.

Niet alleen kunnen hij en zijn gevolg overal gratis overnachten tijdens zijn vele expedities door zijn domeinen, maar zijn soldaten, die maar 12 piasters per maand van hem ontvangen, krijgen bovendien brood en vlees waar ze ook gaan, van de inwoners van steden en dorpen. Daardoor kan hij veel geld bewaren voor noodzakelijke doelen, om ministers van de Porte om te kopen, en het land van zijn buurman aan te schaffen. Het kost hem niet veel om mannelijke en vrouwelijke slaven te vinden voor zijn huishouding; wat dat betreft voorziet hij zichzelf rijkelijk uit de families van de rovers die hij terechtstelt, of dwingt te vluchten. Zo haalden we een man in die een jongen en een meisje naar Tepellenië bracht, die zojuist gevonden waren in het huis van een rover.'

Nog nooit heb ik zo minutieus beschreven gezien hoe het feodale systeem werkte, hoe het zijn tentakels in alle richtingen uitstak tot in het kleinste boerengehucht. Ali had het niet zelf uitgevonden. In allerlei varianten is het millennia lang dé maatschappelijke structuur geweest – van Nebukadnezar via de farao's tot aan Karel de Grote en de Russische tsaren, onder wie het misschien wel zijn hoogte-, of eigenlijk dieptepunt, bereikte omdat daar de lijfeigenen zelfs na hun dood nog aan de grootgrondbezitters toebehoorden, als we tenminste Gogol kunnen geloven in *De boeken der dode zielen*.

Hobhouse doet erg zijn best geen moreel oordeel over Ali Pasja te vellen. Hem te meten volgens Engelse ethische maatstaven zou niet eerlijk en niet realistisch zijn, vindt hij. De methodes waarvan Ali Pasja zich bediende om dit volk van rovers te temmen waren, neemt hij aan, noodzakelijk om respect en ontzag af te dwingen, en vrede en veiligheid op zijn grondgebied te garanderen.

'Hoe kijken de Albanezen nu tegen Ali Pasja aan,' vroeg ik Karagjozi, in de verwachting dat hij inmiddels samen met Enver Hoxha zou zijn bijgezet in de galerij van despoten.

'We hebben drie grote figuren in Albanië,' antwoordde de professor en hij verhief zijn stem zoals altijd wanneer zijn borst zich met trots vulde: 'Skanderberg, de middeleeuwse vrijheidsstrijder, Ali Pasja en Madre Teresa. Ali Pasja Tepelenë was een echte Albanees. Hij heeft veel voor de totstandkoming van Albanië gedaan en het gevoel van nationale eenheid bevorderd. Zijn droom was, het *pashalik* van Shkodra te verenigen met het *pashalik* van Ioanina – , er één groot Albanië van te maken, waarin de *Gegs* uit het noorden verenigd zouden zijn met de *Tosken* uit het zuiden. Hij bracht zijn deel van Albanië tot ontwikkeling, bouwde bruggen en forten, stichtte scholen. Hij was een groot militair, een slim politicus en diplomaat. Niet zonder reden werd hij de "Mohammedaanse Bonaparte" genoemd en de "Leeuw van Ioanina". Toen de Albanezen over de Grieken heersten in de door hem veroverde gebieden, steunde hij de Griekse revolutie en leidde hij aanvoerders op. Wanneer de Grieken erin zouden slagen onafhankelijk te worden, redeneerde hij, dan zouden ook de Albanezen automatisch bevrijd zijn van de Turkse overheersing.'

'En zijn wreedheid?' vroeg ik.

'Het waren andere tijden.'

Blaakte onder Ali Pasja het feodale systeem nog van gezondheid, in Engeland had de ondergang ervan ingezet als in een tragedie van Shakespeare. De Italiaanse schrijver Giuseppe Tomasi di Lampedusa schetst, in een verhandeling over Byron, Shelley en Keats die hij met pedagogische bedoelingen voor zijn neefje schreef, de crisissituatie waarin het koninkrijk verkeerde toen Byron in 1809 vanaf een pakketboot de kustlijn ervan tot zijn vreugde steeds meer zag vervagen. *Good Old England* was in de greep van een economische, politieke en religieuze crisis die het land blijvend veranderde.

Was een grootgrondbezitter aan het begin van de achttiende eeuw nog absoluut heer en meester van zijn landgoed, waarvan de opbrengst niet alleen zijn eigen beurs maar ook de staatskas spekte, aan het eind van die eeuw was het heel wat lucratiever aandelen te bezitten van een fabriek of van The British East India Company. Het bezit van een landgoed was eerder ballast geworden dan een bron van inkomsten. Dat gold ook voor de domeinen die Lord Byron erfde. Rochdale was een failliete boedel, Newstead Abbey ernstig in verval. Byron liet het beheer ervan over aan een zaakwaarnemer en ging ervandoor. Zo ontkwam hij aan de problemen – toen hij eenmaal in Italië woonde was hij alleen nog geïnteresseerd in verkoop.

De adel, die het in het parlement altijd voor het zeggen had gehad, moest meer en meer de macht delen met de nieuwe klassen van industriëlen en arbeiders.

Daar kwam bij dat George de Derde gek geworden was en zijn acht zonen een slechte reputatie genoten. De koning, die gras en kruiden at en Händel speelde op zijn klavier, was gevangengezet in Windsor waarna zijn oudste zoon, de prins van Wales, als regent de regering had overgenomen. Maar het aanzien van het koninklijk huis was inmiddels al dramatisch verslechterd. Er was niet één prins die deugde, de vreselijkste verhalen deden over hen de ronde. Ze leefden allen in bigamie en onder de druk van hoge schulden. Een van hen zou zijn dienaar vermoord hebben, een ander gedroeg zich zo sadistisch tegenover zijn soldaten dat hij als leidinggevend militair niet langer functioneren kon, een derde had zich toegelegd op aanrandingen, een vierde bedreef de liefde met zijn zuster. Bovendien hadden ze allemaal ruzie met elkaar.

Terwijl het volk zich van het verloederde vorstenhuis afkeerde vond er in het parlement een machtsstrijd plaats. De liberalen eisten een nieuw kiesstelsel, gelijke politieke rechten voor de katholieken en afschaffing van de belasting op tarwe, wat nadelig was voor de grootgrondbezitters.

Terug in Engeland na zijn *Grand Tour* koos Byron voor de gematigde, aristocratische Whigs, in wier gezelschap hij graag verkeerde. Toch hoorde hij wat zijn opvattingen betrof eigenlijk meer bij de radicalen – volgens Thomas Marchand weerhield aristocratische trots hem ervan zich openlijk aan de kant van hun leiders te scharen. Tijdens zijn jeugd in Schotland, toen hij met zijn moeder in armoedige omstandigheden leefde en met kinderen van eenvoudige afkomst speelde, had zich in hem een levenslange sympathie genesteld voor 'het volk'.

Hij nam zijn zetel in het parlement weer in, met in zijn achterhoofd de mogelijkheid van een politieke loopbaan, en bereidde een speech voor. Hierin wilde hij het opnemen voor de kousenwevers uit Nottingham, die in opstand waren gekomen. De Tories lieten plakkaten ophangen met de waarschuwing dat op het breken van weefgetouwen de doodstraf stond. Alhoewel hij vertrouwde op zijn overredingskracht en zijn redenaarstalent was hij toen het erop aankwam erg gespannen. Waarschijnlijk wist hij onbewust dat hij met zijn pleidooi voor de verbetering van het lot van de kousenwevers de kans op een carrière in de politiek al bij voorbaat ondergroef. Marchand noemt het een 'fatalistische anticipatie op het mislukken van zijn carrière aan het parlement, deels voortkomend uit gebrek aan zelfvertrouwen, en deels uit een realistisch inzicht in de onvermijdelijke corrumpering die het politieke leven met zich mee zou brengen'.

Zijn toespraak was maar voor één uitleg vatbaar. Met zijn regelrechte aanval op de onrechtvaardige maatregelen van de Tories overtuigde hij alleen de radicalen, die het geestdriftig hadden over de beste speech van een Lord 'since The Lord knows when'.

Toch wonnen soms zijn nieuwsgierigheid en zijn ijdelheid – te zijn uitgenodigd door een vorst! – het van zijn jakobijnse sympathieën. Het waren zijn voornaamste drijfveren geweest om Ali Pasja te bezoeken, en toen in Engeland de mogelijkheid zich voordeed te worden voorgesteld aan de prins-regent, hoewel hij tot het kamp van diens tegenstanders behoorde, zei hij geen nee. De prins op zijn beurt vond het interessant de auteur van *Childe Harold* te ontmoeten. Ze hadden een genoeglijk tête-à-tête over literatuur en vonden elkaar in hun bewondering voor Walter Scott.

Ook Byron zag de noodzaak in van een hervorming van het parlement. Een uitgesproken radicaal, Major John Cartwright, had hiervoor petities verzameld totdat het hem door het leger onmogelijk werd gemaakt. Deze gebeurtenis werd aanleiding tot Byrons tweede en laatste speech, deze keer om Cartwrights 'petitie voor het recht op het verzamelen van petities' te verdedigen. De enige die hem bijviel was graaf Stanhope, een uitgesproken jakobijn. Byron wist dat hij zijn politieke doodvonnis nu zelf had getekend.

Toch bleef de politiek hem zijn leven lang boeien, vooral de idee van vrijheid zoals Rousseau die had uitgewerkt. Een naar onafhankelijkheid strevend, onderdrukt volk kon altijd op zijn steun rekenen. Hij aarzelde geen moment toen de Italiaanse Carbonari een beroep op hem deden in hun verzet tegen het Oostenrijkse regime – en enkele jaren later zette hij zich in voor de Griekse zaak.

Tegelijkertijd was hij gefascineerd door heldendom. Voor Napoleon koesterde hij grote bewondering en zelf was hij er ook niet afkerig van ooit nog eens echt een daad te stellen in de politiek. Zo schreef hij in 1821 aan zijn vriend Moore: 'Weet je wat het is, mijn beste Moore, jij leeft zo dicht bij de *oven* van de beau monde, dat je onvermijdelijk wordt beïnvloed door zijn hitte en dampen. [...] Er is slechts *één* ding dat me erin terug zou kunnen brengen en dat is om te proberen iets goeds te verrichten in de *politiek*; maar *niet* in de kleinzielige politiek die nu in ons ellendige land overheerst.'

In dit 'ellendige land' heerste ook een religieuze crisis. Steeds meer priesters keerden de officiële anglicaanse kerk de rug toe, uit protest tegen verwording en corruptie. De aantrekkelijke baantjes werden onder de elite verdeeld zonder dat daarbij gelet werd op spirituele kwaliteiten; veel van deze pseudo-geestelijken gingen op jacht, terwijl ze voor de religieuze plichten iemand inhuurden. De afvallige priesters bepleitten een hervorming van de kerk en een reveil van het zuivere geloof. Hun protest en voorstellen tot verandering vonden enorme weerklank bij het volk – de beweging mondde uit in de stichting van de methodistische kerk die vooral onder arbeiders in de nieuwe industriegebieden grote aanhang kreeg. De meer ontwikkelden neigden eerder tot een radicale breuk met het geloof. Lang voor Nietzsche schreven zij al antigodsdienstige pamfletten en kwamen ze bij elkaar in de 'Club der Atheïsten'.

Shelley, als anarchist en atheïst, was dus in zekere zin een kind van zijn tijd. Byrons houding ten opzichte van de religie was tweeslachtiger. Hoewel de gelegenheden waarbij hij zich vol kritiek en spot uitlaat over het christendom talrijk zijn, schemert daardoorheen ook de twijfel. Hij was eerder agnost dan atheïst. Daarbij had hij een zwak voor het uiterlijk vertoon, de bombast en het mysticisme van de katholieke kerk – dat paste ook beter bij zijn temperament dan de no-nonsense van het atheïsme.

In een andere brief aan Moore, vier dagen later geschreven, komt zijn houding ten opzichte van het christendom als curieus mengsel van scepsis, verlangen en humor, duidelijk naar voren: 'Zoals ik al eerder heb gezegd ben ik een groot bewonderaar van tastbare religie; en laat een van mijn dochters katholiek opvoeden, zodat ze haar handen vol zal hebben. Het is verreweg de meest sierlijke vorm van godsverering en steekt de Griekse mythologie bijna naar de kroon. Met de wierook, de schilderijen, de beelden, altaren, schrijnen, relikwieën, en de tastbare aanwezigheid, de biecht, de absolutie, – kan men zich vasthouden aan iets zinnigs. Bovendien blijft er geen ruimte voor twijfel; want zij die hun Godheid waarachtig en daadwerkelijk, middels transsubstantatie, doorslikken, kunnen zich nauwelijks iets anders indenken dat makkelijker te verteren is.

Ik vrees dat dit nogal lichtzinnig klinkt, maar dat is niet mijn bedoeling, in mijn gedachtegang ben ik zozeer geneigd het absurde de boventoon te laten voeren, dat het af en toe in weerwil van mezelf ook naar buiten breekt. Toch verzeker ik je dat ik een zeer goed christen ben. Of je me op dat punt gelooft weet ik niet; [...]'

Overheerst in deze brief nog de spot, in zijn dagboek uit deze periode – twee jaar voor zijn dood – heeft hij serieuzere overpeinzingen met betrekking tot het geloof geformuleerd. Hij is overtuigd van de eeuwigheid van de geest, maar gelooft niet in materiële wederopstanding of een oord van eeuwige marteling als de hel: 'Ik kan me niet aan de indruk onttrekken dat de bedreiging met de Hel evenveel duivels voortbrengt als de strenge strafwetten van de onmenselijke mensheid misdadigers voortbrengen [...]'

Af en toe schemert de invloed van Rousseau door: 'De mens is naar lichaam *onstuimig* geboren – maar met een natuurlijke zij het verborgen hang naar het Goede in de opperste drijfveer van zijn Geest.' Dan neemt zijn realiteitszin de overhand: 'Maar God sta ons allen bij! Voor het ogenblik is het een droeve smeltkroes van atomen [...]'

Vanuit onze tijd terugblikkend op zijn manier van redeneren zou je kunnen zeggen dat hij, balancerend tussen Plato en kwantumfysica, ten slotte bij Einsteins 'God dobbelt niet' belandt. 'De dingen moeten een begin hebben gehad – en wat doet het ertoe *wanneer* of *hoe*? – Soms denk ik dat de *Mens* mogelijk een overblijfsel is van een hoger stoffelijk wezen dat in een vorige wereld werd vernietigd – en is verworden in de ontberingen en strijd via Chaos naar Eenvormigheid [...] maar dan nog moet die hogere pre-Adamitisch Veronderstelde Schepping een Oorsprong en een *Schepper* hebben gehad – want een *Schepper* is een veel natuurlijker voorstelling van zaken dan een willekeurige samenloop van atomen – alle dingen gaan terug op een fontein – ook al stromen ze naar de Oceaan.'

De ongerijmdste, leukste en misschien wel diepzinnigste uitspraak: 'Ik ben altijd godsdienstiger op een zonnige dag – [...].'

Het land dat Byron in 1809 ontvluchtte verkeerde in grote verwarring. Al brak een nieuwe tijd door met de snelle opkomst van de industrie, het verval van de adel en het begin van ontkerkelijking, in zedelijk opzicht bleef Engeland nog lange tijd in de greep van puritanisme en hypocrisie – het Victoriaanse tijdperk moest nog komen. Op homoseksualiteit stond sinds 1533 de doodstraf, hoewel in de praktijk zelden iemand op het schavot belandde.

Dit alles had zijn weerslag op Byron. Aan de ene kant gehecht aan en trots op zijn aristocratische afkomst, voelde hij zich aan de andere kant sterk aangetrokken tot 'de gewone man' – en niet te vergeten diens vrouwelijke pendant – en sympathiseerde hij met de arbeidersklasse. Vrijdenker in godsdienstig opzicht, had hij als gezegd een vaag religieuze instelling met een voorkeur voor het katholicisme. Hoewel hij wat de seksuele moraal betrof zijn tijd vooruit was en zich in de praktijk zonder bedenken overgaf aan wat we nu de vrije liefde noemen – in homoseksuele en heteroseksuele zin – moest hij in zichzelf toch hardnekkige residuen van de heersende moraal bestrijden. Dat zijn huwelijk met Annabella Millbanke na een jaar strandde trok hij zich buitenproportioneel aan, en de jongensliefdes uit zijn schooljaren vervulden hem ondanks alles met het gevoel iets gedaan te hebben 'waarover hij niet kon spreken', iets dat mede aanleiding was zijn land te verlaten.

Zijn houding ten opzichte van vrouwen bleef ver achter bij al zijn progressieve neigingen. Intellectuele vrouwen vervulden hem met afkeer, behalve als ze beroemd en boven alle twijfel verheven waren, zoals Madame de Staël. Dat de mathematisch begaafde Annabella Millbanke haar echtgenoot gedurende dat ene jaar huwelijk grondig analyseerde kwam haar op het verwijt te staan koel en rationeel te zijn. Liever had hij minnaressen die dicht bij hun 'vrouwelijke natuur' bleven, grillig en emotioneel, vrouwen die hij 'wilde dieren' kon noemen en van wie hij zich om dezelfde reden wanneer de betovering voorbij was met gemak kon ontdoen. Eigenlijk kwam zijn houding ten opzichte van vrouwen, hoewel hij in staat was tot spontane adoratie, voornamelijk neer op: 'Soit belle et tais toi.'

Deze jonge, eigenzinnige Lord, die de kiemen van een nieuwe tijd in zich droeg, reisde opgewekt en enigszins naïef door een volstrekt feodaal land met een moraal uit het stenen tijdperk en liet zich betoveren door de pracht en praal van geroofde schatten, die eerder aan de Middeleeuwen deden denken dan aan het prille industriële tijdperk. De aantrekkingskracht van zulke gebieden is raak verwoord door Evelyn Waugh in zijn reisverslag 'Ninety-two days': 'Evenmin als wanneer men verliefd is, reist men om materiaal te verzamelen. Het is eenvoudig een deel van iemands leven. Voor mij, en menigeen die beter is dan ik, bestaat er een fascinatie voor verafgelegen en barbaarse plaatsen, en vooral in het grensgebied van op elkaar botsende culturen en stadia van ontwikkeling, waar ideeën, hun traditie ontgroeid, door de overplanting merkwaardig veranderen. Daar is het dat ik ervaringen vind die levendig genoeg zijn om overzetting in literaire vorm te verlangen.'

Weinig buitenlandse reizigers waren Lord Byron voorgegaan op Ali Pasja's grondgebied. Een van deze schaarse bezoekers was François de Pouqueville, die als arts deel uitmaakte van Napoleons expeditie naar Egypte. Vanwege zijn slechte gezondheid moest hij in 1798 voortijdig terug naar huis, maar het schip waarop hij reisde werd overvallen door piraten uit Tripoli. Als gevangene van de Bey van Navarina kreeg hij echter alle gelegenheid vrij rond te reizen. Blijkbaar was hij van pure schrik spontaan genezen van zijn ziekte, want hij gaf zijn ogen goed de kost en beschreef later in verschillende boekdelen de zeden en gewoonten van de Grieken en de Turken. Vanaf 1805 was hij tien jaar lang algemeen consul aan het hof van Ali Pasja in Ioanina. Dat de beide vrienden met geen woord over hem reppen doet vermoeden dat ze hem niet hebben ontmoet. Hobhouse was bekend met het werk van De Pouqueville – hij verwijst herhaaldelijk naar hem in zijn dagboek als naar een autoriteit wiens oordeel hij aan een kritisch onderzoek onderwerpt.

Wel ontmoette Byron in Ioanina William Leake, die toen Engels resident was aan het hof van Ali Pasja. Leake was als militair naar Constantinopel gezonden, maar had genoeg vrije tijd om door de Peloponnesos, Noord-Griekenland en Klein-Azië te zwerven. Na zijn terugkeer in Engeland schreef hij hierover een serie topografische boeken. Die zijn nu alleen nog in historisch opzicht interessant, in hun exacte beschrijving van het oorspronkelijke landschap, nog niet aangetast door een modern wegennet, urbanisatie, industrie of toerisme. Vond Byron Hobhouse al een pietlut in zijn drang alles tot in detail te beschrijven, Leake was een absolute monomaan die voortdurend met sextant en theodoliet in de weer was en bij iedere handeling noteerde hoe laat het op dat moment was. Robert Eisner, in *Travellers to an Antique Land*, vestigt de aandacht op het feit dat Leake, zittend op een paard, het landschap zag van een hoogte van 'acht tot negen voet', in tegenstelling tot de 'vijf tot zes voet' ooghoogte van een wandelaar en de 'vierenhalve voet' van een automobilist.

Dat die acht tot negen voet een zeer gelukkige, ja misschien wel de ideale hoogte is had ik zelf tot mijn verrassing ook ontdekt.

236

16

Mijn beste George, – Het regende in Tepelenë. De stad zag er nog mistroostiger en armoediger uit dan de vorige dag. Strepen regenwater liepen over het vale pleisterwerk van de flatgebouwen.

We verlieten het hotel en klapten onze paraplu's open. Over bemodderde straten daalden we af naar het centrum. Ik naderde de plek waar het allemaal om begonnen was sinds ik op een dag die brief aan je moeder las. Een zin daaruit hamerde in mijn hoofd: 'Ik zal nooit het uitzonderlijke beeld vergeten toen ik Tepeleniё om vijf uur in de namiddag binnenreed terwijl de zon onderging, het riep bij mij herinnering op aan Scotts beschrijving van Branksome Castle [...]'

Maar het was ochtend en Tepelenë, onder een sluier van regen, zag eruit alsof de zon nooit meer zou schijnen. Bij iedere stap kwam ik dichter bij het paleis van Ali Pasja, het droombeeld van jullie aankomst voor ogen. Ga weg, twintigste eeuw, prevelde ik alsof het een gebed was – verdwijn, negen decennia van de negentiende eeuw. Laat me de herfst van het jaar 1809 binnengaan.

We vonden een van de oude toegangspoorten, die hoog en gewelfd was en waardoorheen zeker drie ruiters naast elkaar naar binnen hadden gekund. Het klopte niet dat we te voet waren, met zo'n banaal ding als een paraplu in de hand. Onze entree miste alle grandeur.

Hobhouse beschrijft zijn impressie van de aankomst zo:

'Dit plein werd aan twee kanten omsloten door 't paleis, en aan de andere twee kanten door een hoge muur, zoiets als je zo'n honderd jaar geleden zag op het binnenplein van een feodale Lord. Soldaten, hun geweren in rijen tegen de muur vlak bij hen, stonden in groepjes bij elkaar op verschillende delen van het plein, sommigen stapten langzaam naar achteren en naar voren, anderen zaten op de grond. Verschillende paarden, compleet opgetuigd, werden rondgeleid, terwijl andere hinnikten onder de handen van hun verzorgers. In het deel dat het verst af lag van de woning, werden voorbereidingen getroffen voor het feestmaal van die avond en verschillende geitjes en jonge schapen werden klaargemaakt door koks die zelf half bewapend waren. Alles zag er zeer krijgshaftig uit, hoewel niet precies in de stijl van de hoofdkwartieren van een christelijk generaal. Want veel soldaten waren heel gewoon gekleed, en hadden een wilder uiterlijk en manier van doen dan de Albanezen die we tot dan toe gezien hadden.'

'Gij zijt stof en Gij zult tot stof wederkeren.' Ik weet het, maar het is een groot onrecht. Ja, de hoge vestingmuur die Ali Pasja's domein had omringd was er nog, maar waar ooit het paleis had gestaan met een galerij ervoor wentelde zich nu een bruin-grijs gevlekt varken in de modder. Tussen plukken opgeschoten onkruid, vuilnishopen en onhandige pogingen tot moestuintjes stonden enkele armzalige boerenhuisjes, inmiddels ook alweer oud en gereed om tot stof te vergaan. Nergens de geuren van een feestmaal voor die avond, nergens het geruis van een fontein. We struinden rond over grillige paadjes met losse keien, door plassen regenwater, ieder voor zich verzonken in troosteloze gedachten over de gewelddadigheid van de geschiedenis en de eindigheid van alles. 'Het wordt alleen maar minder,' zei mijn Groningse buurman altijd.

We liepen nu langs de binnenzijde van de vestingmuren, in de hoop aan de kant van de rivier op de toegangspoort te stuiten waardoorheen jij indertijd je entree had gemaakt en waarboven volgens Karagjozi Ali Pasja's naam in steen was uitgehouwen. In de muren waren nog resten zichtbaar van paardenstallen, soldatenverblijven en opslagplaatsen. Aan overblijfselen van byzantijnse muren was te zien dat Ali indertijd zijn paleis op de plek van een veel ouder fort had gebouwd.

Op het varken en een paar ondervoede honden na zagen we geen enkel teken van leven. In de *Blue Guide* stond vermeld dat in 1991 binnen deze vestingmuren een Duits echtpaar bijna vermoord werd. Over de toedracht wist ik niets – iemand had me het bericht vlak voor mijn vertrek naar Albanië als goedbedoelde waarschuwing meegegeven. Nu ik hier rondliep vroeg ik me af waarom de aanslag mislukt was – het was de ideale plek voor een roofmoord en alleen enkele dieren zouden getuige zijn geweest. Het paste ook in de traditie van bloedvergieten die met dit oord verbonden was.

Waar waren ze gebleven, de Albanezen in hun '*witte kilt*, een met goud geborduurde mantel, een vest & jas van karmozijnrood fluweel met goudgalon, pistolen & dolken ingelegd met zilver [...]' Waar waren de 'Tartaren met hun hoge mutsen', de Turken met hun 'pelliezen & hun tulbanden', de 'soldaten & zwarte slaven, in- en uitijlende koeriers', de 'jongens die vanaf de minaretten van de moskee het uur roepen [...].'

Het rauwe, maar verfijnde leven in oriëntaalse pracht was vervluchtigd, in rook opgegaan, van de aardbodem weggevaagd alsof het nooit had bestaan. Nog nooit ook was je zo dichtbij en zo onbereikbaar geweest.

Uit een van de krotten kwam een jonge man tevoorschijn. Hoe is het om te wonen op een plek waar ooit... die vraag brandde op mijn lippen. Maar hij kwam op ons af met dezelfde onverwoestbaar opgewekte uitdrukking op zijn gezicht als de Canadees die we de vorige dag ontmoet hadden. En jawel, hij bleek als Engelsman tot dezelfde onduidelijke kerk te behoren. Hij was verbaasd ons door de regen strompelend aan te treffen in de *slum* waar hij sociaal werk deed. Wat ons hierheen dreef, legden we uit, was de queeste naar een landgenoot van hem die twee eeuwen eerder te gast was geweest bij Ali Pasja.

'Ai, dat was me er eentje...!' riep de man uit en zijn ogen lichtten op. Ik dacht dat hij jou bedoelde, maar het ging hem om Ali Pasja, die hij 'een echte pornograaf' noemde.

Pornograaf? Dat was nieuw voor ons. Een man zonder mededogen – goed. Een sadist misschien – best mogelijk. Maar een pornograaf?

Gnuivend vertelde de zendeling dat Ali Pasja alle pornografische verhalen die in zijn tijd te krijgen waren verzameld had en bovendien mensen inhuurde om ze voor hem te schrijven. Hij had ook de mooiste meisjes uit zijn omgeving voor zich opgeëist.

Ik was niet onder de indruk. Vergeleken met het roosteren van tegenstanders leek belangstelling voor pornografische verhalen me een onschuldige neiging. Dat ons ongevraagd deze informatie verstrekt werd, terwijl we ons toch als het ware op heilige grond bevonden, zei meer over de zendeling en de kerk die hij vertegenwoordigde dan over Ali Pasja. De preken in hun geïmproviseerde tempel waren vast doorspekt met Sodom en Gomorra – ik had medelijden met de nietsvermoedende Albanezen die zich daarbinnen waagden en dat allemaal over zich kregen uitgestort.

In plaats van op zijn verdachtmakingen in te gaan vroegen we hem of hij wist waar de toegangspoort aan de kant van de rivier was. Natuurlijk, hij kende de vesting als zijn broekzak. Met veerkrachtige tred ging hij ons voor. Waar haalden die jongens toch die luchthartigheid vandaan? Wat een ironie dat een landgenoot van jou ons de poort moest wijzen waardoorheen jij binnen was gekomen. Ook deze poort bleek een tun-

nel door de dikte van de vestingmuren die, toen het erop aankwam, van geen enkel nut waren geweest.

Buiten de poort openbaarde zich een weids uitzicht op de
Drinos die werkelijk zo breed was als de Theems, de zandban-
ken meegerekend – Hobhouse had niet overdreven. Een lange
houten hangbrug, alleen voor voetgangers toegankelijk, verbond op stenen pijlers rustend de beide oevers met elkaar.
Karagjozi vertelde over Ali Pasja's vruchteloze pogingen de
brug met stenen bogen die hier ooit gestaan had overeind te
houden – maar, bij hoge waterstand, in combinatie met storm,
waren de op drijfzand gebouwde pijlers niet tegen de wild
stromende rivier opgewassen. De Pasja was er dan misschien
in geslaagd getalenteerde schrijvers van porno te engageren,
maar een ingenieur die dit probleem voor hem had kunnen
oplossen had hij nooit gevonden.

'Kijk!' De Engelsman wees naar een gehucht op een berghelling aan de overkant van de rivier: 'Daar is Ali Pasja geboren.' We staarden allemaal naar hetzelfde, nauwelijks zicht-
bare punt zonder dat we er wijzer van werden. Er stond een
harde, koude wind. Het panorama op de rivier was mooi en
deprimerend – het regende en we wisten te veel over het
verleden.

De zendeling nam joviaal afscheid en verdween weer binnen de vesting. Hij had zijn hielen nog niet gelicht of de professor brandde los over diens beledigingen aan het adres van
Ali Pasja. 'Er is niets van waar,' zei hij verontwaardigd, 'ik heb
alles gelezen wat er over Ali Pasja geschreven is, inclusief de
vele geruchten en mythes die over hem de ronde doen omdat
hij nu eenmaal een man was die tot de verbeelding sprak,
maar wat die halvegare Engelsman beweert heb ik nog nooit
gehoord en ik wil het ook niet geloven.'

Daniël en ik keken elkaar met een lachje aan. Het was ons
om het even of Ali Pasja wel of niet van pornografie gehou-

den had, maar het leek alsof voor de professor de maagdelijkheid van Albanië op het spel stond. Daniël keerde zich om en keek naar de boog aan de bovenkant van de poort. De steen met Ali's naam was verdwenen, zo te zien was hij er netjes uit gebikt. Alles wat aan de Pasja herinnerde was grondig uitgewist. Toch had niemand kunnen verhinderen dat de levendige herinnering aan de drie avonden waarop hij zich geamuseerd had in het gezelschap van een paar jonge Engelse reizigers voor altijd was opgetekend in de brieven en dagboeken die de twee hadden nagelaten. Daardoor was het nog altijd mogelijk om een glimp van Ali Pasja te zien zoals hij geweest was en flarden op te vangen van de gesprekken die gevoerd waren op de plek waar nu een varken resideerde.

Je hoefde alleen maar het verslag van Hobhouse open te slaan om Ali's aangename ronde gezicht te zien met de 'snelle blauwe ogen' en zijn lange, witte baard waar hij, in tegenstelling tot de meeste van zijn landgenoten, niet steeds overheen streek of aan snuffelde. Hij was sober gekleed op zijn tulband na, die uit rolletjes fijne, gouden mousseline was samengesteld, en zijn met briljanten versierde dolk. Hij was ook een kinderlijke opschepper, denk je nu, want waarom moest hij zo nodig pochen op de wapens die hij bezat? Hij pronkte met zijn pistolen, een sabel en een berghouwitser, en vertelde dat hij over verschillende grote kanonnen beschikte. Een geschenk van Napoleon was niet goed genoeg zoals het was maar moest worden opgesmukt. De eerste avond van de audiëntie tuurde hij tussendoor steeds in zijn telescoop en verzocht jullie ten slotte, op een goed gekozen moment toen er juist enkele Turken te paard de stad naderden, ook eens te kijken met het commentaar: 'De man die je daar ziet is de voornaamste minister van mijn vijand, Ibrahim Pasja – hij komt nu naar me toe omdat hij zijn meester heeft verlaten om te kiezen voor de sterkste.'

Bijna kon je de geur van de pijpen en de koffie ruiken, en een beetje misselijk worden van de overdaad aan zoetigheid die jullie kregen voorgezet. Dwars door het geklater van de fontein heen hoorde je Ali luidkeels lachen – dan zag je Hobhouses verbazing, want zoiets was 'erg ongewoon voor zo'n belangrijk man; ik zag nooit een ander voorbeeld in Turkije'. Wat zul jij ervan genoten hebben voortdurend omringd te zijn door jongemannen in Albanees kostuum met haar tot halverwege hun rug, die tot drie keer toe de pijpen verversten.

Waar hadden jullie het over? 'Er zijn geen gewone gespreksonderwerpen tussen een Turkse vizier en een reiziger, waardoor ze elkaars bekwaamheid zouden kunnen peilen, vooral omdat deze gesprekken altijd de vorm van vraag en antwoord hebben,' zegt Hobhouse. Daarom gingen jullie niet zozeer af op Ali's woorden als wel op zijn gedrag dat levendig en ontspannen was. Toch werden er wetenswaardigheden uitgewisseld en de secretaris had het druk met alles te vertalen. Oorlog was natuurlijk het onderwerp bij uitstek voor mannen onder elkaar. Veertien dagen eerder hadden de Engelsen Zante, Kefalonië, Ithaca en Cerigo veroverd en Ali feliciteerde zijn gasten met dat wapenfeit: 'Hij zei dat hij blij was de Engelsen als buren te hebben, & dat hij er zeker van was dat zij hem niet zouden behandelen zoals de Russen en Fransen hadden gedaan, door zijn weggevluchte dieven te beschermen; dat hij altijd een vriend van onze natie was geweest, zelfs tijdens de oorlog met Turkije, en dat hij meegewerkt had aan het vredesproces.'

Jullie speelden het spel van wederzijdse hoffelijke complimentjes mee. Toen Ali vroeg waarom jullie eigenlijk door Albanië reisden smeerden jullie hem stroop om de mond: 'Om een groot man als u te ontmoeten.'

Hobhouse vertelt: ' "Ai," antwoordde hij, "hoorden jullie dan over mij in Engeland?" Natuurlijk verzekerden we hem dat hij een gewoon onderwerp van gesprek was in ons land; hij leek beslist niet ontoegankelijk voor gevlei.'

En passant kwam ook de belegering van Berat ter sprake. Een boodschapper ijlde binnen met een brief en even later werd er een jachtgeweer gebracht. Toen jullie vroegen of er veel gevogelte in de buurt was bleek dat het wapen bestemd was om het geschut voor Berat te versterken. Jullie konden niet nalaten te glimlachen om deze 'miniatuuroorlog'.

Op de laatste avond verdiepte Ali zich in jullie terugreis. Hij vertelde tot in details welke routes veilig waren en welke niet, en beloofde orders mee te geven voor zijn militaire posten om jullie voor ieder riskant traject van bewakers te voorzien. Ook zou hij zijn gouverneur in Preveza opdracht geven jullie een van zijn gewapende galjoenen ter beschikking te stellen. Met dat galjoen belandden jullie in een vreselijke storm, maar dat konden jullie nog niet bevroeden, zo rustig bij de fontein gezeten: 'Fletcher riep om zijn vrouw, de Grieken riepen alle heiligen aan, de muzelmannen Allah, de kapitein barstte uit in tranen [...].'

Ali gaf ook een aanbevelingsbrief mee voor zijn zoon Veli Pasja, en ten slotte mochten jullie nog een wens doen: 'We vroegen alleen om onze Albanese Vasilly mee te mogen nemen om ons in Turkije te dienen, wat hij meteen toestond, en hij vroeg waar de man was. Toen hij hoorde dat deze bij de deur stond te wachten liet hij hem halen en Vasilly kwam binnen. Hoewel hij niet verlegen was, was hij vol respect en beantwoordde met zijn hand op zijn borst de vragen van de vizier ferm en vloeiend. Ali noemde hem bij zijn naam en vroeg hem waarom hij niet binnen was gekomen om hem te begroeten. "Want je weet Vasilly," voegde hij eraan toe, "dat ik blij zou zijn geweest je te zien!" Toen vertelde hij hem dat hij ons moest bedienen, en kijken of we iets nodig hadden, en sprak een tijd met hem over de verschillende pleisterplaatsen op onze route, ze allemaal noemend en hem tegelijk op een schertsende manier vertellend dat als ons iets overkwam hij zijn hoofd zou laten afhakken. En we moesten hem schrijven en vertellen hoe hij zich gedroeg. Kort hierna, nadat we hadden toegestemd Zijne Hoogheid per brief op de hoogte te houden van onze reizen, trokken we ons terug, en namen voor 't laatst afscheid van deze bijzondere man.'

'En wie bent u als ik vragen mag?' vroeg Ali Pasja. Ik had me als man vermomd omdat ik anders nooit bij jullie visite aanwezig had kunnen zijn.

'Ik ben een gezant uit het koninkrijk Holland,' zei ik, een diepe buiging makend, 'en ik ben vanuit het einde van de twintigste eeuw hiernaartoe gereisd om, met uw welnemen, uw zeer vereerde gast Lord Byron van dichtbij te zien en zijn stem te horen. Ik ben hem gevolgd door Epiros en het Lunxherisë-gebergte maar hij bleef me steeds een dagreis voor. Nu ik hem eindelijk heb ingehaald vraag ik niets anders dan hem vanuit een hoekje in de kamer te mogen gadeslaan. Mijn tweede doel was u te zien. Ik heb een fascinatie voor beminnelijke wreedaards – misschien lijd ik aan het Blauwbaardsyndroom. Na u heeft de wereld er nog velen zien komen en gaan, je zou er een rariteitenkabinet mee kunnen vullen, een lange klaagmuur vol Nissen der Schande. Om er enkele te noemen: Vadertje Stalin die er op de foto, glimlachend onder zijn moustache, zo vertrouwenwekkend uitziet; Adolf Hitler, lief voor kinderen en honden; de immer grappen makende Idi Amin; de diepreligieuze ayatollah Khomeiny, die kinderen de mijnenvelden instuurde... En niet te vergeten uw opvolger, ruim een eeuw later, Enver Hoxha, over wie een Nederlandse krant schreef: "Aan de ene kant een loepzuivere stalinist die zijn land rigoureus van de buitenwereld afsloot, aan de andere kant gecultiveerd, charmant in de omgang, intelligent, een intellectueel, een kenner van toneel, filosofie en literatuur." '

Het werd onaangenaam stil toen ik uitgesproken was. Je hoorde het water van de fontein terugvallen in het bassin. Jij tilde je wenkbrauwen op, verwonderd, onverschillig – voor jou was ik een van de vele rariteiten hier aan het hof.

'Ik herinner me niet u te hebben uitgenodigd,' zei de vizier koeltjes, 'hier zit een vreemd luchtje aan. Weet u wat wij doen met ongenode gasten?' Hij trok op zijn gemak aan zijn pijp. Ik schudde van nee. 'We pellen ze uit hun huid met de scherpste schelpen die aan onze kusten gevonden worden.'

'Doet u geen moeite,' zei ik, haastig buigend, 'ik los op in lucht en ether voordat u er erg in hebt en het zal zijn alsof ik hier nooit geweest ben.'

Ik voegde de daad bij het woord. Vermoedelijk keken jullie verbluft naar de plaats waar ik zo kort tevoren nog het woord had gevoerd, daarna hervatten jullie het gesprek, het voorval onmiddellijk vergetend.

We begonnen aan de afdaling in de richting van de rivier, jullie achterlatend bij Ali Pasja. Ik liep weg uit jouw brief, en uit het dagboek van Hobhouse. Alles wat binnen de vesting aan Ali Pasja had kunnen herinneren was vernietigd, er was niets waarmee ik me aan het jaar 1809 kon vastklampen.

Restte alleen wat er verder nog geschreven stond. Jij was gestorven aan een cataclysme van moeraskoorts, aderlatingen en goede wil; je lichaam was in Newstead Abbey begraven en je hart in Missolonghi. Ali Pasja was ten onder gegaan aan een kogel die dwars door de vloer heen in zijn rug drong. Zijn lichaam was begraven in de vesting in Ioanina, en daar lang-geleden ook al weer weggeroofd – een passend lot, dunkt me, voor een dode struikrover. Zijn hoofd werd enige tijd ten-toongesteld in Constantinopel (er werd wat afgezeuld in die tijd met lichaamsdelen en organen): 'Sinds twee uur stond Ali

Pasja's hoofd in de Nis der Schande. Bleker dan gewoonlijk in het nieuwe, donkere pak dat hij zich voor zijn bruiloft had laten aanmeten, stond Abdullah, handen op zijn rug, op zijn gebruikelijke plaats en staarde naar de mensenmenigte die het plein overspoelde. Nadat de nis dagenlang had leeggestaan (het hoofd van Bugrhan Pasja was vijf dagen geleden verwijderd), was het op het plein weer druk als altijd. Op hoofdloze dagen maakte het plein een verdwaasde, onnatuurlijke, ontregelde indruk. De menigte schuifelde blind en doelloos over het plaveisel. Het plein was uit zijn evenwicht. Nu het een nieuw hoofd had, was de normale toestand weergekeerd. De mensenstroom scheen onderworpen aan een zekere regelmaat, die Abdullah deed denken aan de getijdenbeweging van de zee onder invloed van de maan. Het hoofd aan de rand van het plein vervulde dezelfde rol als hemelwachter.'

Zo heeft Ismail Kadare de geschiedenis van Ali's hoofd beschreven in *De nis der schande*. Er waren veel vruchteloze pogingen van de Sultan aan voorafgegaan om Ali ter verantwoording te roepen: 'Een paar maanden geleden, aan de vooravond van zijn vertrek (de wind had precies zo gehuild als vandaag), was hij naar de hoge kille zalen van het Staatsarchief gegaan om er de documentatie over Ali Pasja te bestuderen. Urenlang had hij gebogen gezeten over de briefwisseling tussen de Sultan en de vizier van Albanië. Steeds langer werden de tussenpozen waarmee de brieven elkaar opvolgden. De laatste brieven kon je, zo scheen het hem, alleen lezen bij het troosteloze huilen van de wind die de hoge ramen van het archief voortdurend deed trillen. "Voor de laatste maal richt ik mij tot je," schreef de Sultan. "Gehoorzaam je mij ook ditmaal niet, weet dan dat ik je te vuur en te zwaard zal verdelgen. Tot as, as zal ik je doen vergaan." Het was inderdaad de laatste brief geweest. Een antwoord van Ali was er niet. Met ongelooflijke snelheid hadden de koeriers de afstand tussen de twee continenten overbrugd, met niets dan leegte in hun tassen. De winter naderde. De briefwisseling was afgebroken. Na de brieven was het wachten op de raven, op de kruitdamp.'

Voordat Ali's paleizen werden verwoest hadden de soldaten van de Sultan vruchteloos gezocht naar diens legendarische schat, die in het paleis in Tepelenë zou zijn ondergebracht. Ook Hobhouse maakt er gewag van: 'In dit paleis beweert men dat Ali het grootste deel van zijn schat bewaart, en, als je de Albanezen mag geloven, zijn sommige van de binnenste kamers tot de nok toe gevuld met juwelen en goudstukken.'

Ik voelde me buiten de geschiedenis gesloten. Ineens had het verleden zich teruggetrokken, ik was terugverwezen naar het eind van het tweede millennium dat ook spoedig voorbij zou zijn. Alles ging voorbij. Zelfs het moment waarop we, vergeefs speurend naar de resten van het paleis, in de vesting rondliepen was alweer verleden tijd. Dat het heden een seconde later al tot het verleden behoorde gaf me een gevoel van haast – het ging erom zoveel mogelijk vast te grijpen, alles verwaaide onder je handen in de wervelstorm van de tijd. Het vastleggen op papier was een van de wanhoopspogingen de tijd voor een ogenblik tot stilstand te dwingen, maar het bleef behelpen. Het verhaal over de reis zou nooit gelijk zijn aan de reis zelf.

De anderen stonden halverwege het pad over drie pasgeboren hondjes gebogen, die vanaf de vestingmuur levend naar beneden waren gegooid – in Albanië de weg van alle vuilnis. Ze piepten en kronkelden, Daniël verloste ze met een steen uit hun lijden. We stapten over de lijkjes heen en liepen verder de diepte in. Een gemene wind woei vanaf de rivier in ons gezicht.

Nu ik jullie niet meer had als allesvergoelijkend perspectief, was ik niet langer beschermd tegen de desolaatheid van Tepelenë. Er hing een dreiging die ik niet benoemen kon en die me het beklemmende gevoel gaf dat van de beproevingen die de Albanezen in de loop der eeuwen hadden doorstaan het einde nog niet in zicht was. Er was een zacht gegrom hoorbaar – het leek of het diep uit de kelen van de bewoners kwam. Ik was bevoorrecht, ik kon weer weg. Als een trekvogel was ik over een uithoek van het land gescheerd, had er de lucht opgesnoven waarna ik met klapperende vleugels zou terugzwenken naar mijn broedgrond.

We liepen langs een veld waar net een schaap geslacht was. Het dier hing ondersteboven aan een paal terwijl twee mannen bezig waren zijn huid af te stropen. Uitgemergelde honden stonden op de loer. Rondom was het gras bezaaid met beenderen van schapen – een knekelveld, aan de voet van Ali's vesting.

Zonder jou was de betovering verbroken, de magie weg. Ik kon alleen nog mijn eigen spoor volgen – terug naar waar ik vandaan was gekomen. Als ik hier bleef rondhangen zou ik op Ali Pasja's ezel gaan lijken, over wie het volgende verhaal verteld werd: het was zijn taak elke dag samen met een begeleider water voor Ali te halen in het dorp Valare. Dit had hij jarenlang gedaan en hij was er zo aan gewend geraakt dat hij er na de dood van de Pasja gewoon mee doorging, alleen. Men zei tegen hem: 'Jij domme ezel, je moet Valare vergeten want Ali Pasja is dood.' Deze aansporing was een bekende uitdrukking geworden voor iemand die zich te veel overgeeft aan nostalgie en, tegen beter weten in, blijft terugverlangen naar een tijd waarin hij gelukkig was, of naar iets moois dat hij maar niet vergeten kan.

Terwijl ik dit reisverhaal schreef leek ik desondanks sprekend op Ali's ezel. Ik ging de hele tijd door met water halen, doof voor wat er tegen me gezegd werd, zoals: wie is er in godsnaam geïnteresseerd in Lord Byron? Waarom uitgerekend naar Albanië, of all places? Achteraf drong het tot me door dat niet jij, of het paleis van Ali Pasja, het doel van de reis was geweest, maar het onderweg zijn naar Tepelenë – met jouw schim op gepaste afstand voor ogen. Mezelf samen met jou (wat een ijdelheid) in één verleden kunnen onderbrengen, al was het dan een verleden dat maar acht dagen duurde – een gestolen, voyeuristische intimiteit die van één kant kwam en waarvan jij onwetend zou zijn gebleven als ik me in deze brieven niet rechtstreeks tot jou had gericht.

Epiloog

'Toch gingen in zijn meest dwaze, vrolijke stemming,
Childe Harold vaak vreemde angsten door 't hoofd.
Alsof de herinnering aan een dodelijke vijandschap,
Of teleurgestelde passie zich daar verschool:
Maar dit wist niemand, en misschien wilde niemand het
      weten,
Want hij had niet zo'n open, naïeve ziel
die verlichting krijgt door 't verdriet vrij te laten stromen,
Noch zocht hij een vriend om raad of troost,
Wat voor verdriet kon dit toch zijn, waar hij niets aan kon
      doen?'

Terug in Ioanina, een week na het bezoek aan Ali Pasja, begon Byron aan het grote, epische gedicht *Childe Harold's Pilgrimage.* Twee jaar later, bij zijn terugkeer in Londen, waren
de eerste twee canto's klaar. Hij gaf ze, samen met andere ma-
nuscripten waarvan hij veel hogere verwachtingen had, aan
een vriend voor eventuele uitgave. Over de twee canto's zei
hij: 'Dit is 't niet waard dat U zich ermee bezighoudt, maar U
kunt het meenemen, als U wilt.' Zijn vriend las het gedicht en
was perplex: 'U hebt een van de bekoorlijkste gedichten geschreven die ik ooit gelezen heb.' Hij smeekte Byron het uit te
geven, en deze zwichtte uiteindelijk, maar niet voordat hij nog
enkele veranderingen had aangebracht.
      Had Hobhouse hun gezamenlijke belevenissen tijdens de

Grand Tour met meer wetenschappelijke dan literaire pretentie opgetekend in zijn dagboek, Byron die nog geen poëzie van betekenis had geschreven creëerde spontaan zijn eigen, nieuwe vorm voor een lang, autobiografisch gedicht in Spenseriaanse stanza's, waarin de melancholieke held een identieke reis maakt, niet alleen door de van oudsher bezochte centra van klassieke culturen, maar ook door tot dusver onbekende maar daarom niet minder tot de verbeelding sprekende landen als Portugal, Spanje, Epiros en Albanië.

Het gedicht was bij verschijning onmiddellijk een succes. Het Engelse lezerspubliek was rijp voor het poëtische verhaal over een reis door ruige, barbaarse streken vol bizarre gebruiken en de met wreedheid vermengde sensualiteit van de oriënt, de schoonheid in verzen van ruïnes en paleizen, van arcadische, spectaculaire en sinistere landschappen. Het liet zich ook graag betoveren door de charme van de door vreemde kwellingen verteerde, ronddolende jonker, die niet alleen leed aan een onvervulbare liefde ('Hij hield maar van één persoon, en die ene, helaas! kon nooit de zijne zijn'), maar meer nog aan zijn eigen ontoereikendheid en een 'aan dwaze kuren vergooide jeugd'. Er kwam nog een extra dimensie bij doordat historische gebeurtenissen, zoals de Napoleontische oorlogen, op de achtergrond een rol spelen en bijdragen aan de heroische atmosfeer.

En wat het opwindendste was: door alles heen schemerde de persoon van de dichter zelf, die verwisselbaar leek met zijn door introspectie gekwelde en door niemand beminde held. Daarbij werd de lezer gehypnotiseerd door de slepende regelmaat van het metrum, maar ook plotseling geactiveerd door aansporingen als 'Lo' en 'Hurl' aan het begin van een regel waardoor hij emotioneel meteen midden in de handeling werd getrokken. Lampedusa noemt het 'een malicieuze muziek, waarin de lezer een mengsel van ironie, tederheid en de gewaarwording van leven en dood werd geboden'.

De lezer vereenzelvigde zich graag met het lijden van deze Engelse Werther, dat zowel een poëtische pose is als de verbeelding van de somberheid die Byron zelf regelmatig overviel. Goethe zag al dat, waar het om de martelingen van het bestaan ging, Byron 'in zijn element was [...] hij was altijd een zelfkweller'. Byron had een calvinistische neiging tot schuldgevoel en zelfbestraffing. 'Een vloek hangt over mij en de mijnen...' placht hij te zeggen en hij was ervan overtuigd dat hij ieder die met hem een nauwere relatie aanging ongeluk bracht.

Dat dit schuldgevoel in de poëzie niet ontaardt in zelfmedelijden en pathos is te danken aan de omstandigheid dat de melancholie van *Childe Harold* opgaat in het lijden van de mensheid in het algemeen aan een wereld die verre van volmaakt is. Het zelfbeklag van Byrons held krijgt een andere dimensie wanneer het zich voegt bij dat van andere personages uit de geschiedenis en de literatuur, die ook slachtoffer waren van de omstandigheden. Zijn klagen is vervuld van een indirect medelijden. Francis Berry, in *Byron's Poetry*, noemt het: '[...] dit bovenpersoonlijke tonen van verdriet of melancholie maakt Byrons klacht nobel', of, zoals Francis Jeffrey zei in zijn herziening van canto LV in 1818, 'majesteitelijk' en 'subliem'.

Dankzij de verdichting van de reis in *Childe Harold* werd Byrons leven tot een kunstwerk, en beïnvloedde het kunstwerk zijn leven. Nu de verschijning van *Childe Harold* een sensatie was, ontving Engeland zijn verloren zoon met open armen. Het regende uitnodigingen, vooraanstaande vrouwen wierpen zich in zijn armen en hij dronk de kroes leeg tot op de bodem, totdat hij vervuld was van walging. In deze tijd ontstond zijn imago van misantroop, fatale man, scandaleuze minnaar.

Vertalingen van *Childe Harold* veroverden niet lang daarna het vasteland van Europa waar zijn roem, mede op basis van zijn latere werk en zijn dood voor de Griekse zaak, veel langer standhield dan in het vaderland waar zijn betekenis als dichter spoedig werd overschaduwd door die van Shelley en Keats.

Gedurende anderhalve eeuw werd hij in eigen land gezien als een 'minor poet', wiens roem gebaseerd was op 'de liefde, de orgieën en de dood' meent Mario Praz in *Het verdrag met de slang*. Goethe had nog uitgeroepen: 'Bewonderenswaardig! elk woord is sterk, veelbetekenend, en dienstbaar aan het doel – er zijn geen zwakke versregels bij Byron!' Maar meer dan een eeuw later was T. S. Eliot als dichter en gezaghebbend criticus van mening: 'Byron is bewonderd om zijn zeer ambitieuze pogingen poëtisch te zijn: en deze pogingen blijken bij nader onderzoek "fake" te zijn; niets dan luidklinkende gemeenplaatsen.' Voor Eliot moest poëzie iets zeer geconcentreerds, iets gedistilleerds zijn – iets waartoe Byron, in zijn ogen, niet in staat was: '[...] als Byron zijn verzen gedistilleerd had, zou er niets overgebleven zijn.'

Toch zijn er inmiddels talrijke pogingen tot herwaardering ondernomen. Francis Berry, opgeleid in de traditie van T. S. Eliot, relativeert in zijn essay 'The poet of Childe Harold' de strenge opvattingen van zijn leermeester. Hij ziet in diens totale verwerping van de dichter Byron een noodzakelijke stellingname binnen de poëtische ontwikkeling die hij zelf doormaakte, waarbij zijn poëtische ideaal diametraal tegenover dat van Byron stond. Berry, in 1974, had het lef zich los te maken van Eliots dominantie en Byron onbevangen te herlezen: 'Ik ben, en geen ogenblik te vroeg, Byrons poëzie gaan waarderen met enorm plezier en bewondering, en ondervind, als ik hem lees, een steeds intenser wordende opwinding, kracht en zekerheid die nergens anders in de negentiende-eeuwse poëzie te vinden is. En met welk gevolg? Het volgende: alleen hij leek een stuwende revolutionaire gloed, zich steeds uitbreidende sympathieën, te combineren met een even sterke gloed – of passie – voor een metrische en "stanzaïsche", verstrekkende structurele ordening. In de huidige tijd van naar anarchie zwemende vurigheid in het leven en in de literatuur, is Byron het heilzame model voor dichters van nu, en morgen. Hij bewonderde Dryden, hij bewonderde Pope. Toch was hij een vrijdenker; meer dan dat, een bevrijder; en hij begreep zichzelf.'

Lampedusa maakte in zijn essay een selectie, waarbij hij het kaf van het koren scheidde – Byron was ook actief als toneelschrijver, polemist en vertaler. Veel plaats ruimde Lampedusa in voor Byrons laatste lange, epische gedicht *Don Juan*, dat hij volmaakt noemde. In dit gedicht heeft Byron ten slotte zijn ultieme vorm gevonden, de octaaf: acht versregels, waarvan de eerste zes voorbereiden op een climax of commentaar in de laatste twee. Omdat het bij uitstek de versvorm was voor komedie en satire was er eindelijk ruimte voor zijn humor. In *Don Juan* maakte het klaaglijke, naar het theatrale neigende van *Childe Harold* plaats voor een beurtelings spottende en melancholieke toon, luchtig maar toch intens. De dichter had de afstandelijkheid bereikt vanwaaruit hij met alles en iedereen, inclusief zichzelf, de spot kon drijven – zoals hij altijd al gedaan had in zijn brieven en dagboeken. Eindelijk, zou je kunnen zeggen, was hij ook in zijn poëzie zichzelf geworden.

Voor het lezen van *Childe Harold* is de bereidheid nodig om dwars door de archaïsche taal en versvorm heen te ontdekken wat toen nieuw en opwindend was voor de lezer. Landen als Spanje, Griekenland en Turkije, die voor ons niets exotisch meer hebben sinds ze op de omslag van reisfolders prijken, waren toen voor degenen die zich geen *Grand Tour* konden veroorloven arcadische en oriëntaalse fantasiewerelden. We zien een jonker die eenzaam trekt door onbestaanbare, woeste streken, die toen nog authentiek en een beschrijving waard waren. Een dergelijk personage was helemaal in de mode – een vleugje aristocratie en melancholie, een snufje heroïek, een hang naar avontuur, gevaar en desnoods zelfdestructie, en dan nog de verrukkelijke doem die over hem hing en zich leek uit te strekken tot alles waarop zijn blik vermocht te vallen.

Hoewel Childe Harold's gemoedsstemming ons nu buitenissig voorkomt, is er altijd nog de aantrekkingskracht van verdwenen werelden, en van toen onbekende volkeren die misschien niet zozeer veranderd zijn als we op het oog zouden denken. In eigen vertaling geef ik hieronder een aantal strofen uit Canto II van *Childe Harold's Pilgrimage* om een indruk te geven van zijn bezoek aan Ali Pasja.

Childe Harold CANTO II

LV

De zon was gezonken achter de kolossale Tomerit,
En de brede, woeste Laos kwam bruisend voorbij;
De schaduwen van de avond werden steeds langer nog,
Toen, aan de voet van steile oevers die behoedzaam naar
    beneden kronkelden,
Childe Harold, als meteoren aan de hemel,
De glinsterende minaretten van Tepelenë zag,
Waarvan de muren over de rivier uitzien, en dichterbij
    komend,
Hoorde hij het drukke gezoem van soldatenstemmen,
Dat de bries zwaarder liet zuchten door de lange vallei.

LVI

Hij passeerde de stille toren van de heilige Haram,
En monsterde onder de brede gebogen poort
Het verblijf van de machtige leider,
Waar alles zijn hoge status verkondigde.
De despoot zat te midden van een uitzonderlijke pracht,
Terwijl drukke voorbereidingen het hof in rep en roer
    brachten,
Slaven, eunuchen, soldaten, gasten en priesters wachtten;
Vanbinnen een paleis, en vanbuiten een fort:
Hier zoeken mannen uit allerlei streken hun toevlucht.

LVII

Een kant-en-klare stoet gepantserde paarden, rijk op-
    getuigd,
En menige opslagplaats vol oorlogstuig;
Omgaven de grote binnenplaats beneden;
Daarboven verfraaiden bizarre groepen de galerij;
En vaak gaf door de echoënde deur van deze afdeling,
Een Tartaar met een hoge muts zijn paard de sporen:
De Turk, de Griek, de Albanees, en de Arabier
Kwamen hier bijeen in hun veelkleurige tooi,
Terwijl het diepe geluid van oorlogstrommen het eind van
    de dag aankondigde.

LVIII

De woeste Albanees in een rok tot op de knie,
Met een sjaal om het hoofd en een versierd geweer,
En met goud geborduurd gewaad, fraai om te zien;
De mannen uit Macedonië met karmozijnrode dassen,
De Delhi met zijn angstaanjagende kap,
En kromme zwaard; de levendige, soepele Griek;
En de donkere verminkte zoon van Nubië;

De bebaarde Turk, die zelden zich verwaardigt te spreken,
Heer en meester van allen om hem heen, te machtig om
   zachtmoedig te zijn,

Mengen zich opvallend: sommigen trekken zich terug in
   groepen,
En bekijken met kritische blik het bonte, steeds veranderen-
   de tafereel rondom;
Daar bukt zich een ernstige Moslim voor het gebed
En er zijn sommigen die roken, en sommigen die een spel
   spelen,
Hier betreedt de Albanees trots het terrein,
Daar hoor je de Griek half fluisterend kletsen;
Luister! vanaf de moskee het plechtige nachtelijke geluid,
De roep van de moëddzin doet de minaret trillen,
'Er is geen god behalve God! – om te aanbidden – ziet! God
   is groot!'

LX

Juist in deze periode hield de boetedoening
Van het vasten de hele dag aan,
Maar wanneer het dralende schemeruur voorbij was,
Namen brassen en feesten weer de overhand:
Nu was het een groot gewoel, en de dienstbare stoet
Bereidde en verdeelde binnen het overvloedige maal;
De lege galerij leek nu voor niets gemaakt,
Maar uit de kamers kwam geroezemoes,
Waar page en slaaf in en uit gingen.

Hier wordt nooit een vrouwenstem gehoord: afgezonderd,
En amper toegestaan, om zich, bewaakt en gesluierd, te verplaatsen,

Geeft ze zichzelf en haar hart over aan slechts één,
Getemd in haar kooi, zonder de wens vrij te zwerven,
Want, niet ongelukkig met de liefde van haar heer en
    meester,
En zich verheugend in tedere moederlijke zorg,
Gezegende zorg! Ver boven alle andere gevoelens verheven!
Haar verheft lieflijk de baby die ze draagt,
Die nooit de borst verlaat, noch bij lagere driften aanwezig
    is.

LXII
In een met marmer geplaveid paviljoen, waar een bron
Van stromend water in het midden ontsprong,
Waarvan de druppels met weldadige frisheid neerkomen,
waar grote zachte banken rust uitstralen,
Daar verpoosde zich Ali, een man van oorlog en leed:
Toch kon je in zijn gelaatstrekken niets ontwaren,
Omdat vriendelijkheid haar mildere glans
Over dat oude, eerbiedwaardige gezicht werpt,
Van de daden die eronder schuilen, en hem bezoedelen met
    schande.

LXIII
Het is niet die witte lange baard
Die slecht past bij de passies van de jeugd;
Liefde overwint de leeftijd – dat verzekert Hafiz,
Dat zingt de Teian, en hij zingt de waarheid –
Maar misdaden die spotten met de tere stem van het mede-
    lijden,
Betamen geen enkele man, vooral niet de man
Op leeftijd, hebben hem gebrandmerkt met de tanden van
    tijgers,
Bloed zoekt bloed, en, hun hele leven lang,

Slaan ze met nog bloediger wonden hen die het bloedvergieten begonnen.

LXIV

Te midden van vele dingen die nieuw waren voor oor en
   oog
Liet de pelgrim hier zijn zware voeten rusten,
En staarde om zich heen naar de luxe van de Moslim,
Al snel vermoeid van die enorme zetel
Van Rijkdom en Verkwisting, de uitgelezen wijkplaats
Van verzadigde Grandeur uit het lawaai van de stad:
En, ware ze nederiger, dan zou ze echt prettig zijn geweest;
Maar vrede verafschuwt kunstmatige vreugde,
En met Praal verbonden Plezier, vernietigt de lust tot beide.

LXV

Fel zijn Albaniës kinderen, toch zou het hun niet
Aan deugden ontbreken, als die deugden rijper waren.
Waar is de vijand die ooit hun rug zag?
Wie kan zo goed het gezwoeg van de oorlog verdragen?
Hun gehechtheid aan het vaderland is niet groter
dan voor hen nodig is in onzekere tijden van onrust.
Hoe dodelijk is hun toorn! Maar hun vriendschap is echt,
Wanneer Dankbaarheid of Dapperheid hun beveelt te
   bloeden,
Dan stormen ze onwankelbaar naar waar hun leider hen
   voert.

Het liefst lees ik Byrons brieven en dagboeken. Voor wie
dacht dat de soms larmoyante Childe Harold identiek zou zijn
aan Lord Byron is één brief genoeg. De schrijver ervan is een
verrassend nuchtere, sceptische man. Hij beschikt over een

heilzame dosis zelfspot, soms tot in het kolderieke.

Een zin is genoeg om op zijn toon af te stemmen: 'Wat heb ik gezien? Dezelfde mens overal ter wereld, – en voor de vrouw geldt hetzelfde.'

De brieven en dagboekfragmenten geven een scherp beeld van een vitale, maar rusteloze man die eindeloos op zoek lijkt naar een synthese tussen de onverzoenlijke contrasten in zichzelf en de wereld om hem heen. 'Dit dagboek is een uitlaat. Als ik moe ben – wat ik meestal ben – komt het tevoorschijn, en alles gaat erin. Maar ik kan het niet overlezen; – en God mag weten wat voor tegenstrijdigheden erin staan. Als ik tegen mezelf oprecht ben (maar ik vrees dat men vaker tegen zichzelf liegt dan tegen iemand anders) zou elke bladzijde elke vorige moeten weerleggen, ontkennen en volledig verloochenen.'

De wens 'oprecht te zijn' lijdt tot openhartige ontboezemingen waarbij hij niemand, ook zichzelf niet, spaart. Graag opent hij alle registers om, vanuit den vreemde, van leer te trekken tegen het politieke en literaire establishment in zijn vaderland. Zichzelf ziet hij als een outsider, iemand die niet mee heeft kunnen en willen doen aan wat we nu de ratrace zouden noemen: 'Ik heb eigenlijk geen vrienden op deze wereld, hoewel al mijn oude schoolkameraden in de wereld zijn opgeklommen, en rondlopen in monstrueuze vermommingen, in het gewaad van gardeofficieren, advocaten, dominees, nette heren en dergelijke maskeradekleding.'

Niets is heilig voor hem. Zelfs zijn eigen dichterschap en dat in het algemeen slaat hij niet hoog aan: 'Op de schaal van het intellect staan bij mij poëzie en dichters niet hoog genoteerd. [...] Ik geef de voorkeur aan de gaven van *actie* – oorlog – of de senaat – of zelfs Wetenschap – [...].'

Hoewel hij zich regelmatig met volledige overgave in 'de tumultueuze lagen van het bestaan begeeft', wordt hij met minstens even grote regelmaat overvallen door levensmoeheid: 'Ik ben *ennuyé* in een tijd die veel voltooider is dan de uitgang die ik doorgaans aan dat slaapverwekkende werkwoord geef, dat ik voortdurend vervoeg; en ik vind niet dat de omgang met mensen veel helpt. Ik ben te lui om mezelf een kogel door de kop te jagen – [...]' Dit doodsverlangen heeft minder met een, toen modieus, dichterlijk 'lijden aan het bestaan' te maken als wel met het levensgevoel van onze tijd dat Sartre 'La Nausée' noemde – in die zin is Byron eerder een 'modern' mens dan de stereotiepe romanticus waarvoor hij doorgaat.

Een deel van de brieven, gewijd aan de verrukkingen, kwellingen en beslommeringen van de liefde, geeft een duidelijk beeld van zijn tegenstrijdige gevoelens ten opzichte van vrouwen. Had ik op mijn zestiende deze brieven gelezen in plaats van een bloemlezing van zijn meest populaire gedichten dan zou de 'mythe Byron' waarin ik zo graag geloofde venijnig zijn doorgeprikt.

'Voor mij heeft de aanwezigheid van een vrouw iets dat milder stemt – een vreemde invloed, ook al is men er niet verliefd op – wat ik absoluut niet kan verklaren, aangezien ik geen hoge dunk heb van dat geslacht. Maar toch, ik voel me beter geluimd tegenover mezelf en de wereld, als er een vrouw in de buurt is.'

Aan Lady Melbourne, een door hem hogelijk gewaardeerde, oudere vrouw met wie hij een platonische vriendschap onderhield, schreef hij: 'Ik heb geen hoge dunk van uw sekse, maar als ik een vrouw zie die superieur is niet alleen aan haar eigen maar tevens aan de meeste leden van onze sekse, aanbid ik haar omgekeerd evenredig aan de verachting die ik voor de rest koester.'

We zouden ook nog zijn memoires hebben kunnen lezen, die hij bij zijn vriend Thomas Moore goed bewaard waande, ware het niet dat zijn weduwe, Annabella Milbanke, en zijn halfzuster Augusta, met wie hij een incestueuze relatie had onderhouden, die op een regenachtige avond in juli 1824 in de haard gegooid hebben. Ogenschijnlijk om Byrons nagedachtenis van alle blaam te zuiveren, in wezen om zelf onbezoedeld de geschiedenis in te gaan.

Aan gedetailleerde beschrijvingen van landschappen, architectuur, mensen, is Byron zich nooit te buiten gegaan. De bloemrijke brief aan zijn moeder over het bezoek aan Ali Pasja is wat dat betreft een uitzondering. De boekhouding van hun reis liet hij graag aan Hobhouse over: 'Hij [Hobhouse] hanneste meestal met een landkaart en kompas aan de voet van de Pindus, Parnes en Parnassus om de ligging van een of andere oude tempel of stad te bepalen. Ik reed er op mijn muildier heen. Ze hadden vanaf mijn jongensjaren door mijn dromen gespookt; de dennen, adelaars, gieren, en uilen, stamden af van degene die Themostocles en Alexander hadden gezien, en waren niet gedegenereerd zoals de mensen; voor de rotsen en bergstromen geldt 't zelfde. John Cams taaie volharding in zijn hobby is iets om jaloers op te zijn; ik heb geen hobby en geen volharding. Ik staar naar de sterren en denk na; maak geen aantekeningen, stel geen vragen.'

Nadat ze samen hadden rondgetrokken keerde Hobhouse met volle schriften terug naar Engeland. Byron zette de reis alleen voort, opgelucht: 'Ik voel me gelukkiger, ik voel me vrij.' Het voortdurende gezelschap van Hobhouse, met wie hij zijn hele leven bevriend zou blijven, had hem vaak flink op de zenuwen gewerkt: 'Ik heb besloten om na een jaar vagevuur te scheiden van deze goede ziel, want hoewel ik hem graag mag, en zal blijven mogen, hoewel ik net zo heilig geloof in zijn goede eigenschappen als hijzelf, is er iets in zijn manier van doen &c kortom hij zal nooit meer zijn dan de *Kale Kikvors.*'

Nog een jaar later beëindigde ook Byron zijn *Grand Tour*. Onderweg naar huis maakte hij de balans op: 'Met drieëntwintig is het beste van het leven voorbij en verdubbelen de bittere kanten.' Dat was een beetje voorbarig, want het leven had nog veel voor hem in petto, maar het getuigde ook van een vooruitziende blik. Er wachtte hem nog veel ellende: botsingen met de samenleving, verguizing, echtscheiding, veel sterfgevallen in familie- en vriendenkring. Onmiddellijk na zijn aankomst in Engeland stierf zijn moeder, zonder dat hij in de gelegenheid was geweest haar te bezoeken, en kort daarop verdronk zijn dierbare vriend Charles Matthews. Later zou hij nog zijn dochter Allegra verliezen, en de dood van Shelley van dichtbij meemaken.

Maar in diezelfde balans typeerde hij zichzelf zo: 'Ik word zelfzuchtig en misantropisch, zoiets als de "vrolijke Molenaar". Ik maal om niemand, neen ik niet, en Niemand maalt om mij.' Het was deze instelling die hem tot survivor maakte. Wat er ook gebeurde, de volgende dag zat hij weer op zijn paard, zwom een stuk of schreef een gedicht. Childe Harold moest Don Juan worden, zo was het voorbestemd.

Geraadpleegde literatuur

Voor *Een varken in het paleis* heb ik gebruikgemaakt van de volgende titels:

Berry, F., 'The Poet of Childe Harold', uit: F. D. McConnell (red.), *Byron's Poetry*, New York, Norton 1978

Byron, Lord, *Brieven en dagboeken*, vertaald door Joop van Helmond, Amsterdam, De Arbeiderspers, 1986

Byron, Lord, *The complete poetical*, Oxford, The Clarendon Press 1980

Eisner, R., *Travelers to an antique land: the history and literature of travel to Greece*, Ann Arbor, University of Michigan Press 1991

Hobhouse, John Cam, *Journey through Albania and other provinces of Turkye in Europe and Asia*, Londen, James Cawthorne, 1813

Kadare, Ismail, *De nis der schande*, Amsterdam, Van Gennep 1990

Kadare, Ismail, *Kroniek van de stenen stad*, Amsterdam, Van Gennep 1990

Koster, Daniël, *Griekenland; ANWB-reisgidsen*, Den Haag, ANWB 1991

Lampedusa, Giuseppe Tommasi di, uit de Duitse vertaling van zijn *Letteratura inglese* (1991) het hoofdstuk '...Ich sucht'ein Glück das es nicht gibt' over onder anderen Byron en Shelley, Berlijn, Verlag Klaus Wagenbach

Malamas, Lambros, *A tourist guide of Epiros*, edited by Mrs. Mary French, 7ᵉ druk

Marchand, Leslie A., *Byron: a portrait*, New York, Alfred A. Knopf 1970

Matzneff, Gabriël, *La diététique de Lord Byron*, Parijs, La Table Ronde 1984

Mulder, Gerda en Piet Ordeman, *Reisgids Albanië*, 2ᵉ druk, Rotterdam, Ordeman 1988

Praz, Mario, *Het verdrag met de slang*, Amsterdam, De Arbeiderspers 1986